AF497293

Hakon Hakonsøns Saga
fra Hertug Skules Fald;

Brudstykke af Magnus Lagabæters Saga.

Fortællinger om Halfdan Svarte, Kong Harald Haarfager, Hauk Haabrog og Olaf Geirstadealf,

Kong Olaf Tryggvesøns Saga af Odd Munk;

kort Omrids af Norges Konge-Sagaer,

og

Norges Kongerække paa Vers,

udgivne

i

Oversættelse

af

det Kongelige

Nordiske Oldskrift-Selskab.

Kjøbenhavn.

Trykt hos Andreas Seidelin,
Hof- og Universitets-Bogtrykker.

1836.

Fortsættelse
af
Kong Hakon Hakonsøns Saga.

243de Capitel.
Hvorledes Kongen erfarer Hertug Skules Fald.

Efter denne Tildragelse droge Birkebenerne bort fra Nidaros, og hver hjem til sit, de nordpaa til Helgeland, som havde hjemme der, og sønderpaa de, som vare derfra. Stephan Thomasmaag hed den Mand, som Asolf sendte sønderpaa med Brev til Kongen. Da Kongen fik Brevet, sagde han: „Dette Brev indeholder to vigtige Tidender; det er en ond Tidende, at Klosteret paa Helgeseter er brændt, og den anden er, at min Svigerfader Skule er død." Derpaa blev der blæst til Stævne, og Kongen selv forkyndte hele Hirden disse Tidender, der gik alle, men især Dronningen, meget nær. Kong Hakon blev den Sommer i Bergen, indrettede sig til Vintersæde, og blev der Vinteren over; det var den fire og tyvende Vinter i hans Regjering. Om Foraaret efter i Fasten indtraf vigtige Begivenheder i Danmark, da Kong Val-

A

demar, en Søn af Valdemar Knudsøn, der den Gang var een af de berømteste Konger i de nordiske Lande, døde; han havde været Konge i Danmark i ni og tredive Aar; efter ham fulgte hans Søn Kong Erik, som havde været Konge tilligemed sin Fader i fem Aar. Foraaret efter drog Kong Hakon øster til Vigen, men sendte Jon Tviskipting til Throndhjem, hvor han dræbte Sigurd Hit, der var en Varbelg, og ikke havde forliget sig med Kongen. Da lod Gregorius Jonsøn Arnfinn Thjoffen dræbe, og næste Foraar forud havde Bjarne Mosessøn dræbt Jatgeir Skjald i Kjøbenhavn; han var den Gang kommen did fra Sverrig, og havde taget heelt østerpaa, som før er fortalt, efter at Gunnar Kongsfrænde havde frataget ham Brevene i Helsingeland. Da Kong Hakon kom øster i Vigen til Sarpsborg, var Gregorius, en Søn af Kong Philippusses Broder Hr. Andreas, der, og begjerede Kong Hakons Datter Cecilia til Ægte. Kongen var vel tilfreds dermed, og det gik noget efter for sig, hvilket siden skal blive fortalt. Kong Hakon drog derfra til Kongehelle, og agtede at holde et Møde med Kong Erik, thi de Svenske beklagede sig meget over Kong Hakon, fordi han havde brændt i Værmeland. Kong Erik var den Gang oppe i Gøtland, og vilde ikke personlig komme sammen med Kong Hakon, men sendte sin Svoger Birger til ham, som da var gift med Kong Eriks Søster Ingeborg. Der i Kongehelle kom ogsaa til Kong Hakon en Mand, der hed Matthæus, som var sendt fra Kejser Frederik, med mange kostelige Foræringer, og med ham fulgte fem Blaamænd. Kong Hakon drog nordpaa til Bergen, og opholdt sig der om Sommeren. I dette samme Aar om Høsten døde Pave Gregorius, og efter ham kom Innocentius.   Samme Hest dræbte Gissur Thorvaldsen Snorre Sturlesen paa Reykjeholt paa Island.   Kong Hakon drog om Efteraaret til Throndhjem, og blev der om Vinteren.   Det var den fem og tyvende i hans Regjering.

Kong Hakons Datter Fru Cecilias Giftermaal.

244.   Om Vinteren kom Hr. Gregorius fra det Søndenfjeldske, og holdt Bryllup med Kong Hakons Datter, Fru Cecilia.   Kongen gjorde et prægtigt Gjæstebud, og drog derpaa til Bergen, hvor han var om Sommeren. Om Efteraaret kom Orækja Snorresøn fra Island, som Gissur og Kolbeen den Unge havde taget til Fange og sendt bort fra Landet; han gav sig i Bergen i Kongens Vold, der snart lod sin Vrede fare over hans Bortrejse tværtimod Kongens Forbud; dog sagde Kongen, at han snarere havde fortjent at døe derfor, end hans Fader, der ikke vilde være bleven dræbt, hvis han havde begivet sig til ham.   Orækja var om Vinteren hos Kongen, der behandlede ham vel; denne Vinter sad Kong Hakon i Bergen; det var den sex og tyvende i hans Regjering.   Ud paa Sommeren vilde han drage øster til Vigen, men blev silde færdig, da han havde mange Forretninger at afgjøre.   Der kom Mænd til ham fra Vesterhavet og andre Lande, som havde Ting at forhandle med ham, og da han om Høsten kom udenfor Rogeland, rejste sig stærke Storme, hvorpaa han lagde ind til Stavanger, og blev der noget; Vejrliget blev da haardt, hvorfor han besluttede at vende tilbage til Bergen, og blev der om Vinteren; dette var den syv og tyvende i hans Regjering.

Alexanders Brevsending til Kong Hakon.

245. Paa den Tid Kong Hakon regjerede i Norge, var Alexander Konge i Skotland, en Søn af Skotternes Konge Vilhelm; han var en stor Høvding og meget begjerlig efter denne Verdens Ære. Han sendte Mænd fra Skotland til Kong Hakon, for det første to Biskopper, der skulde forhøre, om Kong Hakon vilde afstaae det Rige i Syderøerne, som Kong Magnus Barfod havde erobret fra hans Frænde den skotske Konge Melkolf. Kongen svarede dertil, at Kong Magnus og Melkolf vare blevne forligte om, hvad Rige Nordmændene skulde have i Skotland og de Smaaøer, som laae derved, men paastod, at Skottekongen den Gang ikke havde noget Herredømme over Syderøerne, da Kong Magnus erobrede dem fra Kong Gudrøyd, og at denne ansaae dem for sine Arvelande. Da sagde Sendebudene, at Skotternes Konge vilde kjøbe Syderøerne af Kong Hakon, og bade ham bestemme deres Værd i brændt Sølv; men hertil svarede Kongen, at han havde ingen Mangel paa Sølv, saa at han behøvede at sælge sine Arvelande. Sendebudene vendte med saa forrettet Sag tilbage, og Skottekongen bragde ofte denne Sag paa Bane og sendte mange Budskab derom, men Skotterne kunde ingen anden Bestemmelse faae i den Henseende, end hvad der nu er fortalt.

Gissur Thorvaldsøn kom fra Island.

246. Den samme Sommer, da nemlig Kong Hakon sad i Bergen og Oræfja var kommen fra Island, kom ogsaa Gissur Thorvaldsøn derfra, og begav sig til Kong Hakon. Den samme Sommer drog ogsaa Thord Kakale

til Island, hvor han havde megen Strid med Kolbeen Arnorsøn de to Aar han opholdt sig i Vestfjordene. Da Kong Hakon havde været to Vintere i Bergen, drog han om Foraaret til Throndhjem; da kom Bjørn Abbed tilbage til Landet, og stikkede nogle Mænd forud til Kong Hakon, forat bede ham at tilgive sig, samt forkynde, at han bragde gode Tidender. Kongen lovede ham det. Han bragde Kongen et Brev fra Paven med Velsignelse og saa venlige Udtryk, at der næppe nogensinde oftere er kommet et saadant Pavebrev til Norge. Abbeden var hos Kongen om Sommeren. Kong Hakon drog øster i Vigen om Høsten; da døde Biskop Orm i Oslo. Kong Hakon sad om Vinteren i Vigen, men Bjørn Abbed drog nordpaa, og agtede sig hjem til Holm, men han kom ikke længer end til Selja, hvor han døde; dette var den otte og tyvende Vinter i Kongens Regjering.

Kong Hakons Brev til Paven.

247. Kong Hakon overvejede det venskabelige Brev, han havde faaet fra Pave Innocentius; han bød Ærkebiskop Sigurd og de andre Biskopper i Norge til sig, og bad dem skrive med ham til Paven, forat bede om Tilladelse til at krone Kongen. Biskopperne vare villige hertil, og ytrede, at de gjerne vilde skrive med ham, naar han vilde tilstaae dem Friheder, og forlangte tillige, at han skulde aflægge den samme Ed ved Kroningen, som Kong Magnus Eriksøn havde aflagt, da han blev kronet. Kongen svarede: „Saa rundelig have de forrige Konger tilstaaet eder Friheder, at jeg næppe er i Stand til at forøge dem, og I have udstrakt dem endnu videre, end de vare givne; og dersom vi aflægge samme Ed, som

Kong Magnus, da holde vi for, at vor Hæder derved
vilde formindskes, ikke forøges, thi han brød sig ikke om,
hvad han forpligtede sig til, naar han kun fik det, hvortil
han ingen Adkomst havde; men med Guds Hjælp behøve
vi ikke hverken af eder at tigge eller kjøbe det, som Gud
selv har kaaret os til efter vor Fader og vore Forfædre.
Og det forsikrer jeg eder, at med Guds Hjælp vil jeg fri
komme til Kronen, saa at jeg siden frejdig kan bære den
uden alle haarde Vilkaar, ellers skal den aldrig komme paa
vort Hoved." Noget efter sendte Kong Hakon Mænd til
Paven, og bad ham sende en af sine Kardinaler, for at
bevise Kongen den Hæder at krone ham.

Pavens Budskab til Kong Hakon.

248. Kong Hakon sad i Bergen om Vinteren efter
Bispemødet, og dette var den ni og tyvende i hans Re‐
gjering. Om Sommeren efter kom Gissur og Thord Ka‐
kale fra Island, og havde da forligt sig med Kongen
om alle deres Sager. Om Foraaret havde Thord stredet
med Brand Kolbeensøn i Skagefjord, og der var paa
begge Sider faldet mange anseelige Mænd. Kong Hakon
drog om Efteraaret til Throndhjem, og indrettede sig der
til Vintersæde. Ud paa Vinteren fik han at vide, at der
i samme Aar vilde komme en Kardinal fra Paven til
Norge, som efter Pavens Befaling skulde krone Kongen.
Dette gav Kongen Ærkebiskoppen tilkjende, og bad ham
sende Bud til alle Biskopper, Abbeder og de mest udmær‐
kede Gejstlige om at indfinde sig i Bergen; ligeledes sendte
Kongen Bud til Leensmændene, Lavmændene, Syssel‐
mændene, Hirdmændene og de anseeligste Bønder, og bad
dem berede sig paa det sømmeligste, og komme til Bergen

om Sommeren. Han sendte ogsaa om Foraaret et Skib over til England og andre Lande, forat indkjøbe hvad man især behøvede i Norge til Kardinalens Modtagelse. Knud Jarl var den Gang i Throndhjem, hvor han havde opholdt sig tre eller fire Vintere; han havde bestandig fire Fylker i Throndhjem under sig, samt Nummedalen og det halve Sogn.

Kardinalen kom til Norge.

249. Kong Hakon drog om Foraaret bort fra Throndhjem tilligemed Knud Jarl og mange andre fornemme Mænd nordenfra. Da havde Kong Hakon regjeret i tredive Aar. Da han kom til Bergen, overlagde han med forstandige Mænd, hvorledes man sømmeligst kunde indrette alt til Kardinalens Modtagelse. Kardinal Vilhelm var om Foraaret kommen fra England, hvor Kong Henrik havde modtaget ham hæderlig. Englænderne havde der, af Had til Norges Konge og hans Folk, sagt til ham, at ingen Ære vilde blive ham beviist der i Landet, og han vilde næppe kunne faae Føden, hvorfor de raadte ham fra at tage til Norge, og søgte at indgyde ham Frygt saavel for Havet, som for Folkets Vildhed. Kardinalen svarede: „Medens jeg endnu var længer borte, hørte jeg tale bedre om dette Folk, end I nu tale; man har sagt mig, at der ere mange gode Kristne og en indsigtsfuld Konge; deres Ærkebiskop har jeg ogsaa seet, og han forekommer mig at være en god Høvding. I øvrigt har jeg to Ærender til dem, som jeg tænker alle brave Mænd skulle synes vel om, det ene er at forkynde dem Guds Søn Jesum Kristum, det andet at krone deres Konge med Guds Hjælp og i Følge Pavens Foranstalt=

ning, og det frygter jeg ikke for, at det der skulde komme
til at mangle mig paa Mad eller Drikke." Derpaa
gjorde han sig rede til at drage til Norge, og gik ombord.
Kardinalen ankom til Norge Botolfs Dag, og landede ved
Den Sire, hvorfra han sendte Bud til Kongen for at
mælde sin Ankomst; paa samme Tid, som Sendebudene
kom til Kongen, lagde Kardinalen silde om Dagen med
sit Skib ind i Bergens Vaag. Kongen sendte strax Mænd
til ham, og tilbød ham alt hvad han maatte behøve.
Kardinalen svarede, at han var fornøjet med alt hvad
Kongen foranstaltede. Men næste Morgen, efter holdt
Gudstjeneste, gik Kongen ombord paa sit Skib; det var
paa fem og tyve Roerbænke med forgyldte Hoveder og
særdeles vel udrustet; det kaldtes Dragen; Kongen gik
ombord derpaa med sin Hird, og Sysselmændene roede
ligeledes ud paa deres Skibe. Kongen samledes med Kar=
dinalen, de hilste hinanden paa det venligste, og sejlede
saa ind til Bryggen. De Gejstlige toge i en skjøn Pro=
cession imod Kardinalen. Derpaa lod Kongen blæse til
Thing ude paa Kristkirkegaard; og da Kardinalen var
kommen paa Thinget, holdt han følgende Tale:

Kardinalens Tale.

250. „Jeg forkynder hermed alle og enhver, at jeg
ved Guds Miskundhed og efter Pavens Beslutning er kom=
men til dette Land, for at forkynde dets Indbyggere Jesu
Kristi Navn, og for at krone eders Konge. I dette Ærende
sendte han ikke en Præst eller anden Gejstlig med liden
Myndighed, men mig, een af hans Kardinaler med Bi=
skops Navn og med Magt til at løse og binde, som om
Paven selv var her tilstede; thi han vilde, at dette skulde

skee paa en Maade, som var Kongen til størst Hæder.”
Derpaa forkyndte han paa mangehaande Maader Troen
for Folket, og gav dem derefter sin Velsignelse og venligt
Hjemlov. Kardinalen talte jævnlig med de tilstedeværende
Biskopper; Ærkebiskoppen kom sidst, og da han og Kar=
dinalen havde talt med hinanden, kunde Kongen nok
mærke, at man havde stemt ham til at afvige fra sit
første Forsæt.

Kardinalens Forlangende og Kongens Svar.

251. En Dag, da Kongen og Kardinalen holdt
Samtale i Kristkirken, sagde Kardinalen til Kongen: „Ef=
tersom J, Herre Konge, agter at erholde større Hæders=
beviisning af den hellige Kirke, end nogen Konge før har
nydt i Norge, saa haabe vi, at J vil bekræfte de Fri=
heder, som andre før eder have tilstaaet den hellige Kirke,
ja endog forøge dem; samt at J vil aflægge den samme
Ed, som Kong Magnus, der var den første, som blev
kronet her i Landet.” Kongen svarede: „Jeg mærker nu,
Herre, at disse Ord skyldes mere andres Indflydelse end
eder selv; gjerne vil jeg bekræfte den hellige Kirke og dens
Tjenere saadanne Forordninger, hvorved den erholder den
samme Frihed her, som i andre Lande, hvor begge have
sine Friheder og sin Værdighed, baade den hellige Kirke
og Kongedømmet; men har end forhen nogen Konge sam=
tykket noget, som han ikke havde Ret til uden for sig
selv, saa ville dog vi hverken krænke vor egen Ret eller
vore Efterkommeres. Kort sagt: dersom J fastsætter no=
gen Betingelse for Kroningen, saa ville vi heller ingen
Krone bære, end underkaste os Tvang, og J behøver
derfor ikke oftere at bringe denne Sag paa Bane.” Kar=

binalen svarede: „Optag det ikke ilde, Herre Konge! thi det skal skee efter eders Villie.” Noget efter holdt Kardinalen Samtale med Biskopperne, og sagde til dem: „Jeg har talt med Kongen, som J forlangte det af mig; og mig synes, at han har større Ret i denne Sag, end de, som ere ham imod, og jeg vil ikke mere forebringe Kongen dette.”

Om Kongen og Kardinalen.

252. Kongen gjorde paa sine Underfaatters Vegne Kardinalen opmærkfom paa abskillige Mangler, som denne ogfaa raadede Bod paa. Han indviede Apoftlernes Kirke i Kongsgaarden, som Kong Hakon havde ladet bygge, og gav den evig Aflad. Da der raadsloges om, paa hvilken Dag Kongen skulde krones, sagde Kardinalen, at det skulde være paa een af Apoftlernes Messedage, men eftersom Kong Hakon nedstammede fra den hellige Kong Olaf, saa vilde han helst modtage denne Hædersbeviisning paa hans Højtidsdag. Alle Fornødenheder bleve nu anskaffede. Det var den Gang haardt Vejr med Regn, saa at Tilberedelser ikke godt kunde gjøres under aaben Himmel. Kong Hakon havde ladet bygge et stort Huus, som han vilde have til Nøst for sine Knarrer; det var halvfemsindstyve Alen langt, og tresindstyve Alen bredt; dette lod Kongen indrette paa det bedste til Gjæstebudet, thi han troede ikke paa noget andet Sted at kunne have saa mange Folk hos sig.

Kong Hakons Kroning.

253. Derefter blev alt beredt til Kroningen paa Olafsdag. Følgende Høvdinger vare tilstede: Kardinal

Vilhelm, Ærkebiskop Sigurd, Biskop Henrik af Hole, Biskop Arne af Bergen, Biskop Askel af Stavanger, Biskop Thorkel af Oslo, Biskop Povel af Hammer; og af verdslige Høvdinger: Kong Hakon og hans Søn Kong Hakon den Unge, Knud Jarl, Junker Magnus, Sigurd Kongssøn; samt Leensmændene: Gaut Jonsøn, Lodin Gunnesøn, Jon Drotning, Sigurd Biskopssøn, Peter Povelsøn, Gunnar Kongsfrænde, Munan Biskopssøn, Finn Gautsøn, Brynjolf Jonsøn; ti Abbeder, Ærkedegnene og Provsterne fra alle Bispesæderne, fem Lavmænd, Kongens Stallere og Sysselmænd og hele Hirden, samt de bedste Bønder af hvert Fylke.   Der var ogsaa en stor Deel Udlændinge.   Det regnede den Dag meget baade Nat og Dag; hvorfore der var tjeldet med grønt og rødt Klæde imellem Kristkirkes Dør og Kongsgaarden, baade for oven og ved begge Siderne; men i Kongsgaarden vare Telte rejste, saa at man kunde gaae til Herbergerne uden at lide af Regnen.

Kong Hakons Kroning.

254. Olafs Aften indtraf paa en Søndag, men Helligdagen selv blev der holdt Gudstjeneste i hele Byen. Derpaa blev alt Folket blæst til Møde paa Kristkirkegaard. Fiirsindstyve Hirdmænd vare bevæbnede for at holde Vejen ryddelig til Kristkirken.   Toget til Kirken gik for sig i følgende Orden: Først gik Hirdmændene, som skulde holde Vejen aaben, bestandig to og to sammen; derpaa to Mænd med Bannere, saa Skutelsvende og Sysselmænd i gode Klæder, derpaa Leensmænd med prægtige Sværd, derpaa tre Leensmænd, som bare et Bord over deres Hoveder, hvorpaa Kroningsdragten og Kongens Prydelser laae;

saa kom Sigurd Kongssøn og Munan Biskopssøn, der
bare to Rigsvaande eller Sceptere af Sølv, med et Guld-
kors paa den ene og en Ørn af Guld paa den anden;
dernæst fulgte Kong Hakon den Unge, som bar Kronen,
og Knud Jarl, der bar Vielsesguldet [1]; Ærkebiskop Si-
gurd og to andre Biskopper førte Kong Hakon. Ved
Porten i Kongsgaarden kom derpaa Præsterne dem i Pro-
cession imøde, og istemmede Responsoriet: Ecce mitto
angelum meum, og de gik saa til Kirken. Kardinalen stod
ved Kirkedøren, hos ham to Biskopper og hans Klerker,
de istemmede en Sang paa ny, og fulgte Kongen til Al-
teret; derpaa blev sunget Messe; og nu gik Kroningen
for sig paa den foreskrevne Maade. Da Messen var
endt, fulgte Ærkebiskoppen og de andre Biskopper Kongen
hjem paa samme Maade som før, syngende en Lovsang
til Gud. Derpaa afførte Kongen sig Kroningsdragten,
og iførte sig andre prægtige Klæder, og bar Kronen den
Dag. Siden gik Kongen med sine Folk til Herberget,
hvor Gjæstebudet skulde være; ved lille Kristkirke mødte
han Kardinalen, og de fulgtes ad tilligemed alt Folket.
Huset var heelt tjeldet med malede Tepper, og forsynet
med gode Hynder overtrukne med Silke og guldvirket Peld.
De Tilstedeværende bleve saaledes stikkede til Sæde i Her-
berget: Paa den nordre Side indad sad Kongen; paa
hans højre Side sad Kardinalen, saa Ærkebiskoppen, saa
Lydbiskopperne; paa højre Haand imod Søen sade de an-
dre Præster og Gejstlige; midt i Herberget ligefor Høj-
sædet var rejst et andet Højsæde, og deri sad Kong Ha-
kon den Unge, Knud Jarl, Sigurd Kongssøn, og ne-

---

[1] Ringen; eller Sværdet.

benfor dem Leensmændene; Dronningen sad paa Kongens venstre Haand, saa hendes Moder Fru Ragnhild, saa Fru Kristine og Fru Cecilia, saa Fru Ragnfrid, og nedenfor saa mange Kvinder, som kunde faae Plads. Ved den søndre Side sad Kongens Hird i to Rader, nedenfor dem Gjæsterne, ligeledes i to Rader, og alle fra den ene Ende af Huset til den anden, i alt vare der tretten Sæder. En stor Mængde, som ikke kunde rummes derinde, var udenfor i Telte. Den første Ret blev indbaaren af følgende Leensmænd: Munan Biskopssøn, Brynjulf Jonsøn, Gunnar Kongsfrænde og Sigurd Biskopssøn. Det første Bæger skjænkede Kong Hakon for sin Fader, Knud Jarl for Kardinalen, Sigurd Kongssøn for Dronningen, Munan Biskopssøn for Ærkebiskoppen, og gik derpaa tilbage til deres Sæder.

Kardinalens Tale.

255. Man havde næppe spiist, førend Kardinalen talte Guds Ord til de Tilstedeværende, og endte saaledes: „Lovet være Gud, at jeg i Dag har fuldbyrdet det Ærende, som jeg havde Befaling til af min Herre Paven; og eders Konge har nu modtaget saa fuldkommen en Hædersbeviisning, som ikke før er bleven nogen til Deel i Norge. Man fraraadte mig ogsaa meget Rejsen herhid, og sagde til mig, at jeg ikke vilde faae Mennesker at see, og saae jeg nogen, saa vilde de være ligere Dyr end Mennesker i deres Adfærd, men nu seer jeg her en utallig Mængde af Landsfolket, og de forekomme mig at have gode Sæder. Ligeledes seer jeg her en stor Mængde Udlændinge, og saa mange Skibe, at jeg ikke har seet flere i een Havn, og de fleste, tænker jeg, have

ført gode Ting hid til Landet. Man havde ogsaa skrækket
mig med, at jeg her vilde faae lidet Brød eller anden
Spise, og kun daarlig den jeg fik; men jeg seer her en
stor Overflødighed paa alle Fornødenheder, saa at baade
Huse og Skibe ere fulde. Fremdeles sagde man mig, at
jeg her ikke vilde faae anden Drik end Valde og Vand,
men jeg seer her er alle Slags hvad man behøver. Gud
bevare nu vore Konger og Dronningen, Biskopperne og
Gejstligheden og det hele Folk." Derpaa gik Kardinalen
bort med sit Følge. Saa kvad Sturla:

> Lykke gaves
> Af Guds Søn
> Håkon med
> Heldigt Varsel,
> Da Kristenhedens,
> Den herliges, Styrer
> Fyrsten til
> Fred indvied.
>
> Hejmodig paa hans
> Hoved selv,
> Det kongelige,
> Kronen satte
> Den Kardinal,
> Hvem komme bød
> Pavens Bud
> Til Bergens Stad.

Og fremdeles siger han:

> Dig, berømte Guldets Giver!
> Vied Vilhelm, Kardinalen;

Ingen bedre Folke-Konning,
Dette Land har Paven givet;
Ædle Fyrste! dig med Kronen
Kristenhedens Drot har prydet;
Sceptrets kjekke Svinger! Riget
Heel berømmelig du styrer.

Kong Hakon blev siddende efter at Kardinalen var gaaet, indtil der blev taget af Bordet, og Maries Minde var sunget. Derpaa hilste Kongen Folket, og takkede Mændene for deres Nærværelse. I dette Herberge blev der beværtet i tre Dage uden at der manglede paa noget af hvad man behøvede, saaledes som Sturla siger:

Hørders Herskers
Høje Pragt
Udbredtes til Himlens
Alle Kanter,
Hvorledes Volsungen
Højtidelig
Holdt sin Kronings
Hædersdag.

I een Sal
Ingensteds
Under det hvide
Himmeltag
Flere gode
Folk til Gilde
Nogen Fyrste
Før har samlet.

Der skortede ikke paa god Opbækning, men fandtes alt i god Stand, som det hedder:

Gyldne Kar
Der gik omkring
Fyldte med Viin,
Venlig budne;
Lifligst Drik,
Som læger alle,
Trængte huld
Til Hjertet ind.

Blanke Bægre
Bede tit
Kongens Gjæster
Gyldne Rande;
Tit sig hæved
Honningbølgen,
Bruste, faldt,
Og Brystet kvæged.

Derpaa beværtede Kongen i fem Dage i Søhallen i Kongs‑
gaarden; der vare Kardinalen, Ærkebiskoppen og de mest
udvalgte Mænd. Kongen og Kardinalen vare hver Dag
i Samtale. Biskopperne begjerede, at Kardinalen skulde
bede Kongen om at give noget af Ledingsafgiften til den
hellige Kirke. Kardinalen svarede: „Kongen er over hele
Landet, og hele Riget er hans; synes eder nu, at han
skal afstaae noget af sin Ret til Gejstligheden, saa maae
ogsaa I hver give noget af eders Indtægter, baade Land‑
skyld og andre Indtægter; men ville I ikke det, saa kan
jeg ingenlunde bede Kongen om at afstaae noget af sine
Indtægter.” Siden talte ingen af dem mere derom. Da
klagede Bønderne meget over, at Biskopperne toge Tien‑
derne fra Kirkerne, og forøgede dermed deres Forleninger,

eller toge dem selv til sig. Kardinalen bestemte, at Kirkerne skulde frit beholde deres Tiender og andre Indtægter, ligesom Bisperne deres Gods. Ligeledes klagede de Gejstlige over, at Biskopperne toge Gjæstebud eller Godtgjørelse derfor af dem, skjøndt de ikke kom i Fylket. Kardinalen erklærede, at det var baade mod Guds og den hellige Kirkes Lov, og befalede, at de skulde ingen Godtgjørelse tage, naar de ikke kom selv, med mindre de vare syge eller de rejste efter Kongens Befaling, til ham eller Ærkebiskoppen. Da klagede ogsaa Bønderne over, at de maatte betale Bøder, naar de bjergede deres Afgrøde paa Helligdage, eller fangede Fisk, som Gud beskjerede dem; Kardinalen gav derom den Anordning, at man maatte bjerge sit Hø og Korn, og fiske Sild, naar Gud beskjerede dem, undtagen paa de største Højtider. Han forbød ogsaa Jernbyrd, og sagde, at det sømmede sig ikke for Kristne at friste Gud til at aflægge Vidnesbyrd i Folks Sager. Desuden gav Kardinalen mange andre Anordninger, som ikke her ere anførte.

Om Striden imellem Brødrene Erik og Abel i Danmark.

256. Paa denne Tid regjerede Kong Erik Valdemarsøn over Danmark; men efter Kong Valdemars Død opstod der Uenighed imellem Brødrene Kong Erik og Hertug Abel, som var Hertug i Jylland. Desuden havde de Danske ogsaa Strid med Lybekkerne, hvoraf der kom megen Ufred, ogsaa for de Kjøbmænd, som sejlede igjennem Danmark. I Grønsund havde de Danske taget nogle norske Skibe og ganske udplyndret dem, og paa flere Steder bleve Nordmændene plyndrede baade af Danske og

Lybekker. Den Sommer, da Kardinal Vilhelm var i Bergen, havde Kong Hakon lagt Beslag paa alle de Skibe, der vare komne fra Danmark og Vindlandsfærd og nogle tydske Kogger, saavel som paa deres Varer. Men de, som dette gik ud over, bade Kardinalen at lægge et godt Ord ind for dem hos Kongen, at de kunde komme til deres Ejendom igjen. Han gjorde det, og bad Kongen vise dem Naade for hans Skyld, og forestillede, at sandsynligviis havde disse Mænd kun liden Skyld, om end Ransmænd i Danmark og Lybek plyndrede søfarende Folk. Kongen sagde, at han for Kardinalens Skyld vilde lade dem faae deres Gods, men tillige, at han aldrig vilde taale den Vold af de Danske, at de anfaldt Nordmændene med Ran og Manddrab. Kjøbmændene modtoge deres Gods. Denne Sommer blev Henrik Kaarsøn viet til Biskop i Holested paa Island.

Kardinalens Budskab til Island.

257. Da gik efter Kardinalens Raad den Opfordring til Island, at Indbyggerne der skulde underkaste sig Kong Hakon, thi han ansaae det for urimeligt, at dette Land ikke skulde være en Konge undergivet ligesom alle andre Lande i Verden. Thord Kakale blev sendt derud med Biskop Henrik, for at formaae Landsfolket til at give sig under Kong Hakons Herredømme og yde saadanne Skatter, som de fandt billige. Denne Sommer blev Biskop Olaf sendt til Grønland. Gissur Thorvaldsøn blev tilbage i Norge. Biskop Henrik og Thord kom til Island om Høsten, og droge til Borgefjord; Thord tog det Land og Gods i Besiddelse, som Sturla Sighvatsøn og Snorre Sturlesøn, hans Farbroder, havde ejet; ligeledes efter

Kongens Raad det Land, som tilhørte Thorleif fra Garde, thi han var dragen ud imod Kongens Forbud, som før er fortalt. Men imedens Thord var nordpaa om Vinteren, klagede hans Uvenner over ham for Biskoppen, som tog sig af deres Sager; deraf begyndte Venskabsbruddet imellem Thord og Biskoppen, som tiltog indtil de aldrig mere kunde forliges. Biskoppen var to Aar paa Island, og drog saa tilbage til Kong Hakon; han var bestandig Thords største Fjende; derimod indgik Biskop Henrik og Gissur Venskab med hinanden, og forskrebe, at det vilde gaae bedre med Kongens Sag paa Island, dersom de bleve sendte derover.

Kongens Afsked med Kardinalen.

258. Alle de Anordninger, Kardinalen gjorde i Norge, bekræftede han med Brev og Segl. Han beredte sig derpaa til at rejse bort, og Kongen lod udruste et Skib paa tyve Roerbænke, to Skuder og et Førselsskib, og satte sin Frænde Gunnar til Skibsbefalingsmand hos ham. Kongen gav Kardinalen og alle hans Mænd store Gaver; ligeledes gav han Ærkebiskoppen, alle Biskopperne, Leensmændene og de mest ansete Mænd anseelige Foræringer, saaledes som Sturla kvad:

> Der den høje
> Hersker sad
> Grum mod Guld
> Paa Giversæde,
> Og hver Mand
> Af ham modtog
> Alt hvad han sig
> Ønske kunde.

For det hele
Folk oprandt
Paa sin Himmel
Haandens Dag;
Alherskerens
Armes Sol
Hans Hoffinder
Huld bestraalte.

Af Ringbryders
Bueskjelde
Skjær udsendtes
Sølversnee;
Og den til
Ædle Kjæmper
Faldt paa kjekke
Falkes Sæder.

Helte saa
Høges Færger
Af Havluer
Labte førte;
Dog tillige
Af Digel-Iis,
Fra det store
Fyrstegilde [1].

---

[1]) I de her forekommende digteriske Omskrivninger betyde Armes Sol og Havluer Guldet, Haandens Dag, Digel-Iis m. m., Sølvet, Bueskjelde, Falkes Sæde og Høges Færger Armen.

Kong Hakon fulgte Karbinalen ud til Florevaag med alle
sine Skibe, og de skiltes med megen Kjærlighed fra hin-
anden. Karbinalen fik seent Bør øster til Stavanger,
hvor han blev en Stund. Derfra sejlede han til Tøns-
berg, og siden til Oslo. Paa alle Steder hvor han kom
ordnede han Folks Sager. Fra Oslo drog han til Kon-
gehelle, hvor han lod stævne et almindeligt Thing. Der
kom mange Mænd fra Gøtland ham imøde, og han ytrede
her, som før, at han takkede Gud forbi han kom til Norge.
Derpaa drog han til Sverrig, derfra ud til Paven, og
var siden en særdeles Ven af Nordmændene.

Kong Harald fra Syderøerne bejler til Fru Cecilia.

259. Kong Hakon drog om Efteraaret efter Kro-
ningen til Vigen, og sad i Oslo om Vinteren. Da kom
Kong Harald af Man, Olaf Gudrødsøns Søn, fra Sy-
derøerne, og drog østerpaa efter Kongen. Det var den
een og trebivte Vinter i Kong Hakons Regjering. Paa
denne Tid regjerede Erik Eriksøn i Sverrig, en Søstersøn
til Kong Valdemar i Danmark; men Ulf Jarl Fase havde
den største Deel i Regjeringen i Sverrig; han var en Søn
af Karl Jarl den Døve, og var en Ven af Kong Hakon
og Nordmændene. Han satte sig imod, at Kong Erik
skulde ytre sin Fortrydelse over, at Kong Hakon lod
brænde i Værmeland, hvorimod mange andre af de Sven-
skes Høvdinger eggede ham til at tage Hævn derfor.
Herr Birger, Magnus Minneskjalds Søn, var den tredie
blandt Magthaverne i Sverrig; han var gift med Kong
Eriks Søster Ingeborg. Den Vinter Kong Hakon sad i
Oslo, sendte de Jvar Thorsteensøn fra Dalene til ham

fra Sverrig, forat forespørge, hvad Erstatning han vilde
give for den Ufred, han havde anrettet i Værmeland.
Kong Hakon svarede, at det var ikke for Lysts Skyld
han havde brændt i Værmeland, og han vilde ikke i den
Hensigt have draget over Eidsskov, naar ikke Værmerne
havde understøttet mangt et Parti af Udaadsmænd imod
ham til Ran og Manddrab i Norge, hvorved mangen
brav Mand havde maattet tilsætte Livet. „Men efterdi
bægge have at klage paa hinanden," sagde han, „saa vil
jeg møde dem ved Landsgrændsen, og vi kunne da, om
muligt, forliges." Svar vendte tilbage med denne Besked,
og der kom Svar fra Sverrig, at de Svenske vilde ind-
finde sig paa Stævnemødet. Da Kong Hakon sad i Vi-
gen, bejlede Kong Harald til Fru Cecilia, som havde
været gift med Hr. Gregorius, og fik Ja. Brylluppet
skulde staae om Sommeren i Bergen. Kong Hakon drog
om Foraaret til Bergen, og sendte Bud til de Mænd,
som han vilde have med sig til Mødet ved Grændsen.
Da ankom fra Vesterhavet Jon Dungadsøn og Duggal
Rudresøn; begges Hensigt var, at Kong Hakon skulde
give dem Kongenavn over den nordlige Deel af Syder-
øerne; de vare hos Kongen om Sommeren.

Om Ildebrand i Byen.

260. Fjorten Dage efter St. Hansdag kom der
Ildløs i Bergen omtrent midt i Byen i Gaarden Strøm-
men; Ilden greb snart om sig. Kongen indfandt sig ved
Peterskirken med Hirden og Borgerne, og tænkte at standse
Ilden, men det vilde ikke lykkes. Ilden naaede snart
Mariekirken, som kom i Brand tilligemed Taarnene; Luen
greb saa stærkt om sig, at der faldt Brande oppe i Bor-

gen, og begyndte at tænde; Kongen skyndte sig da derhen med mange Folk. Mange brændte inde, førend de kunde komme ud. Kongen vendte sig derpaa til Sandbro, hvor han kom i stor Fare, da han vovede sig yderlig, som han plejede. Da lod han store Kjedler fylde med Søvand ude paa Koggerne, og slukkede dermed Ilden ved Guds Miskundhed og Kongens Lykke. Hele Byen var brændt indenfor Sandbro, og udenfor nogle faa Gaarde ved det inderste af Vaagen. Faa Dage efter indtraf i Bergen en underlig Hændelse, da der kom et Tordenvejr med Lynild, som slog ned i Huset, hvor Kong Hakons Søn, Junker Magnus var, og rev Taget op nogle Favne omkring; det var en stor Guds Beskjermelse, at Lynilden ikke gik ind. Men den gik derpaa ud paa Vaagen, og slog ned i Masten paa et Skib, og splittede den i smaae Fliser, saa at man næsten ingen Levninger saae deraf; en Deel af Masten dræbte en Mand, som var kommen ud paa Skibet for at kjøbe Pynt, men ingen anden paa Skibet fik nogen Skade. Noget efter Ildebranden holdt Kongen et prægtigt Gjæstebud i Kongsgaarden, og giftede sin Datter Cecilia med Kong Harald fra Syderøerne. Derpaa gjorde Kongen sig færdig til Mødet; de, der skulde følge med ham, ankom, og han havde mange Folk og Skibe. Medens han laae i Saltøsund, gav han Jon Dungadsøn Kongenavn, hvorpaa denne atter vendte tilbage nordpaa. Det var aftalt, at han og Duggal skulde fare til Vesterhavet med Kong Harald, men de bleve dog tilbage. Jon blev om Vinteren i Bergen, men Duggal drog østerpaa efter Kongen, og blev hos ham næste Vinter.

Kong Harald og Cecilia forlise.

261. Kong Harald fra Syderøerne drog fra Bergen med Kongedatteren Cecilia; de havde eet Skib og mange brave Mænd ombord. Skibet med alle dem, som vare derpaa, forgik, og efter de flestes Mening satte det til i Dynraust sønden for Hjaltland, thi Vraget drev sønbenfra op paa Hjaltland. Det blev anseet for et stort Tab; og for Syderøboerne var det en stor Ulykke, saa brat at miste en saadan Høvding, efterat han nys havde gjort saa anseeligt et Giftermaal og erholdt andre Hædersbeviisninger.

Ulf Jarls Død.

262. Da Kong Hakon kom til Vigen, samledes meget Krigsfolk til ham, de fleste til Hest. Han laae meget længe i Dynge, og biede paa Ærkebiskop Sigurd og de Mænd, der skulde komme nordenfra. Kongen havde da over tredive Skibe, de fleste temmelig store, samt meget og smukt Folk. Den svenske Konge Erik havde ogsaa draget en stor Hær sammen i Sverrig, og drog om Sommeren til Vestergøtland, hvor han forefandt Ulf Jarl og hans Svoger Hr. Birger Jarl med mange Krigsfolk, for det meste til Hest; de kom til Ljodhus [1], og da var Kong Hakon endnu ikke kommen. Men eftersom de Svenske kun havde bragt faa Levnetsmidler med sig, kunde de ikke bie efter Nordmændene, og rede igjen tilbage til Sverrig. Hertil kom ogsaa, at Ulf Jarl Fase var noget syg, og han døde det samme Efteraar; de Svenske ansaae dette

---

[1] Lødøse.

for et stort Tab, og nu førte Birger hele Regieringen med Kongen. Kort efter Jarlens Død lode Kong Erik og Birger Jarl Kong Knud den Langes Søn, Holmgeir, en Frænde af Ulf Jarl og andre Folkunger, tage af Dage; men Hr. Philippus, der forhen havde været Holmgeirs vigtigste Støtte, maatte forlade sine Eiendomme og gaae i Landflygtighed. Han var forhen gift med Elina, Peter Stranges Datter. Philippus var en Dattersøn af Philippus Jarl, der faldt paa Ageren ved Oslo; han var nær beslægtet med Kong Haton i Norge.

Kong Haton sendte Bud til Birger Jarl.

263. Kong Haton kom til Kongehelle om Efteraaret noget efter at de Svenske vare dragne bort; han laae der i nogen Tid, og afgjorde nødvendige Sager. Men eftersom intet Møde havde fundet Sted imellem ham og den svenske Konge, saa sendte han nogle Mænd, Einar Smørbag og Provst Olaf, op til Sverrig til Birger Jarl, for at forhøre, hvad den svenske Konges Agt var med Hensyn til deres Mellemværende. De havde endnu andre Ærender til Jarlen, som først siden bleve bekjendte, og hvorom herefter skal tales.

Kong Haton lagde Grunden til Kristkirken.

264. Kong Haton drog nordpaa i Vigen til Tønsberg, og gav sine Mænd Hjemlov, men agtede at blive der om Vinteren. Om Foraaret før var Biskop Askel af Oslo død, og Hakon, som tilforn var Skolemester, blev viet til Biskop; da blev ogsaa Herve viet til Biskop paa Ørkenøerne. Derpaa drog Ærkebiskoppen hjem nordpaa. Denne Sommer havde han ladet Grunden lægge til Krist-

Kirken saa langt imod Vesten, som den nu er. Kong Hakon opholdt sig om Vinteren i Vigen, og det var den to og tredivte Vinter i hans Regjering. Samme Vinter kom Kong Hakons Sendebud, Einar og Olaf, tilbage fra Sverrig, og sagde, at Jarlen havde taget vel imod deres Ærender, og erklæret, at han gjerne vilde være Kong Hakons Ven, samt foreslog, at de skulde mødes næste Sommer ved Elven, og bekræfte deres Forlig ved Venskab og Forbund. Einar og hans Medfølger havde ogsaa forestillet Jarlen, at det vilde bidrage meget til Fred, naar Høvdingerne besvogrede sig med hinanden, og Jarlen giftede sin Datter Rikiza med Kong Hakon den Unge. Dette havde Jarlen optaget vel, og Forhandlingerne imellem dem gik da lettere, end før; og han ytrede, at de kunde aftale dette, naar de personlig mødtes. Da fik man den Tidende fra Vesterhavet, at Kong Harald og Cecilia havde sat til om Høsten, som før er skrevet; Kongen betænkte da, at Øerne vare uden Høvding, og sendte Bud til Bergen, at Kong Jon som snarest skulde drage over før at bestyre Riget, indtil Kongen kunde sende flere Høvdinger did. Kong Jon seilede derpaa fra Norge til Vesterhavet.

Den skotske Konge Alexanders Død.

265. Kong Alexander af Skotland tragtede meget efter Riget paa Syderøerne, og da han ikke kunde faae sig Landet tilkjøbt for Løsøre af Kong Hakon, samlede han en Hær sammen over hele Skotland, rustede sig til et Tog til Syderøerne, og ägtede at indtage alle de Lande Kong Hakon besad i Vesterhavet; og erklærede sine Mænd, at han vilde ikke standse, førend han havde reist sit Banner ved Thurseskjær, og underlagt sig hele Norges Rige. Han sendte Bud til Kong Jon, men denne vilde ikke begive sig til den skotske Konge, førend sex Mænd lovede ham for, at han maatte drage sikkert tilbage, hvad enten de bleve enige eller ej. Da Kongerne mødtes, forlangte den skotske Konge, at Kong Jon skulde overgive ham Bjanaborg og tre andre Kasteller, som han holdt Kong Hakon tilhaande, samt det Rige, Kong Hakon havde overdraget ham; hvorimod den skotske Konge lovede ham et langt større Rige i Skotland, samt sin Bistand og Venskab, hvis Kong Jon vilde forene sig med ham. Hertil opmuntrede alle Kong Jon, baade hans Frænder og Venner; men han viste sig standhaftig og trofast, og sagde, at han ikke vilde bryde sin Ed mod Kong Hakon; han drog derpaa bort, og heelt nordpaa til Ljodhus. Da Kong Alexander laae i Bjarkesund, havde han en Drøm, at der nemlig kom tre Mænd til ham, den ene i kongelig Prydelse, en meget barsk Mand, rød i Ansigtet og temmelig før af Vært; den anden forekom ham smal af Vært, og temmelig ung, men særdeles dejlig og vel klædt; den tredie var den styggeste af dem og meget skaldet. Denne talte haardt til Kongen, og spurgte, om han havde i Sinde at hærge paa Syderøerne. Alexander svarede i Drømme, at han havde fast besluttet at bemægtige sig Øerne. Manden raadede ham, at gaae tilbage, det vilde ellers ikke gaae ham godt. Kongen fortalte sin Drøm, og de fleste opmuntrede ham til at vende tilbage, men han vilde ikke. Kort efter blev han syg, og døde; Skotterne hævede da Toget, og førte hans Lig op i Skotland. Syderøboerne sige, at de Mænd, som havde viist sig for Kongen i Søvne, vare den hellige Kong Olaf Haraldsøn af Norge,

Magnus Jarl af Ørkenøerne og den hellige Kolumba. Skotterne toge Alexanders Søn Alexander til Konge; han blev siden gift med en Datter af Kong Henrik af Engsland, og blev en stor Høvding.

Om Kong Hakons Rejse.

266. Kong Hakon beredte sig om Foraaret til sin Rejse fra Oslo for at møde den svenske Konge; han havde meget og udsøgt Mandskab og vel udrustede Skibe. Han selv førte Olafssuden, Kong Hakon den Unge et meget smukt Drageskib; desuden havde de mange andre herlige Skibe. Det varede temmelig længe, førend de fik Bør; hos Kongen var ogsaa hans Frænde Filippus, en Søn af Lavrens, der endnu var landflygtig fra Sverrig for Kong Erik og Birger Jarl. Da Kong Hakon sejlede op ad Elven, lod han Skibene roe stirlig med alle Sejl oppe, og drog frem med den største Pragt; saaledes som Sturla siger:

Det berømt
Blevet er,
At sejerrig Drot
Drage vilde
Selv at besøge
Sverrigs Fyrster
Paa Randvers
Vævre Skier [1].

Sejladsen var
Saa at skue

------

[1] d. e. paa Krigsskibe; Randver var en af Oldtidens saakaldte Søkonger.

Som gyldne Lyn
Lyste fra Havet,
Hvor Skjoldmaaner [1]
Skinnede klart
En ved den anden
Over Flaaden.

Og den Lysning
Lange Straaler
Sendte over
Svanes Veje,
Da den herlige
Himmel-Sol
Blanded sit Skin
Med Bølgens Flammer.

Da Kong Hakon kom til Kongehelle, spurgte han, at
Kong Erik og Birger Jarl vare komne østenfra med en
stor Hær.   Men da de fik Underretning om den norske
Konges Reise, at han havde en Mængde Skibe og en
stor Hær, saa vilde de Svenske ikke bie, men Kongen
red op i Gøtland, hvorimod Birger Jarl blev tilbage i
Ljodhus.   Da Kong Hakon laae i Elven, kom Mathæus,
der siden kom i Uenighed med Birger Jarl, til ham, hilste
ham, og fortalte ham, at Birger Jarl var reden op i
Gøtland, og tilføiede, at Birger Jarl havde tænkt, det
skulde have været en fredelig Sammenkomst, „men da
han spurgte," sagde han, „at I havde en stor Hær, saa
vidste han ikke, om I ønskede Fred."   Videre udlod han
sig ikke, og drog derpaa bort.

---

[1] Forgyldte Skjolde, som lignede Maaner.

Budskab til Birger Jarl.

267. Derpaa søgte Kong Hakon Raad hos sine Mænd, thi dem tyktes, at Mathæus var vel snart dragen bort. Gunnar Kongsfrænde havde den Gang Elvesyssel, og var en stor Ven af Birger Jarl. Han forestillede, at Jarlen vilde strax vende tilbage, naar man red efter ham, hvorpaa Gunnar og Thorlaug Bose bleve sendte til Jarlen. Kongen befalede, at de skulde ikke tale længer med Jarlen, end Mathæus havde talt med ham. De droge derpaa bort, og traf Birger Jarl i Gøtland; han var noget kort for Hovedet, og klagede over, at Kong Hakon havde saa stor en Hær. Gunnar forsikrede, at der var ingen Svig under, men det var hans Sædvane altid at fare med store Skibe, og han bad Jarlen vende tilbage at tale med Kongen; men Jarlen svarede, at Kong Erik var dragen op i Gøtland, og kunde ikke vende tilbage. Gunnar sagde, at hvor Jarlen var, der var Regjeringen. Kong Erik stammede meget, han talte derfor kun lidet, og lod gjerne andre tale for sig paa Thinge. Birger Jarl sagde, at han vilde komme til Ljodhus til Møde med Kong Hakon; hvorpaa Gunnar og hans Ledsager vendte tilbage, og berettede Kongen, hvorledes Sagerne stode. Han drog derpaa op til Ljodhus med hele Hæren, saaledes som Sturla siger:

> Overalt
> Elven lyste
> Af det rene
> Røde Guld,
> Da højberømt
> Hersker Flaaden

> Løbe lod
> Til Ljodhuse.

Gøterne bleve hel forundrede, da de saae saa mange, store og vel udrustede Skibe; og de frygtede for, hvis Høvdingerne ikke forligtes, at den norske Konge da skulde foretage sig store Hærgninger i deres Land; som det hedder:

> Gøtisk Mands
> Hjerte segned
> Da i frygtet
> Fejdetid,
> Til de Svenskes
> Stolte Herster
> Kongens budne
> Kaar antog.

Fru Rikiza troloves den unge Kong Hakon.

268. Kong Hakon lagde til ved Torskebakke vesten for Aaen ligefor Ljodhus, og biede til Jarlen kom. Derpaa droge Underhandlere imellem dem, og der blev talt om den unge Konges Frieri; derpaa mødtes de selv, i det Jarlen drog over Aaen til Kongen, og de talte med hinanden. Alle deres Samtaler løb vel af, og de sluttede Fred imellem Norge og Sverrig, saa at den enes Fjender ikke skulde finde Tilhold i den andens Rige. Derhos fæstede Kong Hakon den Unge sig Jarlens Datter, Fru Rikiza; og Giftermaalet skulde fuldbyrdes, naar Kongen og Jarlen fandt det belejligt. De skiltes derpaa med meget Venskab; Jarlen drog op i Sverrig, og Kong Hakon til Kongehelle, derfra nord til Bergen, hvor han indret-

tede til Vintersæde. Denne Hest kom Biskop Henrik fra Island, og berettede, at Thord Kakale tog sig kun lidet af Kongens Sag, samt satte andet Ondt for Thord; Kongen modtog Biskoppen vel. Denne Sommer havde Kongen stævnet Thord til sig. Om Vinteren sad Kong Hakon i Bergen, og det var den tre og tredivte i hans Regjering.

Den svenske Konge Eriks Død.

269. Om Foraaret kom nogle Mænd fra Sverrig, og forkyndte Kong Eriks Død; Folket var meget uenigt med Hensyn til Kongevalget. De fleste syntes, at Birger Jarls Søn, Kong Eriks Søstersøn, var nærmest til Riget, thi Kongens Søster arvede alting efter ham. Filippus, en Søn af Kong Knud den Lange, syntes ogsaa at have Ret til Riget, thi hans Fader havde været Konge med Kong Erik. Magnus Brokes Søn Knud holdt sig ligeledes for berettiget til Kongenavn, thi han var en Dattersøn af Kong Knud Erikssøn, der længe havde været Konge i Sverrig. Men saasnart Birger Jarl ankom, stemmede alle for, at hans Søn skulde være Konge; Birger Jarls Søn Valdemar blev da tagen til Konge. Men dette vakte megen Misfornøjelse hos de Høvdinger, som ansaae sig for ligesaa berettigede til Riget.

Den danske Konge Erik den Helliges Drab.

270. Denne Sommer forefaldt en mærkelig Begivenhed i Danmark: Abel greb sin Broder Kong Erik, og lod ham aflive St. Laurentii Aften. Derpaa lod Hertug Abel sig vælge til Konge over det danske Rige, og blev en stor Høvding. Kong Hakon drog om Sommeren til

Throndhjem, og lod der berede til Vintersæde. Om Høsten kom Biskop Sigurd og Thord Kakale fra Island, og traf Kongen i Throndhjem; der vare mange Islændere: Biskop Henrik, Gissur Thorvaldsøn, Thorgisl Skarde, Jon Sturlesøn, Finnbjørn Helgesøn, Sæmunds Sønner Filippus og Harald; og imellem dem herskede megen Uenighed, thi alle vilde være de første til Udrejsen. Biskop Henrik stemmede for, at Gissur skulde rejse, og sagde, at Thord tog sig ikke med Iver af Kongens Sag, hvilket de fleste ogsaa den Gang troede. Om Vinteren kom Kong Hakons Frænde, Hr. Knud, Magnus Brokes Søn, fra Sverrig, og blev Vinteren over i Throndhjem. Han forestillede Kongen, at Birger Jarl ikke vilde vise ham noget af den Ære, som han troede tilkom ham. Kong Hakon tilbragde denne Vinter i Throndhjem, og havde megen Bekostning til Julen, da han havde mange Folk hos sig; han havde Kronen paa den ottende Dag i Julen, da han havde de fornemste Mænd i Byen til Gjæst hos sig, Ærkebiskop Sigurd, Lydbiskopperne og Korsbrødrene fra Klosteret; desuden Knud Jarl, Kongens Frænde Hr. Knud og de anseeligste Mænd fra Thrøndelag. Det var den fire og tredivte Vinter i hans Regiering. Om Vinteren gik der Bud imellem ham og den danske Konge Abel; Kong Hakon sendte Bjarne Mosesøn med Breve til Danmark, og Abel sendte derimod andre Mænd til ham med sine Breve; der blev bestemt, at Kongerne selv skulde mødes ved Landenes Grændse, og da bilægge de Klager, Kong Hakon førte over de Danske.

Der sluttes Fred imellem Landene.

271. Denne Vinter kom Kong Alexander af Gar=
deriges Sendebud fra Holmgaard; Ridder Mikkel var den
fornemste iblandt dem; de førte Klage over den Strid,
som var opkommen imellem Kong Hakons Syßelmænd
nordpaa i Finnmarken og Karelerne imod Østen, som
vare skatskyldige til Kongen af Holmgaard; thi de øvede
Ran og Manddrab imod hinanden. Der blev siden over=
lagt, hvorledes dette kunde forebygges. De bejlede ogsaa
til Kong Hakons Datter for Kong Alexander. Derpaa
sendte Kong Hakon nogle Mænd, blandt hvilke de for=
nemste vare Vigleik Provstesøn og Borgar, til Holmgaard,
hvor de bleve vel modtagne, og stiftede Fred imellem de
skatskyldige Lande, saa at hverken Kareler eller Finner
skulde hærge paa hinanden; men Freden varede kun kort.
Paa den Tid anfaldt Tartarerne Holmgaard; derfor tog
man intet Hensyn til den holmgaardske Konges Frieri.

Om de svenske Herrer.

272. Kong Hakon drog om Foraaret til Bergen,
og opholdt sig der om Sommeren; der vare mange Folk
samlede. Magnus Brokes Søn Hr. Knud fulgte med
Kongen. Der indfandt sig ogsaa hos Kongen Hr. Phi=
lippus og den anden Philippus, Kong Knud den Langes
Søn, hvilke kom fra Vigen, og bade Kong Hakon, at
han vilde give dem nogen Hjælp til at erobre det Rige,
som de troede at have Ret til. Men han vilde ingen
Hjælp yde dem, thi der var sluttet det Fordrag imellem
ham og Birger Jarl, at de ikke skulde understøtte hinan=
dens Fjender. Herrerne begave sig da til Vindland, hvor

de samlede sig en Hær baade af Vender og Tydske, og
droge derpaa til Sverrig, hvor de begyndte Krig med
Birger Jarl.

Skibet til Island forgik.

273. Denne Sommer sendte Kong Hakon Biskop
Henrik, Gissur og Thorgisl Skarde ud til Island, hvor
de fik Befaling over den Landstrækning, som havde under-
kastet sig Kongen, og hvor de tillige skulde see at fremme
Kongens Sag hos de øvrige Indbyggere. Sæmundssøn-
nerne droge ogsaa ud, efterat de først ved Haandfæste
havde overgivet Kongen de Besiddelser, de havde ejet.
Biskop Sigurd, Thord og Jon Sturlesøn bleve da tilbage
i Norge. Det Skib, som Sæmundssønnerne vare paa,
forgik, og kun fire Mand bleve frelste; men det, hvor
Biskop Henrik, Gissur og Thorgisl vare ombord, blev
drevet tilbage til Norge, hvor de lede Skibbrud, og bleve
i Throndhjem om Vinteren. Kong Hakon drog om Hø-
sten øster til Vigen, og agtede at holde Møde med den
danske Konge Abel, efter den gjorte Aftale; det hed sig,
at de vilde indgaae Svogerskab, saaledes at Junker Mag-
nus skulde ægte Kong Abels Datter. Kong Hakon drog
heelt øster til Elven om Høsten, men hørte ikke noget til
Kong Abel; han sejlede da øster til Mustresund, og laae
der en Stund; da spurgte han, at Kong Abel ikke havde
i Sinde at komme til Mødet. Kong Hakon vendte da til-
bage til sit Rige, og gjorde Anstalter til Vintersæde i Oslo.

Om Brudefærd.

274. Om Efteraaret herskede der megen Ufred i
Sverrig imellem Birger Jarl og de før omtalte Herrer.

Begge havde en stor Hær, og rykkede mod hinanden. Tiden var nu kommen, da Birger Jarl skulde bortgifte sin Datter, og drage til Brylluppet i Norge; men han vo0ede sig ikke til at rejse, og besluttede at sende sin Datter med et anseeligt Følge; med hende vare to Bi= skopper, Laurentius af Skara og Biskop Magnus. Denne Færd var særdeles prægtig baade med Hensyn til Rigdom og Følgeskab. Der var ogsaa Ulf Jarls Søn Hr. Karl, og mange andre anseelige Herrer og Høvdinger fra Sver= rig. De kom til Kong Hakon i Oslo, og han modtog dem med særdeles Opmærksomhed; saaledes som Sturla kvad:

> Gøters Styrer, store Konning!
> Egen Datter, herlig prydet,
> Sendte til din Søn, fra Østen,
> Som hans Brud, med alskens Hæder;
> Mægtig Helt! i Mildheds Fylde
> Mod de Svenskes fejre Skarer
> Tog du selv og Fred befæsted —
> Folk saa eders Vælde hylde.

Derpaa gjordes der Anstalt til et stort Gjæstebud i Oslo, og den unge Konges og Fru Rikizas Bryllup blev holdt; Gjæsterne vare baade talrige og anseelige. Efter Gildet droge de Svenske hjem, og Kong Hakon gav dem til As= sked sømmelige Foræringer. Men medens de vare i Norge, forefaldt vigtige Ting i Sverrig. Herrerne og Birger Jarl havde mødtes ved Heitnabsbro, nemlig begge Phi= lipperne og Knud Magnuses Søn. De kom alle i Jarlens Vold, og han lod baade dem og mange andre Mænd til= ligemed dem halshugge, især Tyskere, hvorimod han gav de fleste Svenskere Fred. Derved standsedes Urolighederne

i Sverrig, men man dømte meget ulige óm Jarlen for-
medelst denne Handling.

Om Kong Hakons Sendebud.

275. Der herskede, som før er fortalt, nøje Ven-
skab imellem Kong Hakon og Kejser Frederik. De sendte
jævnlig Mænd til hinanden med herlige Foræringer; men
nu havde der i nogen Tid hersket Ufred imellem Nord-
mændene og Lybekkerne, formedelst den før omtalte Strid
imellem de Danske og Lybekkerne. Kong Hakon havde
skrevet herom til Kejseren, at Nordmændene ikke i Fred
kunde sejle til Lybek, hvilken By stod under Kejseren.
Den Sommer da Kong Erik blev myrdet i Danmark,
kom der Brev fra Kejseren til Lybekkerne, af det Indhold,
at Nordmændene skulde der nyde den fuldkomneste Fred,
at han agtede Kong Hakon højere end nogen anden Høv-
ding i de nordiske Lande, og at han vilde overlevere ham
Staden Lybek, saa at han der skulde baade være Høv-
ding og Herre, og give ham sit Brev og Indsegl derpaa,
hvis Kong Hakon vilde begjere det. Da Kong Hakon
saae dette Brev, sendte han Sire Askatin og Amunde, Ha-
rald Stangefyljas Søn, til Kejseren; de rejste om Efter-
aaret fra Bergen, ved Vinternætters Tid, ned til Dan-
mark, og kom den trettende Dag i Julen til Venedig,
hvor de hørte, at Kejseren var død før Juul ude i Apu-
lien. De vendte da tilbage, og agtede sig til Svaben til
Hr. Konrad, Kejser Frederiks Søn, men paa Vejen bleve
de grebne og kastede i Fængsel, hvor de maatte blive,
indtil Hr. Konrad udløste dem. Derpaa begave de sig til
Kejseren, som modtog dem hæderlig, men de fik dog ikke
de Ærinder udrettede, som de vilde have faaet, hvis den

forrige Kejser havde levet. Det er menig Tale, at Kejser Frederik var den ypperste af de rommerske Kejsere i den senere Tid; han var Kejser i ni og tredive Aar, men efter ham ophørte Kejserværdigheden, og der har ingen været siden indtil denne Bog blev skrevet, og Magnus havde været Konge i Norge i to Aar efter Kong Hakons Tog til Skotland. Derefter rejste Askatin og hans Med= følger til Norge, og traf Kong Hakon i Bergen ved St. Hansdags Tider; de berettede hvad der var skeet, og Kongen beklagede især Kejserens Død. Bjarne Mosessøn kom tilbage, og havde med Kongens Samtykke sluttet Fred med Lybekkerne, at de fra begge Sider skulde i Fred sejle til hinanden. De stode siden i god Forstaaelse med Kong Hakon.

Krigsrustning.

276. Vinteren efter Brylluppet sad Kong Hakon i Oslo, og holdt Juul i Hammer. Denne Vinter [1] døde Biskop Povel af Hammer; det var den fem og tredivte i Kong Hakons Regjering. I Begyndelsen af Foraaret døde Ærkebiskop Sigurd, den anden Non. Martii, og i hans Sted valgtes Sire Sørle Korsbroder i Hammer, der om Sommeren drog ud til Pave Innocentius, og fik Vielse af ham. Ærkebiskop Sørle viede to Biskopper i Pavens Gaard: Biskop Peter til Hammer, og Rikkard til Sy= derøerne. I Begyndelsen af Vaaren drog Kong Hakon fra Oslo øster til Elven, hvor han kom sammen med Birger Jarl, og beklagede sig for ham over den Uordhol= denhed, den danske Konge Abel havde viist ved ikke at ind=

---

1) ell. samme Aar om Foraaret.

finde sig til Mødet. Jarlen sagde ligeledes, at de Danske havde tilføjet de Svenske megen Skade ved Ran og Manddrab, men især ved at understøtte Herrerne imod Sverrig. Da de nu begge ansaae sig haardt fornærmede af de Danske, saa aftalte de, at de inden tolv Maaneder skulde udruste en Hær af begge Rigerne. Kong Hakon skulde føre en Flaade fra Norge, og Jarlen fem tusende Mand fra Sverrig, de skulde om Foraaret mødes ved Elven, saa anfalde Danmark og hærge der saa meget de vilde. Derpaa drog Kong Hakon til Tønsberg, og Birger Jarl op i Sverrig. Kong Hakon sad om Sommeren i Bergen. Denne Sommer sejlede Biskop Henrik, Gißur, Thorgils og Finnbjørn ud til Island, og toge de Leen i Besiddelse, som Kongen havde anviist dem.   Men der opkom dog snart megen Uenighed imellem Gißur og de andre, som Kongen havde givet Leen; Biskop Henrik syntes heller ikke, at Gißur holdt det, han havde lovet Kongen; han forenede sig derfor snart med Gißurs Uvenner. Heller ikke Gißur og Thorgils kunde komme ret ud af det sammen, thi Thorgils meente, at den anden ikke opfyldte sine Forpligtelser imod Kongen. Den Sommer da Gißur drog til Island, gav Kong Hakon Thord Kakale Syssel nordpaa i Gauldalen; han begav sig did, men sendte sin Frænde, Kolbeen Grøn, ud til Island, men han bidrog just ikke til at bilægge Stridigheberne, da han kom derud.

Om Abels Strid med Friserne.

277. Den omtalte Sommer krigede Kong Abel med Friserne, som han vilde paalægge større Skat end før. Friserne samlede sig, og toge deres Tilflugt til Skovene; og da Kong Abel vilde opsøge dem, blev han truffen af

en Piil, hvoraf han døde. Efter hans Død toge de
Danske hans Broder Kristoffer til Konge; han underlagde
sig da hele det danske Rige, og blev en stor Høvding.
Kong Hakon tilbragde Vinteren i Bergen; det var den
sex og tredivte i hans Regjering. Henimod Foraaret
gjorde han Udbud over hele Riget, baade af Folk og
Levnetsmidler, og bekjendtgjorde, at han vilde drage mod
Danmark. Han styrede derpaa øster til Vigen, men hele
Flaaden fulgtes ikke ad, thi enhver sejlede afsted eftersom
han blev færdig. Kong Hakon lagde ind til Tønsberg,
hvor han lod Dronning Margrete og Fru Rikiza blive
tilbage, men selv sejlede han efter over Folden, hvor der
strømmede mange Folk til ham fra Vigen. Kong Hakon
førte Olafssuden, den unge Konge Dragen, Knud Jarl
Dragmoken, Hr. Sigurd Kongssøn Rygjebranden, Peter
i Giske Borgundbaaden, Øgmund Krækedans Gunnars-
baaden, og Baard fra Hestbø havde ligeledes et stort Skib;
desuden havde de endnu flere store Skibe. Kong Hakon
lagde til ved Ramsholm i Hervidesund, hvor Kjærnen af
Hæren forenede sig med ham; derfra sejlede han ind til
Rafnsholt; der stod det store Skib, som Gunnar Kongs-
frænde havde ladet bygge efter Kongens Befaling, det
største Skib, som har været bygget i Norge. Kongen
lod det løbe af Bankestokken, hvilket gik meget heldig for
sig. Han holdt da en skjøn Tale, og gav Skibet Navnet
Korssuden; han lod nogle Mænd blive tilbage, for at
udruste det, men sejlede selv sønder til Ekerøerne, hvor
han lod den største Deel af Flaaden blive liggende; hvor-
imod Kongerne med de fleste af Leensmændene gik paa lette
Skibe, og lagde ind til Elven ved Lindesholmene; her spurgte
han, at Birger Jarl var ankommen med den svenske Hær.

Om Kong Hakon og Magnus.

278. Kong Hakon sendte nu sin Søn Junker Mag‑
nus og Gaut paa Mel nordefter, for at hente Korssuden
og bringe den til Ekerserne til de andre Skibe. Da de
kom derhen, gjorde de færdigt paa Skibet hvad der endnu
manglede; og da de sejlede ud fra Ramsholm, holdt Junker
Magnus sin første Tale, som alle syntes vel om, da den
var langt over hans Alder. De førte Skibet til Eker‑
serne; men da de kom ind i Havnen, og kastede Anker,
krængede Skibet saa stærkt, at der gik Ild i Spillet, som
de havde brejet Ankertovet om; Folkene troede, at der
vilde gaae Ild i Tovet, og vædede et Sejl, forat slukke
Ilden, men Junker Magnus var snildere og raskere, han
tog en Bøtte fuld af Drik, øste den ud over Spillet, og
dæmpede saaledes Ilden. Da Korssuden kom i Leje ved
Siden af de andre Skibe, naaede Bordene paa den op til
Raaerne paa de andre Skibe og Olafssuden. Dens Bord
var ni Alen over Vandet, og den var det største af alle de
der værende Skibe, skjøndt alle gamle Folk sagde, at man
aldrig havde seet saa mange store Skibe samlede i een
Leding. Rygtet om denne Flaade udbredte sig som et
Skrækkens Budskab over hele Halland og Danmark, og
man troede, at her vilde ingen Modstand være mulig.
Saaledes som Sturla kvad:

> Jeg fortæller, Flaadens Styrer!
> Folk, at I paa Danske hævned
> Fejde os paaført fra Sønden,
> Flur du mange Snekker samled;
> Eders Mænd, for Ran at revse,
> Vældigst Leding snart udbøde,

Langs forbi de lange Kyster
Liden ej den var at skue.

Aandbegavet Fyrstes Skare
Frem til hver en Roerbænk ilte,
Saa mod Syd den store Flaade
Flux I styred, Rigdoms Giver!
Ædle Kriger! Hallands Hære
Frygted eders store Vælde,
Alle Jyllands Konges Kjæmper
Grue saaes for Norges Hersker.

Om Kong Hakon.

279. Kong Hakon havde mange anseelige Mænd
med sig i denne Leding: der vare tre andre Konger, Kong
Hakon den Unge, Kong Jon af Syderøerne, Kong Duggal,
Knud Jarl, Junker Magnus, Hr. Sigurd. De fortrin=
ligste Leensmænd vare: Peter i Giske og hans Søn Ni=
kolai, Gaut paa Mel og Brynjolf Jonsen. Da Kong
Hakon laae ved Ekerøerne, ankom Ærkebiskop Sørle fra
Paven; han var først kommen til Tønsberg, hvor Dron=
ningen gav ham et let Skib forat sejle efter Kongen; med
ham fulgte Biskop Peter, men før havde Biskop Arne af
Bergen været med ham, samt Biskop Askel af Stavanger,
Biskop Hakon af Oslo, og mange andre Gejstlige vare
baade hos Kongen og Biskopperne.

Om de Danskes Sendebud.

280. Da Kong Hakon laae ved Lindesholmene, var
Birger Jarl østenfor Aaen med sin Hær ved Guldbergseid.
Han havde fem tusende Mand; der vare mange anseelige

Mænd hos ham: Ulf Jarls Søn Hr. Karl, Folke Jarls
Søn Hr. Holmgeir, Karl Kneisesøn og Jon Engelsøn;
hos Jarlen var ogsaa Kong Andreas af Sursdalene, en
Broder til Kong Alexander af Holmgaard; han var
flygtet østenfra for Tartarerne.   Kong Hakon den Unge
var til Gjæst hos Birger Jarl, og næste Dag, Søndagen
før St. Hansdag, drog Birger Jarl over til en Sammen-
komst med Kong Hakon den Gamle, og de forhandlede
meget med hinanden.   Jarlen sagde, at der vare ankomne
Sendebud fra den danske Konge, og de laae oppe i Aaen
ved Guldbergseid; det var to Biskopper, femten Ribbere
og mange andre Mænd, og de vare sendte, forat slutte
Forlig angaaende de Besværinger Kong Hakon førte over
de Danske.   St. Hans Dag kom de sammen og under-
handlede, og det forekom Folk, at Birger Jarl holdt mere
med de Danske, end man havde ventet.   Dog modtoge de
Danske det Forlig, som Kong Hakon foreslog: De Danske
skulde betale Nordmændene saa meget, som disse beviis-
ligen havde mistet ved de Danske.   Kong Hakon blev og-
saa tilfunden at betale noget for det de Danske krævede
af Nordmændene; Pengene skulde udredes om Høsten, og
ligeledes en Deel af det de Danske skulde betale, og for
Resten skulde Halland sættes i Pant.   Men hvis Kong
Kristoffer ikke vilde stadfæste dette Forlig, saa skulde nogle
af Ribberne drage med Kong Hakon, andre med Birger
Jarl til Sverrig, og forblive der indtil de bleve udløste.
Angaaende dette Forlig bleve Breve udstædte og forseglede
med Biskoppernes og andre Dannemænds Segl fra begge
Parter; saaledes som Sturla siger:

> Den kjække Kjæmpe siden
> De Danskes Ran har straffet,

Først gavmild Flaadens Styrer
Ved Ekerøer landed;
Ham Folket da forjætted
Til Brandskat nok af Penge,
Og Thrønders Konning Lande
Som Pant derfor har taget.

Derpaa opløstes Ledingen; Kong Hakon vendte henimod St. Petersmesse tilbage til Tønsberg.

Om Kong Hakons Rejse.

281. Ud paa Sommeren sendte Kongen Aslak med de Penge, han skulde betale de Danske, øster til Landsgrændsen, men der kom ingen fra Danmark forat tage imod dem, ikke heller nogen forat betale hvad der var bestemt. Aslak begav sig til Birger Jarl, som underrettede ham om, at de Danske ønskede, at der ingen Betaling skulde finde Sted den Høst, men at Kongerne selv skulde mødes næste Sommer, og slutte Forlig med hinanden. Jarlen understøttede meget dette Forslag. Kong Hakon rejste nordpaa i Landet, og opholdt sig i Throndhjem om Vinteren; det var den syv og tredivte Vinter i hans Regiering. Om Foraaret i Fasten døde Peter i Giske. Dette Foraar døde ogsaa Ærkebiskop Sørle paa Apostlerne Philippi og Jacobi Messe. Kong Hakon drog til Bergen. Efter Ærkebiskoppens Død holdt Korsbrødrene et Møde, og bleve enige om at vælge Einar Smørbag, Gunnar Grynbags Søn, som den Gang var ude i Paris, til Ærkebiskop. Mester Hakon og Mester Ottar bleve da sendte med Brev til ham, forat forkynde ham dette Valg, men Kongen vidste ikke noget deraf. Kong Hakon drog om Sommeren øster til Elven forat holde Møde med den danske Konge; Kongen lagde da til ved Lindesholmene, men Birger Jarl var ved Guldbergseid. Den danske Konge Kristoffer ankom ogsaa, og han satte især sin Lid til Birger Jarl. Da man begyndte at underhandle om Forliget, viste det sig, at den danske Konge meente, at Biskopperne den forrige Sommer havde overskredet deres Fuldmagt. Kongerne blev ikke forligte, hvor meget end Birger Jarl bestræbte sig derfor, men Nordmændene syntes, at han holdt for meget med de Danske. Mødet løb saaledes af, at den danske Konge red bort uden at noget Forlig blev sluttet; han tog Vejen igjennem Halland, og lod alle de Broer kaste af efter sig, som han kom over. Kong Hakon rejste nord op i Vigen, og blev der om Sommeren.

Sigurd Kongsøns Død.

282. Det Foraar, hvorom nu er talt, døde Kong Hakons Søn Sigurd, og Biskop Askel af Stavanger. Denne Sommer sendte Kong Hakon Biskop Sigurd tilligemed Sigurd Silkeøje ud til Island, forat tale hans Sag paa Thinget. De havde mange Breve med, hvorved iblandt andet Gissur Thorvaldsøn og flere andre bleve kaldte over til Norge. Om Vinteren tilforn havde Eyjolf Thorsteensen, Rane Kobransøn og Kolbeen Grøn indebrændt tre af Gissurs Sønner paa Flugamyre og mange andre Mænd. Den samme Vinter dræbte Gissur Kolbeen Grøn og syv andre Mænd, og om Foraaret dræbte Odd Thorarensen Rane med tre andre Mænd paa Grimsø; der herskede den Gang megen Urolighed paa Island. Biskop Sigurd traf Gissur paa Sønderlandet, og han var da sat i Band af Biskop Henrik. Og da Biskop Henrik erfarede Skibets Ankomst, red han til Sønderlandet, hvorpaa begge Biskopperne ængstede Gißur saaledes, at han strax gjorde sig rede til at forlade Landet; han satte Odd Thorarensøn over Skagefjord, og overdrog ham hele sin Sag; Thord Tott derimod gav han Bestyrelsen af sin Fæbrenearv, og paalagde ham at staae Odd bi imod Eyjolf og Rafn. Gißur kom til Bergen, hvor Thord Kakale var, og de mødtes ikke som Venner. Gißur drog da strax til Vigen, hvor han fandt Kong Hakon.

Ivar drog til Island i Kongens Ærende.

283. Om Høsten lod Kong Hakon indrette til Vintersæde paa Bjerget i Tønsberg; det var den otte og tredivte Vinter i hans Regiering. Baade Gißur og Thord opholdt sig der, Gißur i Byen og Thord paa Bjerget. Om Foraaret sejlede Kong Hakon til Bergen paa Korsøuden. Om Sommeren kom Ærkebiskop Einar til Landet, han landede ved Alde, og begav sig strax langsmed Landet til Throndhjem uden at ville besøge Kongen, hvilket forekom denne underligt. Denne Sommer, da Kong Hakon opholdt sig i Bergen, sendte han Ivar Engelsøn til Island, forat fremme hans Sag der ved Hjælp af Biskopperne, som han havde megen Tillid til. Men Kongen gav Gißur og Thord Sysler, Gißur fik et oppe i Throndhjem, men Thord efterpaa i Skeen. Om Vinteren, førend Ivar kom ud til Island, havde Rafn og Eyjolf dræbt Odd Thorarensøn i Geldingeholt, og om Sommeren efter, da Ivar kom ud om Høsten, havde der staaet et Slag paa Tværaaere imellem Thorvard Thorarensøn, som Thorgisl Bødvarsøn og Sturla Thordsøn understøttede, og Rafn og Eyjolf; Eyjolf faldt, men Rafn flyede. Ivar opholdt sig om Vinteren i Skalholt, og syntes, at Biskoppen ikke tog sig saa ivrig af Kongens Ærende, som han havde lovet. Om Foraaret drog Ivar nordpaa til Skagefjord, hvor han kom sammen med Biskop Henrik og Thorgisl Skarde, som da forestod Skagefjord, og anbefalede dem Kongens Ærende. De fandtes begge villige, stævnede Bønderne sammen i Skagefjord, og anbefalede dem tillige med Ivar Kongens Sag; det blev da afgjort, at alle Indbyggerne i Skagefjord og Øfjord lovede at betale Skat, og ligeledes vilde de fleste Bønder paa Nordlandet betale den Skat, de kunde blive enige om med Ivar. Om Sommeren rejste Ivar til Norge, og fandt, at han ikke havde faaet saameget udrettet, som han ventede; hvilket han især tilskrev Gissurs, men noget ogsaa Thords Venner.

Ærkebiskop Einar kom til sit Sæde.

284. Ærkebiskop Einar kom til sit Sæde i Niberos; og da han erfarede, at Kong Hakon havde optaget det ilde, at Biskoppen ikke havde opsøgt ham, da han kom til Landet, saa rejste han ned til Bergen; Kongen modtog ham vel. Ærkebiskoppen var en særdeles Ven af den unge Konge, thi han havde givet ham Kongenavn. Han bad Kongen at dele Landet imellem sine Sønner, som passelig kunde være. Kong Hakon raadslog derom med sine Venner og Raadgivere, men disse vare af meget forskjellig Mening; nogle sagde, at Magnus skulde have en Trediedeel af Landet og Hertugstittel; andre meente, at man skulde dele Landet i to lige Dele, skjøndt Hakon førte Kongetittel. Der vare ogsaa nogle, som slet ikke vilde indfinde sig til dette Møde, naar Brødrenes Kaar i nogen Henseende skulde blive ulige. Kongen optog dette vel, og sagde, det bedste var, at Gud deelte dem imellem; Mødet endtes saaledes, uden at nogen Bestemmelse blev tagen. Ærkebiskoppen drog tilbage til sit Sæde, og Kongen og han skiltes som gode Venner. Kong Hakon den Unge havde den Sommer sendt nogle Mænd ud til Spanien til Kongen af Kastilien; den fornemste blandt disse Sendebud var Præsten Elis; de havde nogle Falke med som Foræring til Kongen, samt andre Ting, som der vare Sjeldenheder. Da de kom ud til Spanien, tog Kongen vel imod dem og den norske Konges Foræringer; de opholdt sig der i nogen Tid, og nøde megen Hædersbeviisning.

Skrivelse til Danmark.

285. Den næste Vinter sad Kong Hakon i Bergen; det var den ni og tredivte i hans Regjering. Om Foraaret henimod Paaske sendte han Thorlaug Bose med nogle andre Mænd til Danmark til Ærkebiskop Jakob i Lund; Kongen sendte denne Brev, at han skulde sende Brev og Bud til Kong Kristoffer, forat forhøre, om han vilde holde noget af det Forlig, som var sluttet imellem de Danske og Nordmændene den Sommer, da Kong Hakon laae ved Elverøerne. Da Thorlaug kom til Lund, modtog Ærkebiskoppen ham vel, og lod ham blive hos sig, men sendte nogle Mænd til den danske Konge i Roeskilde i Sjælland. Men da Kongen erfarede deres Ærende, beholdt han dem hos sig, og sendte nogle Mænd over til Skaane, forat gribe den norske Konges Sendebud. Ærkebiskoppen fik imidlertid Nys derom, advarede Thorlaug, og forsynede ham med Heste, saa han red op i Sverrig, men nogle af hans Ledsagere bleve hemmelig tilbage hos

Ærkebiſkoppen. Thorlaug drog med de andre til Vigen, og ſaa nordpaa mod Kongen, og kom paa Hvide Søndag til ham i Bergen, og bragde ham Efterretning om, at den danſke Konge ikke havde i Sinde at holde Forliget med Nordmændene, ſamt Ærkebiſkoppens Budſkab, at Kong Hakon ikke maatte vente, der blev noget af den Betaling, de Norſke havde at kræve hos de Danſke, eller af de andre indgaaede Vilkaar. Kongen var kun lidet tilfreds dermed; men kort efter lod han Olafsſuden ſætte i Vandet, og bekjendtgjorde, at han vilde ſejle til Thronb-hjem. Men da Skibet var lagt ud under Fenring, be-falede Kongen, at man ſkulde ſejle øſter til Vigen. Han ſendte forud Breve til Vigen til Syſſelmændene og de Kjøbmænd, ſom plejede at ſejle paa Danmark, og befa-lede ſtrængelig, at ingen Øreſlaade maatte ſejle længer øſterpaa, end til Ekerøerne, førend der kom nøjere Be-ſtemmelſe fra Kongen. Da han kom til Vigen, ſendte han Udbudsbreve over hele Vigen, og ſtævnede Leens-mændene til ſig. Der ſamledes da en ſtor Hær og en Mængde Skibe, hvormed Kong Hakon drog til Ekerøerne; der ſamlede ſig en meget ſtor Hær; man anſlog det til ikke mindre end tre hundrede Skibe; ſaaledes ſom Sturla kvad:

> Ej, højbaaren Fyrſtetvinger!
> Efter Fredens Brud I hvilte,
> Dog i Stilhed Hirdmænd raſke
> Længe krigerſk Flaade ruſted;
> Stolte Skibe, nylig bygte,
> Styred du for Elvens Munding
> Gjennem Brænding, Nordmænds Konge!
> Fjenders Række Død at bringe.

Da Kong Hakon kom til Ekersund, sendte han en stor Deel af Hæren sønder til Halland, og befalede dem at hærge Landet og ødelægge det baade med Ild og Sværd. De to Dele af Hæren sendte han sønder til Glymsteen under Anførsel af Øgmund K;ækedans, Arnbjørn Pose, Baard i Hestbæ, Aslak Gus, Povel Gaas og Amunde Haraldsøn. En Trediedeel skulde gaae op i Geitkjær; den anførtes af Jon Drotning, Jon Lodinsen, Thord Kakale og endnu flere Syøselmænd fra Vigen. De sej=lede alle sammen til Mostresund, saaledes som Sturla kvad:

> Lette Snekker lode dine
>
> Folk med Toug og Takkel ile
>
> Hen til Mostresund paa Søen;
>
> Gøten rædsom Leding spurgte.
>
> Da den Flaade holdt til Havnen,
>
> Hoved=Gallioner lyste,
>
> Eders Sømænd Sejl nedtoge,
>
> Sorg og Frygt betog de Danske.

Da Kongen kom til Mostresund, traf han nogle Danske der, af hvilke de fleste bleve dræbte.

Krigstog i Danmark.

286. Bartholomei Messedag var om en Torsdag. Da gjorde Nordmændene sig færdige til Landgang, som Kongen havde bestemt. De gik i Land ved Glymsteen, men begge Jonerne droge først ind i Vardfjord, og brændte der et Kirkesogn; derpaa styrede de sydpaa til Geitkjær, og gik paa Land der; en Deel af Indbyggerne havde samlet sig, men gjorde kun en kort Tid Modstand, og der faldt mange af de Danske. Derpaa gave Nord=

mændene sig til at hærge og brænde Landet; saaledes som Sturla kvad:

> Hersker! Toget du anførte
> Mod en frygtet Konges Rige,
> Dine tappre Tropper snarlig
> Fjendtligt Land, til Kamp, betraadte;
> Dine Kjæmper Hallands Hære
> Sloge rask, mod Øst fra Geitkjær,
> Uden Skaansel, maatte mange
> Egen Friheds Tab beklage.

Nordmændene gik igjennem Landet, dræbte Folkene og brændte Bygderne; Indvaanerne flyede, alle, som kunde; saa kvad Sturla:

> Raske Gutter Staalet lode
> Højt i Landsestormen klinge,
> Skarpe Sværde saared Danske,
> Blod af aabne Vunder strømmed;
> Mange faldt og Livet lode,
> Andre knap ved Flugt det redded,
> Skrækkens Hjelm fra Hæren lynte,
> Herlig rustet Kamp den søgte.

> Til den vide Valplads ilte
> Under Fanen stærke Helte,
> Paa dit Vink de Fjender fældte,
> Flux i Græs de maatte bide;
> Midt i Blodets Bølger deelte
> Ørn og Ulv det friske Bytte,
> Fordum kjække Krigerskarer,
> Uden Liv, i Valen tærtes.

Øgmund og de andre Befalingsmænd gik i Land ved Glymsteen Bartholomei Messedag, og fandt ingen Modstand, men dræbte adskillige Danske; om Aftenen og om Fredagen brændte de Bygderne, og droge heelt sønderpaa til Aaen Eidre, hvor de brændte en Flække. Om Løverdagen vendte de tilbage, og brændte alle de Bygder, der laae for dem; saa kvad Sturla:

> Tappre Hirdmænd hedest Flamme
> Højt i Danmark stige lode,
> Over Huse flur den flagred,
> Svied Bygder af til Grunden;
> Vidt omkring i Bønders Byer
> Birkers Ødelægger raste,
> Og til Skoven Folk da Flugten
> Over brændte Marker toge.

Derpaa droge Nordmændene til deres Skibe. Om Natten til Søndag laae de paa deres Skibe; da opkom der en stærk Storm, som rev nogle af deres Skibe løse fra Landtovene, men Folkene fik Godset frelst, og gik selv over paa Skibe, som laae for Ankertove. Om Søndagen kom en stor Hob Danske ned, og dræbte nogle af Nordmændenes Svende paa Landet. Derpaa toge de de Skibe, der vare drevne til Land, thi Vinden havde ført paa Land, gjorde store Baal paa dem, og tænkte de skulde drive ud imod Nordmændenes Skibe; men da disse saae dette ny Paafund, roede de op imod dem ved Landet, fik Stavnleer kastede over paa nogle af dem, og trak dem til sig, og de lede ikke nogen Meen af dette Anslag. Derpaa droge Nordmændene bort fra Glymsteen, og brændte noget efter Staden paa Aranæs; saaledes som Sturla kvad:

Gnister sprang, mod Øst fra Elven,
  I det Lag, som snart blev varmet,
Og de Danskes høje Haller
Brat i Sorgens Time styrted;
Brand i hver en Bolig raste
Rædselfuld paa Hallands Kyster,
Og i Nord fra Glymsteen grebe
Flammens Kløer de høje Gaber.

Kong Hakon laae ved Ekerøerne, da Flaaden kom sam=
men med ham; de deelte nu Byttet efter Kongens Bestem=
melse. Kong Hakon betænkte da, at Nordmændene havde
anrettet megen Ødelæggelse i den danske Konges Rige,
og besluttede at sende nogle Mænd til Danekongen, forat
forhøre, om han vilde slutte Forlig eller fortsætte Krigen
med Nordmændene. I dette Ærende bleve Prædikebro=
deren Simon og Broder Sigurd afsendte; den danske
Konge vilde ikke gjerne indlade sig herpaa, og ytrede sin
store Misfornøjelse over, at Nordmændene havde hærget
paa hans Rige; de fik heller ingen endelig Besked af
ham, men vendte tilbage, og forkyndte Kong Hakon Ud=
faldet af deres Ærende, og at de ikke troede, der var
noget Forlig at vente.

Om Kongen af Spaniens Sendebud.

287. Kong Hakon drog bort fra Ekerøerne, men
lod sin Søn Kong Hakon blive tilbage ved Elven; han
laae i Strømsund med ti store Skibe, og følgende Skibs=
høvedsmænd vare hos ham: Øgmund Krækedans, Vesete
fra Hell, Simon Staur, Lodin Staur og Helge den Røde
Præst; Gjæsterne havde to Skibe. Kong Hakon drog
nordpaa i Vigen, og agtede sig nord i Landet, men da

han kom til Agde, kom Præsten Elis til ham, som den
unge Konge havde sendt til Spanien; han forkyndte Kon-
gen, at Sendebud fra Kongen af Spanien vare ankomne
til Landet, af hvilke den fornemste hed Sire Ferant, og
de havde vigtige Ærender til Kong Hakon; Kongen af
Spanien vilde nemlig være hans Ven, og befæste dette
ved nøje Svogerskab. Da Kong Hakon kom til Røde-
sund, vare Sendebudene der, og berettede ham deres
Ærende. Kongen bestemte, at de skulde oppebie ham i
Tønsberg, indtil han om Foraaret kom tilbage nordenfra,
og da vilde han efter sine gode Mænds Raad give dem
Besked paa deres Ærende. Kong Hakon drog derpaa til
Bergen, og indrettede der til Vintersæde. Om Efteraaret
kom Ivar Engelsøn fra Island, og bragde Efterretning
om hvad der var forefaldet.

Kong Hakon den Unge paalagde de Danske Skat.

288. Kong Hakon den Unge laae, som før blev
fortalt, om Høsten i Strømsund, og indjog de Danske
megen Skræk; han sendte Bud omkring i Halland til de
Herreder, som ikke vare blevne brændte, og paalagde dem
en svær Brandskat, og bestemte, hvor mange hundrede
Ørne de skulde levere ham, da han ellers vilde komme,
og ikke behandle dem bedre, end de andre, der var brændt
for. De Danske fandt sig i Kongens Paalæg, leverede
ham en stor Mængde Ørne, og Skatten betalte de med
Vor, Lærred og Sølv. Alt dette blev bragt til Kong
Hakon i Strømsund, hvor han blev liggende paa Skibene
ligetil Mortensdag. Sjællænderne samlede sig om Vinte-
ren, og frygtede meget for, at Kongen skulde hærge paa

dem.   Kong Hakon den Unge lod lave til Julegilde for
sig i Tønsberg, og drog did før Juul, men satte Øgmund
Krækedans til at passe paa østerpaa tilligemed Syssel-
mændene.   Kong Hakon blev i Tønsberg om Julen, men
kort efter sendte Øgmund Bud, at han skulde komme øster-
paa, thi mange Trusler af de Danske vare komne ham
for Øren.   Kong Hakon forlod strax efter Julen Tøns-
berg, men fik meget haardt Vejr og maatte krydse meget
førend han naaede Havnen i Spjør østenfor Folden; der-
paa gik han ombord paa en Skude, og lod sig føre til
Fastlandet, lod sig derpaa skytse frem til Lands og lod
Skibene sejle udenfor øster til Elven; han kom til Kon-
gehelle førend Skibene, og blev paa Holmen ved Konge-
helle til Fasten.   Da kom der Brev fra hans Fader, at
han skulde drage til Oslo, og bie der, indtil Kong Hakon
kom nordenfra, og de i Forening kunde overlægge, hvor-
ledes man skulde svare paa Sire Ferants Andragende fra
Kongen af Spanien, som forlangte, at Kong Hakon
skulde give een af hans Brødre sin Datter Jomfru Kri-
stine til Ægte.   Kong Hakon den Unge drog Askeonsdag
fra Kongehelle til Oslo.   Kort efter kom der Brev til
ham fra Gøtland fra hans Svigerfader Birger Jarl, at
han snarest muligt skulde komme over til ham.   Eftersom
hans Fader endnu ikke var kommen nordenfra, saa sejlede
han til Kongehelle, hvor han ankom i Begyndelsen af
Dimmelugen, rejste derfra til Ljodhus, hvor hans Svoger,
den svenske Konge Valdemar var, og han modtog Kongen
med meget Venskab.   De rede begge sammen op til Gøt-
land.   Da Birger Jarl erfarede, at hans Svigersøn Kong
Hakon var kommen til Sverrig, befalede han sine Mænd
at vise ham og hans Følge al Ære, og udgav den strænge

Befaling, at dersom nogen spottede Nordmændene eller gav dem Øgenavne, skulde det gjælde deres Hals. Frænderne tilbragde Paasken sammen i Vestergøtland paa Gaarden Lenar, og Paaskedag ved Messen ledsagede Kong Valdemar og Birger Jarl Kong Hakon til Alteret, viste ham megen Ære, og gave ham Plads imellem sig. De skiltes ogsaa ad i største Kjærlighed og Venskab; Kong Hakon red ned til Kongehelle, og drog siden nordpaa i Vigen. Han red tit ud forat fornøje sig paa Jagt med Falke og Hunde; en Dag var han saaledes taget øster over Aaen til Guldø, forat fornøje sig; Natten efter blev han syg, og da han kom tilbage til Folden, tog Sygdommen til; han lod sig da roe paa en Skude over Folden til Tønsberg, og lod sig bringe op til Klosteret, hvor han maatte lægge sig. Der besøgte den Læge ham, som Sire Ferant havde med sig fra Spanien, og gav ham noget imod Sygdommen, men den tog ikke desmindre til, og han døde kort efter. Hans Aarstid er to Dage efter Vitalismesse. Dette tyktes alle et stort Tab, thi Kong Hakon var meget afholdt af sine Mænd. Han var en Mand af Middelvært, noget høj, vel voren, smuk af Aasyn, Haar og Øjne, stærk, behændig og let af sig, den bedste Rytter, som den Gang var i Norge. Hans Lig blev ført ind til Oslo og jordet i Halvardskirke, der hvor Kong Sigurd Jorsalefarer var begravet.

Krigstilberedelser.

289. Kong Hakon opholdt sig denne Vinter i Bergen; det var den fyrretyvende i hans Regjering. Han sendte da Udbudsbreve over hele Norge, og skikkede Bud til Ærkebiskop Einar og alle Lydbiskopperne, at de skulde følge ham i denne Leding. 　Kong Hakon lod et særdeles smukt Skib, som han da havde ladet bygge i Bergen, og kaldte Mariesuden, løbe af Stabelen; Ilden stod af Bankestokken, da det løb i Søen. 　Saa kvad Sturla:

> Herlig Konge krigersk Flaade
> Paa det salte Hav lod glide,
> Da de kolde Kjøle lobe
> Hedest Ilb af Planker gnistre.
> Alle Mand, du kjække Kriger!
> Orlogsflaaden maatte gjæste,
> Boldest Leding blev udskrevet
> Da fra hele Norges Rige.

Kong Hakon spurgte sin Søns Død.

290. 　Da Kong Hakon var færdig fra Bergen, styrede han øster forbi Agde; der erfarede han sin Søn Hakons Død, som han med Rette tog sig meget nær. 　Han styrede da først til Tønsberg, hvor han holdt Raad med sine bedste Raadgivere om det Svar man skulde give Sire Ferant paa hans Ærende. 　Man holdt det for et passende Giftermaal, naar Lykken vilde føje, og Kongen gav derfor Sendebudet det Løfte, at han vilde sende sin Datter Fru Kristine ud til Spanien efter Kongens Begjering, paa Vilkaar, at Jomfruen skulde vælge sig en af hans Brødre til Mand, hvilken hun og de gode Mænd, som Kongen sendte med hende, syntes bedst om. 　Derpaa lod Kongen gjøre Anstalter til hendes Reise, og udnævnte hendes Følgeskab; de fornemste vare: Biskop Peter af Hammer, Prædikebroderen Simon, Ivar Engelsøn, Thorlaug Bose, Lodin Lep, Amunde Haraldsøn og mange andre anseelige Mænd. 　De havde over hundrede Mand med sig; og mange fornemme Kvinder fulgte ligeledes med Jomfruen. Kong Hakon udstyrede hende med saa stor en Medgift i Guld og brændt Sølv, hvide og graae Skindvarer og andre Kostbarheder, at man ikke vidste noget Exempel paa, at en saadan Medgift før var medgivet en Kongedatter fra Norge. Kongen lod ligeledes indrette en stor Snekke for dem, hvor der vare Kahytter, paa den ene Side en for Jomfruen, paa den anden Side for Sire Ferant, thi han kunde ikke være hos de andre Mænd, da han var søsyg. Det hele Tog blev udredt med megen Bekostning og Pragt; saaledes som Sturla kvad:

> Ædling herligst Ungmø sendte
> Over Hav, til fjærne Lande,
> Ej en Kongers Konge bedre
> Nogen Kvinde før udstyred;
> Gjæve Sømænd saa den elskte
> Datter, hist i Syd, modtoge,
> Som om Kongen selv de skulde
> Der ombord, af Havnen, føre.

Saasnart alt var færdigt til Jomfruens Afrejse, sejlede de ud, og ankom til Jarnamoda i England.

Den danske Konges Budskab til Kong Hakon.

291. Kong Hakon blev i Tønsberg, og der samlede sig mange og udsøgte Folk til ham. Saa kvad Sturla:

> Over Hav, fra høje Norden
> Og de Finners Bygder stunded
> (Snekker høje Bølger brøde)
> Brave Mænd, til dig o Konning!
> Du fra hver en Havn lod glide
> Ud paa Søen ladte Skibe,

Stormen malte Stavne sendte
Støv og Sand i Nord fra Elven.

Da Kong Hakon var i Tønsberg, ankom fra Danmark Prædikebroderen Absalon, som var Provincialis over alle Prædikebrødrekloftre i de nordiske Lande; han var af den danske Konge sendt til Kong Hakon med Begjering, at Nordmændene ikke skulde hærge hans Rige, og forkyndte, at den danske Konge vilde holde Møde med Norges Konge, og slutte Forlig med ham efter gode Mænds Raad. Kong Hakon forestillede dette for sine Venner, men de fandt, at man ikke maatte fæste Lid til de Danskes Løfte, da de ikke havde opfyldt deres forhen indgangne Forpligtelse. Kong Hakon gav derfor den Beffed, at han vilde sejle til Danmark efter sin Beftemmelse, men fare fredelig frem, indtil det viste sig, om det kunde komme til Forlig imellem ham og den danske Konge. Absalon drog med denne Beffed tilbage til Danmark. Derpaa gjorde Kong Hakon sig færdig til at sejle fra Tønsberg, og førte Mariesuben, et Drageskib paa tredive Roerbænke; Hoveberne og Halsene vare forgyldte, og Sejlene smukt malede. Desuden havde Kong Hakon mange andre store og velubruftede Skibe; og det saae i Solskin ud, som om der straalede Ild ud fra Hoveberne, Vejrfanerne og de forgyldte Skjolde ved Stavnene, saaledes som Sturla kvad:

Diglens Blus [1] man saae paa Sejlet,
Sirlig prydet blev det hejfet,
Rødt forgyldte paa din egen
Drage Hoveder sig rejfte;

---

1) Guldet.

> Og tillige over Flaaden
> Af det slagne Guld i Rækker
> Krigsmænds Skjolde skinned herlig,
> Over Havet Lysning spredte.

Da Kong Hakon var færdig, sejlede han med hele Hæren fra Tønsberg øster over Folden. Hardangrerne, Thorer Greipsen og Baard Groesen sejlede paa Ærkebiskoppens Skib, saa at Stavnen i Skibets Fordeel gik i Søen og Vejrfanerne sad fast i Sejlet; Ærkebispen sejlede til Ekersørne forat træffe Kongen, og det var let at mærke, at denne var meget fortrydelig derover. Kong Hakon holdt derpaa Stævnemøder med sine Folk, og forestillede, hvilket Tab han og alle Norges Indbyggere havde liidt ved den unge Konges Død, men endskjøndt den almægtige Gud havde berøvet ham denne, saa kunde Kongevalget dog ikke være vanskeligt, da man havde hans Søn Magnus; hvorpaa han i en sirlig Tale foreslog, at man skulde tage ham til Konge i den Afdødes Sted. Alle bifaldt hans Ord, og vilde gjerne samtykke heri; især anbefalede Ærkebiskoppen det. Da svarede Kongen: "Hr. Ærkebiskop," sagde han, "da vi talte om Landets Deling imellem mine Sønner, drev I især paa, at Kong Hakon alene skulde bære Kongenavn efter mig, men Junker Magnus skulde være Hertug. Saavel I, som flere Mænd, fandt det underligt, at jeg ikke aabenbar vilde give mit Samtykke hertil, men det forekom mig urigtigt, saaledes at gjøre Forskjel imellem mine jævnbaarne Sønner, og jeg henstillede da, som ellers, Sagen til Gud, at han skulde dele imellem dem; men nu er det kommet dertil, at den, I vilde have hævet, er kaldet bort, og han lever endnu, som I og flere af mine Raadgivere ikke vilde til-

staae saa megen Hæder, som ham tilkom." Ærkebiskop=
pen svarede: „Jeg tilstaaer, Herre, at det var mit
Ønske, at der kun skulde være een Konge ad Gangen
over Norge, og jeg undte ingen mere denne Ære, end
Hakon, thi han var den ældste af de Brødre, og jeg
havde desuden givet ham Kongenavn. Men da Gud nu
har bortkaldt ham, saa under jeg ingen mere Kongenavn,
end Junker Magnus." Ogsaa dette blev modtaget med
meget Bifald, og der blev besluttet, at Kong Hakon skulde
holde et almindeligt Thing, forat give Magnus Konge=
navn. Rigtignok plejede Kongevalget sædvanlig at skee
paa Ørething i Throndhjem, men man fandt det dog klo=
gere, at Landet ikke var uden Konge, imedens Kong Hakon
var borte fra Riget.

Magnus Hakonsøn tages til Konge.

292. St. Hansdag holdt Kong Hakon et alminde=
ligt Thing paa Ekerøerne, paa hvilket Junker Magnus
blev tagen til Konge. Ærkebiskop Einar gav ham Kon=
genavn. Han svor derpaa paa lignum vitæ at holde
sine Undersaatter Lov og Ret. Derefter aflagde Knud
Jarl Troskabsed til Kong Magnus, efter ham Leens=
mændene, Stallerne og Skutelsvendene, og efter dem igjen
tolv Bønder af hvert Fylke. Dagen efter uddeelte Kong
Magnus sømmelige Gaver, først til sin Fader Kong Hakon.
Ærkebiskoppen gav han et meget kosteligt Langskib paa over
tyve Roerbænke, og endnu flere Foræringer. Desuden ud=
deelte han passende Gaver til alle de anseelige Mænd, som
havde været til Gjæst hos ham, hvilket strax gjorde ham
meget elsket. Kong Magnus antog nu et stort Følge,

deriblandt de fleste af hans Broder Kong Hakons Tje=
nere. Han skulde nu blive tilbage forat forsvare Landet.

Kong Hakons Sejlads.

293. Efterat alt dette var bragt i Orden, lagde
Kong Hakon bort fra Ekerserne med Flaaden, men Kong
Magnus vendte tilbage til Vigen, og tilbragde Sommeren
i Tønsberg. Kong Hakon sejlede til Danmark med tre
hundrede og femten Skibe, en meget prægtig Flaade.
Saa sagde Sturla:

> Som fra Norden, over Havet,
> Lynets Glands i Pragt sig viste,
> Pløjed eders Flaade, Fyrste!
> Bølgers Mark til frugtbar Slette;
> Favre Sejl udfyldte Vinden,
> Flagrende de Snekker ledte,
> Og forgyldte Fløje viste
> Vejen hen til Øresundet.

Kong Hakon styrede med Flaaden til Øresund, til Kjø=
benhavn, og lagde sig i Refshalebybet. Flaaden vakte
i høj Grad de Danskes Beundring og Frygt. Saa kvad
Sturla:

> Hvilken Ild af Havet syntes
> Skjønt oprinde hvor berømte
> Konnings store Krigerflaade
> Havn i Daneriget valgte;
> Aldrig før en ædel Fyrste
> Sig med slig en Styrke viste
> Der ved skjønne danske Kyster,
> Did I Eders Skibe førte.

Om Tirsdagen kom Kong Hakon til Kjøbenhavn, og
Fredagen efter kom ogsaa den danske Konge til Staden
med en stor Hær, og mange fornemme danske Herrer,
blandt andre Ærkebiskop Jakob af Lund, tre Lydbiskopper
og Biskop Jarmar fra Re i Vindland. Da man begyndte
at underhandle om Forlig, viste der sig strax mange Van-
skeligheder, og en stor Deel af Nordmændene opmuntrede
Kong Hakon til at hærge paa den danske Konges Rige;
men Kongen havde tilstaaet de Danske en Stilstand paa
sex Dage; saa kvad Gissur Thorvaldsøn, der den Gang
var med Kongen:

> En Stilstand Kongen stifted,
> Sex Nætter bød han alle,
> Som ham, til Fejde, fulgte,
> Den Fred i Agt at tage.

Ærkebiskop Einar arbejdede ivrigst paa Freden; men jo
længer begge Parter talte sammen, desto større sandt
baade Danske og Nordmænd den Skade de havde liidt.
Da der var holdt Overregning, foreslog Ærkebiskoppen
med Kongens Samtykke, at hver af Kongerne skulde an-
sætte sit og sine Mænds Tab. Da man var bleven enig
derom, kom der endnu i Vejen, at Kong Kristoffer vilde
dømme først. Da dette blev forebragt Kong Hakon, saa
meente han, som ogsaa sandt var, at den der dømte sidst,
havde hele Sagens Udfald i sin Magt, og derfor gav
han sit Samtykke dertil; han havde desuden allerede givet
sine Folk Ordre, hvor de skulde gaae i Land og hærge,
hvis Forliget ikke kom i Stand. De Danske vare meget
begjerlige efter Fred, thi de sandt den norske Konges
Styrke stor og frygtelig; saaledes som Sturla kvad:

Alle tyktes, Agdes Hersker,
Højberømt i fjærne Lande!
Hist i Syd fra Havet, farligt
Heftig Kamp med dig at prøve.
Sygners [1] Drot! af Danske alle
Du om Freden snart anraabtes,
Det er klart at dine Fjender
Livets Frelse saae med Glæde.

Det kom endelig saa vidt, at Kong Kristoffer eftergav den norske Konge sit og sine Mænds Tab, og derpaa gjorde Kong Hakon det samme ved den danske Konge, og tilgav de Danske al den Ufred og Modgang de havde tilføjet Nordmændene. Alle glædede sig over dette Forlig, undtagen Ærkebiskop Jakob og Hr. Jarmar fra Vindland. Efter Forliget drak Kong Hakon med den danske Konge i hans Landtelt, og næste Dag gik den danske Konge ombord hos den norske, og drak med ham. Ved dette Forlig sluttede de fuldkomment Venskab med hinanden, saa at de gjensidig skulde komme hinanden til Hjælp naar det behøvedes. Derpaa gav den danske Konge Kong Hakon anseelige Foræringer, men Kong Hakon tilbød Kong Kristoffer, om han vilde have Mariesuden eller i dens Sted tre andre Skibe, som han selv maatte vælge iblandt Flaaden; den danske Konge modtog Gaven, men forbeholdt sig siden at sende Bud til Kong Hakon forat vælge, hvilke Skibe han helst vilde have. De skiltes derpaa ad i megen Kjærlighed, og Kong Hakon vendte efter Forliget tilbage til Norge. Saaledes som Sturla kvad:

---

[1] Sognboers.

Af Lykken højt velsignet
Vor ædle Drot har skjænket
Af Guld, i Mængde, Gaver
Til Skaanes rige Konning, —
Og Rommeriges Hersker,
Til sine Kjekkes Glæde,
Kom hjem med højest Ære
Og herligst Pragt til Norge.

Kong Hakon drog først til Tønsberg, og traf der Kong Magnus og Dronningen Fru Margrete. Derpaa droge be begge til Bergen. Da gav Kong Hakon Kong Magnus Rygjefylke. De droge derpaa til Throndhjem, hvor be agtede at blive om Vinteren; Dronningen og Fru Rikiza vare ombord hos Kongen.

Kongedatteren Kristines Rejse.

294. Nu er at fortælle om Fru Kristine og hendes Medfølgeres Rejse, at de droge over Havet fra England til Normandi, og da de kom did, vilde Ivar Engelsen følge den vestre Søvej, men Sire Ferant og Thorlaug Bose og de, som havde Ærende til Kongen af Frankerig, vilde først drage til ham. De begave sig derfor op i Landet, og kjøbte over halvfjerdsindstyve Heste foruden dem be havde ført med sig. Thorlaug Bose og Sire Ferant begave sig til den franske Konge, der modtog dem vel, og da han fik at vide, at Jomfruen var med dem, bad han dem lægge Vejen vester igjennem Gaskogne, og gav dem en Ledsager med, med Brev og Indsegl paa fri Befordring og Fortæring igjennem hele Riget; denne Ledsager fulgte dem til Staden Narbonne ved Jorsalehav. Derfra rejste de igjennem Katalonien, og kom saa over høje Fjelde og besværlige Veje. Jomfruen udholdt Reisen godt, og bestandig bedre jo længer de kom frem. Da de kom til Staden Geronna, og Jarlen der erfarede Jomfruens Ankomst, red han hende imøde fra Staden vel to Miil tillige med to Biskopper og tre hundrede Mand; og da hun kom til Staden, greb han hendes Hests Bidsel og førte hende ind i Staden, men Biskoppen fulgte hende paa den anden Side, til hun kom til Herberget, med megen Hædersbeviisning. Saa rede de over Barzalonna og Aragonien; da Jomfruen red til Barzalonna, red Kongen af Aragonien hende over tre Miil imøde med tre Biskopper og en utallig Hær, viste hende al Hæder, tog selv hendes Bidsel og førte hende til Hest ind i Staden, forsynede hende og hendes Følge med Levnetsmidler i to Dage og siden igjennem hele sit Rige; og hvorsomhelst de kom til Stæderne, der rede Jomfruer, Riddere og Baroner hende imøde efter Kongen af Aragoniens Foranstaltning. To Dage før Juul kom Jomfruen til Kastilien til Byen Sarre, og overalt rede de fornemste Mænd hende imøde, ved denne By Kongen af Kastiliens Broder Ludvig og Biskoppen af Astorga. Juleaften kom de til Burgos, hvor de bleve meget vel modtagne, og fik Herberge i det Kloster, hvor Kongens Søster Fru Berenger var. Tredie Juledag ved Messen ofrede Fru Kristine et stort Bordkar, et andet havde hun før ofret i Rouen, og formedelst slige Gaver blev hun saa berømt, at man ikke vidste Mage til, at nogen udenlandsk Jomfru havde erholdt saa store Æresbeviisninger. Fjerde Juledag rede de ud af Staden Burgos efter Kongen af Kastiliens Bestemmelse, som havde fastsat Jomfruens Ankomst hos ham til den ottende Dag i Julen; og samme Dag om Aftenen sendte Fru Berenger

Jomfruen syv prægtige Kvindesabler og en Baldakin til
hende selv. Samme Dag red Kongen af Kastilien hende
imøde med en stor Hær, og modtog hende som det havde
været hans Datter, tog hendes Hest i Bidslet, og fulgte
hende ind i Staden. Den tiende Dag i Julen red Kon-
gen selv med hende til Vallident, hvor Kongens Søn red
dem imøde med en stor Skare Ribbere, Baroner, Ærkebi-
skopper og Lydbiskopper, samt Gesandter, baade kristne og
hedenske. Kongen anviste hende et hæderligt Herberge, og
viste hende saa megen Ære, at ingen fremmed Mand eller
Kvinde nogensinde var modtaget med større Hæder. Hver
Gang Kongen eller Dronningen besøgte hende, førte de
hende hen til hendes Sæde. Derpaa sendte Kongen af
Aragonien Brev til sin Svoger, Kongen af Spanien, og
begjerede, at Kongen skulde give ham Jomfruen til Ægte.
Kongen forestillede dette for Jomfruen og Nordmændene,
overlod hende selv at bestemme sig, og sagde, at Vejleren
var en brav Mand og en stor Høvding. Men eftersom
Nordmændene vidste, at Kongen var til Alders, saa fra-
raabte de dette Giftermaal, og der blev heller ikke videre
talt derom. Derpaa opregnede Kongen sine Brødre for
Jomfruen, og beskrev hende deres Egenskaber. Frederik,
den ældste af dem, beskrev han som en rask Mand og
Rytter, en god Hersker i sit Rige, og en dygtig Jæger,
hvoraf han ogsaa havde en Kløft i Læben; Henrik be-
skrev han som den bedste Rytter blandt alle Brødrene, men
han kunde dog ikke komme videre i Betragtning, da han
havde sat sig op imod sin Fader; den udvalgte Ærke-
biskop Skerius beskrev han som en dulig Mand, der var
vel skikket til at være Ærkebiskop af Toledo; derimod
sagde han, at Broderen Filippus, udvalgt Ærkebiskop af

Sevilia, ikke skikkede sig til at være Klerk, men vilde heller færdes med Falke og Hunde; han var en ypperlig Bjørne- og Vildsvinsjæger, altid glad og munter, mild og nedladende, en god Selskabsbroder, stærk af Kræfter og en god Rytter; om hans Skabning og Skjønhed sagde Kongen intet, thi dem kunde Nordmændene betragte hver Dag. De kunde nok mærke, at Kongen holdt mest af denne af alle hans Brødre, og det var ogsaa ham, som Jomfruen og alle Nordmændene syntes bedst om; hun valgte derfor ham til sin Ægtefælle med sine Venners Samtykke. Saa siger Sturla:

> Fra de brede Borge rede
> Mod Prindsessen Folk i Skarer,
> Vide hist ved gyldne Gaver
> Din Gavmildhed Valske fryded.
> Siden herligst Brud af Kongens
> Hæderlystne Brødre valgte
> Den til Mand, som hued hende
> Selv og eders Raad tillige.

Det var paa Askeonsdag Hr. Filippus fæstede sig Jomfruen. Hun bad ham strax om at lade bygge en Kirke for den hellige Olaf, hvilket han ogsaa strax lovede, og hvad hun ellers bad ham om, blev hende strax tilstaaet. Brylluppet blev bestemt til Søndagen efter Paaskeuge; og da Tiden kom, blev det fejret med den største Pragt, som var mulig der i Landet. Onsdagen efter Brylluppet kom Kong Hakons Svende, Thoralde og Bjarne, til Spanien, og bragde Efterretning om Kongens Rejse. Derpaa gjorde Nordmændene sig færdige til at drage bort. Biskop Peter, Andreas Nikolaisøn og Amunde Haraldsøn rejste tilbage til Norge, men Ivar Engelsøn, Thorlaug

Bose og endnu nogle andre begave sig ud til Jorsaleland, og paa denne Rejse døde Jvar.

Sammenkomst imellem Kongerne og Dronningen.

295. Den Vinter da Kong Hakon efter Forliget imellem ham og den danske Kong opholdt sig i Throndhjem, gjorde han og Kong Magnus sig færdige til at drage op i Landet, og fore øster over Dovrefjeld: da havde Kong Hakon regjeret et og fyrretyve Aar over Norge. Dronning Margrete tog ad Søvejen paa Skibet Sandvommen til Bergen, hvor hun tog Mariesuden, og sejlede paa dette Skib til Vigen; her fandt hun Kongen i Tønsberg. Ærkebiskop Einar var ikke draget med, thi der var kommen nogen Spænding imellem ham og Kongen. Kongerne Hakon og Magnus droge øster til Elven, forat møde Birger Jarl. Da havde den danske Konge sendt Bud om Hjælp baade til Sverrig og Norge, thi Hr. Jarmar havde gjort et farligt Indfald i Sjælland, og Grev Alfs Sønner, Jon og hans Brødre, hærgede Jylland; derover herskede der megen Ufred i Danmark.

Sammenkomst imellem Kongerne og Birger Jarl.

296. Da Kong Hakon og Birger Jarl vare komne sammen, talte de meget om den danske Konges Budskab; de bleve enige om, at de endnu samme Aar skulde udruste en Hær fra begge Riger, Sverrig og Norge, og komme Kong Kristoffer til Hjælp imod hans Fjender; de bestemte, at hver af dem skulde stille fire tusende Mand, med mindre een af dem vilde stille mere. Det gik meget venska-

belig af imellem dem, thi deres gode Forstaaelse blev be=
standig større, jo længer den varede. Den Gang drog
ogsaa Fru Rikiza op i Sverrig med hendes Fader, og
Kong Hakon udstyrede hende sømmelig ved Afskeden. Jun=
ker Sverre blev tilbage hos Kong Hakon, som holdt meget
af ham. Da sendte Kong Hakon Mariesuden til Dan=
mark, og den danske Konge tog venlig imod denne Gave
samt Kong Hakons Budskab om Hjælp, naar han maatte
behøve den. Kort efter rejste Kong Hakon til Bergen,
og opholdt sig der en stor Deel af Sommeren. Foraaret
forud var den største Deel af Byen Tønsberg afbrændt,
hvorved mange lede megen Skade. Om Efteraaret kom
de tilbage, som havde fulgt med Fru Kristine, nemlig
Broder Simon, Lodin Lep og Amunde Haraldsøn; de
vare dragne til Søs fra Spanien paa en Kog; men Bi=
skop Peter tog til Lands igjennem Flandern, og kom der=
for noget sildigere. Andreas Nikolaisøn blev tolv Maa=
neder i Frankerig. Biskop Peter og de andre fortalte
Kong Hakon meget om, hvorledes Kongen af Spanien
havde modtaget hans Datter Fru Kristine, og hvor kon=
gelig han havde betænkt dem ved Afrejsen; han havde givet
dem ikke mindre end otte hundrede Mark reent Sølv for=
uden deres Fortæring. De talte ogsaa meget om, hvor
stor en Ven han var af Kong Hakon, thi han havde lovet
ham sin Hjælp imod enhver han maatte komme i Krig
med, undtagen imod Kongen af Frankerig, Kongen af
Aragonien, hans Svoger, og Kongen af England. Kong
Hakon lovede derimod igjen Kongen af Spanien sin Bi=
stand, undtagen imod Kongen af Danmark eller Sverrig
eller England. Kongen af Spanien rustede sig den Gang
imod Hedningerne, og opmuntrede Kong Hakon meget til

at følge med sig, og saaledes opfylde sit aflagte Løfte om
et Korstog; thi Paven havde tilstædt, at et saadant Tog
maatte ansees for lige med et Korstog til Jorsal. Biskop
Peter begav sig om Sommeren til sit Bispesæde i Hammer,
og fik hæderlige Gaver af Kongen.

Om Gissur.

297. Kong Hakon sad om Sommeren i Bergen;
Gissur Thorvaldsen var hos ham. Kongen sendte ham
til Island, og gav ham Jarls Navn, hvorimod Gissur
lovede at stille Urolighederne, og at lade alle Bønderne
betale den Skat, han før havde krævet. Gissur gjorde
sig al Umage for at faae dette sat i Værk saa lempelig
som muligt. Tilligemed Jarlsnavnet gav Kongen ham
mange gode Foræringer, og sendte sin Hirdmand, Thoralde
den Hvide, ud med ham, forat iagttage, hvorledes Jarlen
udførte Kongens Ærende. Da Gissur kom til Island,
bekjendtgjorde han overalt, hvilken Gunst Kongen havde
viist ham, saavel med Hensyn til den Titel, han havde
givet ham, som anden Hæder, uden at dette skulde koste
nogen Penge eller nogen Skat derfor lægges paa Landet;
ligeledes sagde han, at de Mænd, som gik ham tilhaande,
skulde, hvad enten de vare Hirdmænd eller Skutelsvende,
erholde den samme Værdighed i Norge af Kong Hakon.
Mange gode Mænd bleve derved bevægede til at gaae
Jarlen tilhaande, og svore ham Ed og Kong Hakon
Troskab. Rigtignok kom de snart efter, at det var falsk
hvad Jarlen havde sagt om Kongens Løfter, men ikke
desmindre bevarede de deres Troskab mod Jarlen, saavel
som mod Kongen. Om Jarlens og Islændernes Han=
deler har man mange Fortællinger. Om Vinteren førend

Jarlen kom til Island dræbte Thorvard Thorarensøn Thorgils Skarde ved Rafnegil, fordi Kongen havde givet denne Øfjord og alle Sveiterne nordenfor Ørnedalshede, hvilke han ansaae for sin Ejendom, men som Thorvald ogsaa gjorde Fordring paa efter sin Svigerinde Steenvor.

Om Kong Hakon og de Danske.

298. Kong Hakon sad i Bergen om Vinteren; det var den to og fyrretyvende i hans Regjering. Om For= aaret efter kom der Bud fra den danske Konge, at Kong Hakon og Birger Jarl maatte yde ham den Hjælp de havde lovet. Da dette Budskab kom til Kong Hakon, stævnede han Leensmændene til sig og udbød Leding. Da han var færdig, sejlede han øster med Landet, men da han var kommen forbi Jæderen, kom to danske Riddere til ham fra Danmark, som mældte, at Kong Kristoffer var død, men at Dronningen og de andre Høvdinger bade ham om ikke desmindre at komme dem til Hjælp. Han holdt da, som ellers, sit Ord, og rejste ned til Danmark, han havde en anseelig og smuk Hær; han styrede til Kjø= benhavn, hvor han fandt Dronningen. Birger Jarl kom derimod ikke den Sommer til Danmark, endskjøndt han havde Leding ude, og styrede østenfra til Bleking. Da Kong Hakon kom til Kjøbenhavn, havde Dronningen og de danske Høvdinger forliget sig med Alfs Sønner, og be= høvede derfor ikke den norske Konges Hjælp. Kong Hakon gav Dronningen passende Foræringer, og Dronningen li= geledes ham. Da Kongen var i Kjøbenhavn, lod han en Kog tage i Øresund ovre ved Malmø, som tilhørte Hr. Jon, en Broder til Ærkebiskop Jakob af Lund; ombord paa den vare de Mænd, som havde været med

Jarmar, men iblandt be danske Høvdinger var det især Biskoppens Brødre, der understøttede Jarmar. Kong Hakon lod be grebne Mænd føre frem, og bad be Danske komme, forat tage bem i Øjesyn, om be vare Kjøbmænd eller Ransmænd. Men Indbyggerne erklærede strar, at be vare nogle af be værste Ransmænd; nogle af bem bleve halshuggede, andre straffede paa anden Maade. Kong Hakon beholdt Koggen, og brugte ben siden til Hestekøg. Jarmar var strar da han hørte, at Kong Hakon var kommen til Danmark, flygtet over til Vindland. De Danske toge Kristoffers Søn Erik til Konge; han var endnu et Barn.

Kongerne Hakon og Magnus kom til Bergen.

299. Kong Hakon drog om Høsten tilbage til Norge, nord til Bergen, hvor han blev om Vinteren; det var den tre og fyrretyvende i hans Regjering. Denne Vinter døbe Biskop Peter i Hammer, og efter hans Død holdt Korsbrødrene Møder om Bispevalget, men kunde ikke blive enige; be fik ingen valgt, førend beres Valgtid var udløben, og Retten faldt til Ærkebiskoppen. De sendte berpaa nogle Mænd til ham, og bade ham afgjøre, hvo ber af bem, be havde foreslaaet, skulde være Biskop. Ærkebiskoppen gav bem Valgretten tilbage, men stemmede bog for Korsbroberen Lodin, ber ikke var nogen Ven af Kong Hakon.

Aftale imellem Kong Hakon og Gissur Jarl.

300. Kong Hakon sad om Vinteren i Bergen; om Sommeren før havde han spurgt fra Island, at Gissur Jarl ikke havde gjort sig megen Umage med at fremme hans Ærende hos Islænderne; han sendte derfor tidlig paa Vaaren Jvar Arnljotsen og Povel Linseyma derud med Brev, hvor megen Skat han vilde have, og befalede dem at indfinde sig paa Althinget. De droge ogsaa til Thinget, hvor Gissur Jarl og de fleste Høvdinger vare tilstede; Kong Hakons Brev blev bekjendtgjort, men Meningerne derom vare heel forskjellige. Jarlen anbefalede Kongens Ærende, dog paa en anden Maade end der stod i Brevet, men Sønderlændingerne, der vare Jarlens Venner, talte mest imod Skatten; Jvars Ærende fik saaledes ingen Fremgang, og han vendte med sin Ledsager om Sommeren tilbage til Kongen. De paastode da, at Sønderlændingerne ikke saa dristig vilde have afslaaet at betale Skat, hvis det havde været Jarlen imod.

Biskop Henrik af Hole døer.

301. Den Sommer, da Kong Hakon havde sendt Jvar og Povel til Island, drog han fra Bergen til Tønsberg tilligemed Kong Magnus. De rejste efter til Elven, forat holde en Sammenkomst med Birger, med hvem Venskabet vedvarede; Jarlen og hans unge Sønner med mange andre fornemme Mænd vare til Gjæstebud hos Kongen; de fornyede atter deres Forbund, som skulde vare saalænge de levede, og aftalte et nyt Møde til næste Sommer. Kong Hakon drog derpaa til Vigen; Biskop Henrik af Hole, der længe havde fulgt med ham, var ogsaa nu hos ham; da Kongen var kommen til Folden, blev Biskop Henrik syg, og kort efter, da de havde sejlet over Folden til Tønsberg, døde han; han blev begravet i Olafskirken i Tønsberg, hvor Kongen selv sang over hans Grav, og

talte meget til hans Roes, hvilket han i mange Henseen=
der havde fortjent.

Kongerne Hakon og Magnus droge til Bergen.

302.   Derefter droge Kong Hakon og Kong Magnus
til Bergen, hvorfra de agtede sig til Throndhjem; der an=
kom de St. Olafs Aften.   Der i Byen fandt de Ærke=
biskop Einar, og ligeledes var Korsbroder Lodin fra Ham=
mer kommen did efter Ærkebiskoppens Raad, og var valgt
til Biskop imod Kongens Villie, hvorover denne var for=
trydelig paa Ærkebiskoppen.   Da Kong Hakon lagde op
i Aaen til Byen, kom hans Skib paa Grund paa Øren
lige overfor Bakke; Ærkebiskoppen roede til, og befalede
sine Folk at hjælpe til at Skibet blev flot, men Kongen
vilde ikke tage imod hans Hjælp.   Derpaa lod Kongen
sætte Støtter under Skibet, at det ikke skulde krænge i
Ebben, og da Floden kom, blev det flot, hvorpaa Kon=
gerne sejlede til Byen.   Ærkebiskoppen modtog dem i en
højtidelig Procession, og kyssede Kong Hakon.   Kort efter
holdt Kongerne et Møde med Ærkebiskoppen om Bispe=
valget i Hammer; Ærkebiskoppen vilde ikke have nogen
anden end Lodin, men ham satte Kong Hakon sig aldeles
imod, og herover kom saa stor Uenighed imellem dem, at
Kong Hakon tilsidst appellerede fra Ærkebiskoppen til Pa=
ven, hvorover Ærkebiskoppen blev meget fortrydelig.   Der=
efter mæglede Kong Magnus imellem dem, og begges
Venner gjorde sig Umage for at forlige dem, og Lodin
selv undslog sig for at være Biskop.   Tilsidst bevirkede
Kong Magnus en Sammenkomst imellem Kong Hakon og
Ærkebiskoppen, og ved denne var Kong Magnus tilstede

tilligemed Biskoppen af Suderheim og Gillibert, som da var Kong Hakons Klerk, og havde været Ærkedegn; det var ham, som Kongen vilde have til Biskop i Hammer; det endte med, at Ærkebiskoppen valgte Gillibert til Biskop, og Lodin opgav sin Ret. Og eftersom Sagen før var henstillet til Paven, sendte de Gillibert til ham, siden begges Valg nu var faldet paa ham; han begav sig da ud til Paven.

Om Hakons Sendebud.

   303. Om Sommeren efter drog Kong Hakon ind til Frostething, og dømte der i Kongens Sager. Derpaa begav han sig sønderpaa tilligemed Kong Magnus. De kom om Høsten til Bergen, hvor Kong Hakon blev om Vinteren, men Kong Magnus drog til Stavanger, og blev der. Om Høsten kom Ivar og Povel fra Island, og berettede Kongen, hvorledes det var gaaet med deres Ærende. Kongen fandt, at Gissur Jarl ikke havde udført mere, end han havde lovet; det var den fire og fyrretyvende Vinter i Kong Hakons Regjering. Om Vinteren efter døde Junker Sverre, hvilket Kongen ansaae for et stort Tab.

Kongernes Sendebud til Saxland.

   304. Kong Hakon og Kong Magnus havde om Sommeren sendt Broder Nikolai til Danmark, for paa Kong Magnuses Vegne at bejle til Kong Erik den Helliges Datter Jomfru Ingelborg. Broder Nikolai skulde rejse lige til Saxland til hendes Morfader Hertugen, forat indhente hans Samtykke; thi han var en stor Høvding, een af de Otte, som valgte Kejseren, og var Kejserens

Drost, naar denne opholdt sig i Tydskland. Da Sendebu= dene kom til Hertugen med dette Ærende, tog han sig kun lidet deraf, men svarede, at hans Datterdatter var efter sin Fædreneæt dansk af Fødsel, og de Danske raadte for hendes Giftermaal. Derpaa fremstillede han sine to vel smykkede Døttre for dem, og sagde: „For dem raader jeg, hvis nogen bejler til dem." Derpaa rejste Sendebudene tilbage til Danmark, og saa til Norge, og berettede Kong Hakon deres Rejses Udfald.

Om Kong Hakon.

305.   Efter Junker Sverres Død droge Kong Hakon og Kong Magnus ind i Sogn, og derfra over Fjeldet til Oplandene. Da de kom til Ringesager, kom Ærke= biskop Einar dem imøde, og fulgte med dem til Vigen. Derpaa sendte de Sire Askatin og Broder Nikolai til Dan= mark til Dronningen, Grev Ernst og Jomfruens øvrige Formyndere, forat erfare deres endelige Beslutning. Me= dens disse vare paa denne Rejse, droge Kongerne øster til Elven forat samles med Birger Jarl; de laae en Stund i Elven, og biede efter Jarlen, men han kom ikke. Saa vendte de tilbage nord i Vigen, og biede der, indtil Sire Askatin og hans Ledsager kom tilbage fra Danmark. De bragde det Budskab fra Dronningen og Jomfruen, at Kongen skulde lade hende afhente ved et sømmeligt Følge, hvorimod Dronningen og Jomfruens Frænder lovede at udstyre hende paa det bedste og hæderligste.

Jomfru Ingelborg hentes.

306.   Nu gjorde Kongen Anstalter til at sende Mænd efter Jomfruen; de fornemste vare: Biskop Hakon, Øg=

mund Krækedans og hans Søn Borgar, Povel Gaas, Lodin Staur; de havde syv, for det meste store Skibe, samt et stort og vel udstyret Følge. De rejste til Danmark, og kom til Horsens i Jylland paa den Dag de Danske havde fastsat, det var en halv Maaned før St. Olafs Dag. Ved deres Ankomst fandt de ingen, hverken paa Dronningens eller Grevens Vegne, som kunde give dem nogen Anviisning. De begave sig da til det Kloster, hvor Jomfruen var, forat faae at vide, om der var gjort nogen Anstalt for hendes Rejse til Norge. Hun sagde, at der var ingen Anstalt gjort, det hun vidste, og da hun sendte sin Svend til Dronningen, forat forhøre, om hun vilde gjøre noget i Stand til hendes Rejse, fik hun til Svar, at Dronningen ikke saa snart kunde sørge for hende formedelst den Strid hun laae i med Hertugen. Da Nordmændene spurgte dette, drog Biskop Hakon med de andre op til Klosteret, forat tale med Jomfruen selv. De bade hende selv tage sin Beslutning, og overgive sin Sag til Gud, Kong Hakon og deres Omsorg. I Begyndelsen gjorde hun mange Indvendinger, især at hun var saa slet forsynet med alle Fornødenheder til saa hurtig at tage afsted. Men de svarede, at de havde alt paa rede Haand hvad hun behøvede. Enden blev, at Biskop Hakon haandfæstede Jomfru Ingelborg til Kong Magnus. Derpaa bestemte de en vis Dag, da de skulde afhente Jomfruen. Paa samme Tid laae Birger Jarl i Øresund med den svenske Flaade, og da han fik Efterretning om Nordmændene, sendte han Bud til Biskop Hakon, at de skulde bie efter ham, thi han vilde tale med dem, hvis der blev Lejlighed dertil. Men Nordmændene fremskyndede ikke desmindre deres Rejse, thi de vidste allerede, at Jarlen

havde begjert Jomfruen til sin Søn Kong Valdemar, og
derfor satte de ingen Lid til ham i den Sag.   Da den
bestemte Dag kom,   gik Nordmændene bevæbnede op til
Klosteret, thi de havde Mistillid til de Danske, og bade
Jomfruen følge med sig til Skibene.   Hun holdt alt hvad
hun havde lovet, og gjorde sig færdig til at rejse med
dem, ledsaget af to Riddere og hendes Svende, samt otte
Kvinder; hvorpaa de gik ombord.   Dette skete saa hurtig,
at de Danske ikke vidste noget deraf, førend hun var kom-
men bort.   Nordmændene skyndte sig bort fra Danmark,
og lagde ingensteds til Land førend de kom til Tønsberg
St. Olafs Aften.

Om den skotske Konges Sendebud.

307.   Imedens de vare i Danmark, droge Kongerne
til Bergen.   Da kom Kong Alexanders Sendebud fra
Skotland, en Ærkedegn og en Ridder ved Navn Misfel;
de førte efter Kongens Mening mere skjønne Ord paa Læ-
ben end Oprigtighed, og rejste igjen bort, førend nogen
vidste noget deraf.   Da sendte Kongen Brynjolf Jonsøn
efter dem, og han bragde dem atter tilbage, hvorpaa
Kongen befalede at de skulde blive i Norge om Vinteren,
fordi de saaledes vilde rejse bort uden Orlov imod andre
Sendebuds Viis.

Om Kong Hakon.

308.   Da Kong Hakon fik Efterretning om Jom-
fruens Ankomst til Norge, lod han gjøre Anstalter til
hendes og Biskoppens Modtagelse,   og stævnede alle de
fornemste Mænd til sig: Ærkebiskop Einar, som var i
Bergen, efterat han havde fulgt Kong Magnus paa samme

Stib fra Vigen til Stavanger, og været hos ham om
Sommeren, Hr. Knud Jarl, samt alle Biskopperne, thi
Kong Hakon vilde, at Brylluppet skulde holdes saa snart
muligt. Biskop Hakon og Jomfruen vare tre Uger paa
Vejen, kom til Bergen tre Dage før Mariemesse i Høst,
og lagde først ind i Larevaag. Kongerne Hakon og Mag‑
nus gik ombord med Ærkebiskoppen og de anseeligste
Mænd, og vilde have roet Jomfruen imøde, men det var
saa haardt Vejr, at de ikke kunde. Dagen efter roede
Kongen og de fornemste Mænd Jomfruen imøde, og Kong
Hakon modtog hende vel med hele hendes Følge. Der
blev bestemt, at Jomfruen ikke skulde komme til Kongs‑
gaarden førend Brylluppet, hvorfor hun begav sig op til
St. Mikkels Kloster tilligemed Biskop Hakon; der bleve
be en Uges Tid. Da Kong Hakon kom hjem efter at
have seet Jomfruen, sagde han: „Det har altid været
mit Forsæt at tage vel imod denne Jomfru, men nu lover
hendes Udseende mig saa meget, at jeg bestandig vil see
at gjøre endnu mere af hende, end jeg havde tænkt.‟
Derpaa lod Kong Hakon to Haller i Kongsgaarden sætte
i Stand til Brylluppet.

Brylluppet.

309. Søndagen efter Mariemesse i Høsten blev
Jomfru Ingelborg formælet med Kong Magnus med me‑
gen Højtidelighed. Kong Magnus holdt derpaa sit Bryl‑
lup. I Steenhallen vare begge Kongerne, Ærkebiskoppen,
Lydbiskopperne, Knud Jarl, Leensmændene og Hirden.
Dronning Margrete var i Træhallen med Jomfru Ingel‑
borg og hele hendes Følge. I Julehallen vare Øgmund
Krækedans, Erling Alfsøn, Kjøbmændene, de Fremmede og

Borgerne. Man regnede, at der var ikke færre end elleve hundrede Mand foruden Tjenerne; ved Gjæstebudet herskede megen Pragt, og beværtedes med megen Overflødighed; man siger, at der aldrig før har været holdt et saadant Bryllup i Norge, thi der manglede hverken paa Viin eller andre Drikkevare. Kong Hakon raadførte sig med sine Venner og Raadgivere, om ikke Kong Magnus nu strax ved samme Lejlighed skulde krones, men derom vare Meningerne deelte; nogle frygtede for, at Kong Magnus, naar han blev kronet, kunde blive stolt, og det kunde da komme til Splid imellem Kongerne; men Biskop Hakon og de andre, som havde hentet Jomfruen, sagde, at Kong Hakon havde lovet, at de begge skulde krones, og bade Kongen sætte det i Værk, som han havde lovet dem begge til Hæder, men det varede dog længe, førend han besluttede sig dertil. Kong Magnus talte da selv sin Sag hos sin Fader, og sagde: „J skal ikke, min Herre, fæste nogen Lid til deres Ord, som mene, at jeg vil sætte mig op imod eder, om J end tilstaaer mig en større Hæder, end nogen anden Konge i Norge har viist sin Søn; thi J veed, at jeg altid har været lydig imod eder i alle Maader, og jeg haaber at skulle blive saa bestandig, om J end under mig den Ære J har lovet mig.” Kong Hakon svarede: „Det er sandt, Kong Magnus, at J har altid viist mig Kjærlighed og Lydighed; J har derfor ikke fortjent, at jeg skulde nægte eder den højeste Ære, som Guds Miskundhed under mig Lejlighed til.” Bryllupsgildet varede i tre Dage.

Kong Magnus blev kronet.

310. Korsmesjedag faldt paa en Onsdag; da lod Kong Hakon paa ny gjøre Tilberedelser, thi han agtede

paa den Dag at lade Kong Magnus krone. Alting blev da indrettet i Overeensstemmelse med den Maade, hvorpaa Kong Hakon blev kronet. Først gik de, som skulde bane Vejen, saa de, som bare Fanerne, saa Sysselmændene og Skutelssvendene, efter dem Leensmændene; saa fulgte fire Leensmænd, som bare et stort Tavlbord over deres Hoveder, hvorpaa de kongelige Prydelser og Kroningsbragten laae, dernæst gik Erling Alfsøn og Brynjolf Jonsøn med to Sceptere af Selv, stærkt forgyldte; derpaa fulgte Knud Jarl, som bar Kronen, ført af to Stallere, thi han var meget syg. Ved Siden af ham gik Gaut Jonsøn, som bar Kroningssværdet; derpaa ledsagedes Kongerne; ved Porten til Kongsgaarden kom Biskopper, Abbeder og Gejstlige dem imøde i Proceßsion, istemmede en Sang, og gik saa til Alteret; derpaa holdtes Meßse, og Kroningen gik for sig efter den hellige Kirkes Forskrift. Under Meßsen stod Ridder Mißsel oppe i Koret, og forundrede sig meget over den hele Kroningsabfærd, thi i Skotland er det ikke Skik at krone Kongerne; og da Kong Magnus var ifert Dragten, og Kong Hakon og Ærkebiskoppen med tre andre Biskopper omgjorbede ham med Kroningssværdet, sagde hiin skotske Ridder: „Man har sagt mig, at ingen blev slaaet til Ridder her i Landet, men jeg har aldrig seet nogen med større Hæder blive slagen til Ridder end her, hvor fem af de berømmeligste Høvdinger omgjorde ham med Kroningssværdet." Da Kong Magnus var ifert den kongelige Prydelse, førte Ærkebiskoppen ham til sit Sæbe. Derpaa kronede de Dronningen. Da gik Kong Hakon hen til Stolen, hvor Kong Magnus sad, og denne vilde rejse sig for ham, men Kong Hakon lagde sin Haand paa hans Skulder, og sagde: „Paa denne Dag skal du ikke bøje dig for nogen, thi nu er den Dag kommen, som jeg længe har ønsket, at jeg kunde see mit Kjød og Blod saaledes hædret, heller end at jeg skulde misunde dig denne Magt." Derpaa gik Kongerne til Bords, og den Dag beholdt Kong Magnus Kronen paa; der holdtes det kosteligste Gjæstebud til Ære for Kong Magnus og Dronningen Fru Ingelborg og deres Mænd. Saa kvad Sturla:

> Ung tog du, Folkets Fyrste!
> Ved højberømte Kroning
> En Konges Navn, som Kriger
> I Kamp du sligt fortjente;
> Hvad du dig værdig viste
> Du vundet har med Ære
> — Jeg her det højt forkynder —
> Den Magt, som Folket styrer.
>
> Dig, konningbaarne Kjæmpe!
> En hellig Folkestyrers
> Højtelskte Datter haver,
> Med Lykke, Gud beskjæret;
> Ja, hos Alherren Erik
> Alt kan formaae, den Hersker
> I Himlen, han for Eder
> Kan Held og Magt udvirke.

Ved dette Gjæstebud uddeelte Kongerne mange hæderlige Gaver til alle Høvdingerne, samt til de danske Mænd, som vare fulgte med Jomfruen, og udstyrede dem vel til Afsked, saa at de vare vel fornøjede med deres Rejse, men nogle bleve tilbage hos Dronningen.

Knud Jarls Død.

311. Knud Jarl var meget syg under Gjæstebudet, som før er fortalt; han blev derpaa sengeliggende, og døde. Kong Hakon lod ham hæderlig stæde til Jorden, som det sømmede sig hans Værdighed og Fødsel; han blev begravet i Kristkirke hos sin Fader Hakon. Knud Jarl var en i alle Henseender dannet Mand, en god Klerk og særdeles gavmild, høj af Vært og af smukt Udseende; men han var vel meget hengiven til Drik, og deraf kom hans Sygdom. Dette Efteraar kom Odd fra Sjølte, Povel Magnusøn og Knarreleif fra Grønland, hvor de havde været i fire Aar, og berettede, at Grønlænderne havde forpligtet sig til Skat, samt lovet at give Kongen Bøder for alle Manddrab, hvad enten det var Nordmænd eller Grønlændere der bleve dræbte, og dette lige til under Nordstjernen; ligesaa at betale Thegngjæld. Saa kvad Sturla:

> At udvide Eders Vælde
> I det kolde Himmelbælte
> Hist hvor Lysets Ledestjerne [1]
> Glimrer, højt mod Nord, I lystes;
> Før har ingen anden Konning
> Over saadant Rige hersket,
> Og din Herlighed udbredes
> Did, hvor Sol ej længer skinner.

Den nysomtalte Sommer sendte Kong Hakon Halvard Guldsko til Island; han landede i Hvitaa i Borgefjord, og skyndte sig til Jarlen, hvem han dristig overbragde

---

[1] Den vejledende Stjerne d. e. Polarstjernen.

Kongens Ærende. Jarlen modtog det vel, og Halvard tog sit Ophold i Reykjeholt. Om Hesten svore nogle Kong Hakon Troskab. Jarlen opholdt sig om Vinteren paa Nordlandet, og underhandlede med Bønderne om, hvad Beslutning man skulde tage i Anledning af de kongelige Sendebuds Fordringer, som han ogsaa havde givet Kongen Løfte paa; da kom det saaledes for Dagen hvad han havde lovet Kongen. Der blev taget den Beslutning, at Bønderne lovede Jarlen et betydeligt Tilskud til at betale den bestemte Sum; nogle tilsagde ham to hundrede, andre hundrede eller tolv Ører eller endnu mindre. Men da Halvard erfarede dette, sagde han, at Kongen krævede Lydighed af Bønderne og saa megen Skat, som de kunde blive enige om, men han vilde ikke have at de skulde besværes med saa store Afgifter. Halvard anbefalede ogsaa Kongens Ærende hos Vestfjordingerne, som lovede at komme til Thorsnæsthing, forat sværge Kongen Lydighed; men Jarlen stævnede Bønderne til Hegranæsthing, og lod der nogle Mænd sværge Kong Hakon Troskab. Rafn Oddsen kom (ikke) til Thorsnæsthing, og derfor tog Halvard ikke derhen; Sagen blev da henskudt til Althinget. De anseeligste Mænd i Vestfjordene og paa Sønderlandet droge nu Flokke sammen, forat understøtte Kongens Sag paa Althinget; de sendte ogsaa Mænd til Steenvørs Sønner og Andreassønnerne at de skulde ride til Things med alt hvad de kunde opbyde østenfor Thjorsaa; Thorvard Thorarensen havde lovet at komme med Østfjordingerne. Gissur Jarl kom til Althinget med et stort Følge. Paa Nordlandet havde han anbefalet Kongens Sag, og erklæret det for Forræderi imod ham, naar man ikke underkastede sig Kongens Fordringer. Da nu Lavretten var sat,

svore de fleste anseelige Bønder fra Nordlandet og Søn=
derlandet udenfor Thjorsaa Kong Hakon Troskab og be=
standig Skat, hvilket det derom udstædte Brev bevidner.
Derpaa red Jarlen fra Thinget til Langedal, og holdt sit
Parti i nogen Tid sammen; Biskop Sigurd red med Hal=
vard til Borgefjord til Thværaathing, hvor Vestfjordin=
gerne aflagde Ed saaledes som deres Formænd først svore,
nemlig Rafn Oddsøn, Sighvat Bødvarsen, Sturla Thord=
søn, Einar Thorvaldsen, Vigfus Gunsteensen og tre Bøn=
der med hver af dem. Tre Bønder svore ogsaa paa Borg=
fjordingernes Vegne. Da havde alle Islænderne lovet at
betale Kong Hakon Skat, undtagen Østfjordingerne fra
Helkunde hede og til Thjorsaa i Sønderlandet.

Om Kong Magnus.

312. Den næste Vinter efter at Kong Magnus havde
holdt sit Bryllup og var bleven kronet, sad han i Bergen
tilligemed Kong Hakon Julen over; det var den fem og
fyrretyvende i Kong Hakons Regjering. Tidlig om Vaa=
ren droge Kongerne øster i Vigen, og agtede sig øster til
Elven forat møde Birger Jarl efter den imellem dem skete
Aftale. De skulde nemlig tage en Bestemmelse angaaende
de Ejendomme, som tilhørte Kong Eriks Døttre i Dan=
mark, paa hvilke Kong Magnus og Kong Valdemar gjorde
Fordring; den sidste var gift med Kong Eriks Datter
Sofia. Men da Kongerne droge fra Bergen, bleve Dron=
ning Margrete og Fru Ingelborg der tilbage, thi hun var
da frugtsommelig. Da Kongerne kom til Vigen, forefandt
de der Birger Jarls Sendebud, som mældte, at Jarlen
ved Forretninger var forhindret fra at møde Kongerne,
men foreslog, at de fra begge Sider skulde sende Bud til

Danmark, forat forhøre, hvad Bestemmelse Dronning Margrete vilde tage med fornævnte Ejendomme, hvorpaa der kunde skiftes med Søstrene samt med de to ugifte.

Om Kong Hakon.

313. Da sendte Kong Hakon og Kong Magnus Povel Gaas, Andreas Plyt og Thorlaug Bose til Danmark, for at overvære dette Skifte paa Kong Magnuses og Dronning Ingelborgs Vegne. Da de kom til Danmark, fandt de der Hertug Adalbrikt af Brunsvig, der tilligemed Dronningen forestod alle Rigets Forhandlinger. Povel og hans Medfølgere opholdt sig hos Hertugen om Sommeren, men fik ingen Besked paa deres Ærende. Kong Magnus drog øster til Borg, forat see til de Leen, Kong Hakon havde givet Fru Ingelborg til Brudegave. Paa denne Rejse blev Kong Magnus syg, fordi han havde redet saa stærk, hvorpaa han vendte tilbage til Øslo, hvor det blev noget bedre med ham; han gik i Kirke, ved hvilken Lejlighed Biskoppen modtog ham i en Procession; og fra den Tid kom han sig. Derpaa rejste begge Kongerne til Bergen ved St. Hansdags Tider, og bleve der om Sommeren. Denne Sommer sendte Kong Hakon Lodin Lepp og Hakon Gysil ud til Sultanen af Tunis med mange Falke og andre Ting, som der vare sjeldne. Da de kom did, tog Sultanen vel imod dem, og de bleve der en stor Deel af Vinteren. Saa kvad Sturla:

> Dig, Alhersker! Saracener
> Højt for gavmild Naade prise,
> Hist, ved Blaalands Grændser dine
> Høge tækkes vel de Ædle;

Vidt omkring, af Kostbarheder,
Eders store Ry udbredes,
Og den vide Verden prydes,
Høje Drot! af eders Gaver.

Denne Sommer kom Halvard Guldsko fra Island, og berettede, at Islænderne havde forpligtet sig til at give Kong Hakon Skat. Med ham kom ogsaa Sighvat Bødvarsen og Sturla Rafnsen. Ligeledes kom Abbeden Brand Jonsen fra Island efter Ærkebiskop Einars Befaling, og begav sig til ham. Thorlaug Bose kom til Kong Hakon i Bergen, og berettede, at han intet havde faaet udrettet, men Povel Gaas og Andreas Plyt bleve tilbage. Denne Sommer blev Kong Magnuses og Dronning Ingelborgs Søn Olaf født i Bergen. Om Høsten droge Kongerne med begge Dronningerne til Throndhjem, men Junker Olaf blev tilbage i Nonneklosteret. Kongerne tilbragde den Vinter i Throndhjem. Andreas Plyt kom om Vinteren før Juul fra Danmark, og berettede, at Hertugen og Dronningen ikke havde udredt noget af Dronning Ingelborgs Gods, og at der intet Skifte var gjort imellem Kong Eriks Døttre, men derimod havde de faaet Kundskab om, hvor store Ejendommene vare, og hvor de laae.

Udbud.

314. Kong Hakon sad om Julen i Throndhjem, og viste megen Pragt. Abbeden Brand var hos ham, og vel anseet hos Kongen. Ærkebiskop Einar var syg om Vinteren, og kom kun lidet til Kongen, men de levede dog i god Forstaaelse, hvortil da ogsaa Kong Magnus bidrog sit. Om Sommeren før var der kommet Brev fra Kongerne paa Sydersøerne, der klagede meget over den Ufred,

som Jarlen af Ros, samt Makamals Sön Kjarnak og
andre Skotter havde afstedkommet paa Syderøerne. De
havde nemlig landet paa Skib, brændt Gaarde og Kirker,
dræbt mange Mennesker, baade Mænd og Kvinder, ja de
fortalte, at Skotterne havde taget smaae Børn og gjen-
nemboret dem med Spydoddene, og rystet dem indtil de
faldt ned imellem Hænderne paa dem, hvorpaa de kastede
dem döde bort; ligeledes sagde de, at den skotske Konge
agtede at bemægtige sig alle Syderøerne. Men da Kong
Hakon erfarede denne Tidende, blev han meget tankefuld,
og forelagde sit Raad Sagen; hvor forskjellige end deres
Meninger vare, saa lod Kong Hakon dog Udbudsbreve
om Vinteren efter Juul udgaae over hele Norge, og ud-
böd Leding baade paa Folk og Levnetsmidler, saa meget
som han troede Landet kunde udrede.   Hele denne Hær
satte han Stævne at mede ham tidlig om Sommeren i
Bergen.

Abbed Brand vælges til Biskop i Hole.

315. Ærkebiskop Einar holdt om Foraaret Sam-
tale med Korsbrødrene om Bispevalget til Hole paa Is-
land, og de blev enige om at vælge Abbed Brand, hvori
begge Konger samtykkede. Da var ogsaa Sire Gillibert
kommen tilbage fra Rom, og fremlagde Pavens Brev, at
denne overlöd Bispevalget i Hammer til Ærkebiskoppens
Raadighed, men han skulde dog udnævne Gillibert, siden
det var Kongens Villie. Den fjerde Non. Martii ind-
viede Ærkebiskop Einar dem begge til Biskopper, Gilli-
bert til Hammer, og Brand til Hole paa Island; til-
stede vare Biskop Peter af Bergen og Biskop Thorgils af
Stavanger.

Kongen begyndte sit Tog til Skotland.

316. Kong Hakon drog fra Nideros henved Mid-
faste, og tog over Land til Vigen, og saa efter til Elven,
forat møde Birger Jarl; thi det var aftalt imellem dem,
at de i Paaskeugen skulde mødes i Ljodhus. Men da
Kong Hakon kom did, var Jarlen borte, hvorpaa Kongen
begav sig tilbage til Vigen. Kort efter tog Kong Magnus
og begge Dronningerne fra Throndhjem; Paaskedag holdt
han Gudstjeneste i Frekesund. Efter Paaske kom han til
Bergen, og drog derpaa til Stavanger. Kong Hakon
kom til Bergen ved Korsmesse. Han skyndte sig nu me-
get med sin Rustning; da Kong Magnus havde sørget for
Udbud og Skibsrustning i Rygjefylke, vendte han tilbage
til Kong Hakon; til denne samlede der sig mange Folk,
næsten alle haandgangne Mænd, Sysselmænd og en
Mængde Ledingsmænd.

Kong Hakon holdt Thing med Hæren.

317. Derpaa holdt Kong Hakon et almindeligt
Thing i Bergen oppe paa Bakkerne; der samledes en me-
get stor Hær. Kongen bekjendtgjorde da Hensigten af
Toget, at han vilde drage over Vesterhavet til Skotland,
forat hævne det Anfald Skotterne havde gjort paa hans
Rige. Kong Magnus tilbød sig at gjøre dette Tog for
ham, saa at Kong Hakon kunde blive hjemme; denne
takkede ham meget derfor, men sagde, at saasom han var
ældre og længere Tid havde kjendt til Vesterlandene, saa
vilde han selv begive sig paa Toget; derimod overdrog
han Kong Magnus Regjeringen hjemme. Paa dette
Thing anordnede han ogsaa adskilligt af Rigets Sager;

Bønderne tilstod han, at Sysselmændene i hans Fravæ-
relse ikke skulde forfølge uden de vigtigste Sager.   Til
dette Tog brugte Kong Hakon det store Skib han havde
ladet bygge i Bergen af lutter Eg; det var paa syv og
tyve Rum med herlige forgyldte Dragehoveder og Halse;
desuden havde han mange andre store og vel udrustede
Skibe.   Om Foraaret havde han sendt Jon Langlifsen
til Ørkenøerne og Henrik Skot til Hjaltland forat faae
Vejvisere.   De droge til Syderøerne, og forkyndte Kong
Duggal, at der kunde ventes en Flaade fra Norge.   Or-
det gik, at Skotterne vilde hærge paa Øerne om Som-
meren; men nu bekjendtgjorde Kong Duggal, at der vare
fyrretyve Skibe paa Vejen fra Norge, og derved stand-
sedes Skotterne.

Om Kong Hakon.

318.   Noget før Kongen var færdig, sendte han fire
Skibe forud.   Anførerne vare: Regnvald Urka, Erling
Jvarsen, Andreas Nikolaisen og Halvard Red.   Da
Kong Hakon havde faaet sit Skib udrustet, lagde han
bort fra Byen ud til Eidsvaag med hele Flaaden; de
laae en Stund sejlfærdige uden at faae Bør; han drog
derpaa ind til Byen, og opholdt sig der nogle Dage, og
foer saa ud til Herbløvær; som det hedder i Rafnsmaal,
og Sturla kvad:

> Kaldte til Kampen
>
> Krigeres Flokke
>
> Fra Finners Bygder
>
> Fyrsten hjemsøgte,
>
> Og fra Gøtelvens
>
> Østlige Bredder

Sejrvante Snekker
Søstrømmen førte.

Vældig af Landet
Leding var samlet,
Knap flere Skibe
Kom i Havn sammen;
Skjærgaardens stolte
Steenrige Kyster
Luktes af høje
Hærskibes Rækker.

Højt paa søtømmet
Havslettens Ganger,
Bærende Kongen,
Klang gyldne Skjolde:
Saa fra sejlvante
Snekker de Sole
Stedse beskinnede
Sejrens Uddeler.

Rognvald og de andre skiltes ad, da de kom ud paa Ha=
vet, og Rognvald kom med nogle Skibe til Ørkenøerne,
men Erling, Andreas og Halvard sejlede sønbenfor Hjalt=
land, saa vester forbi Tharsfjord [1] og saae ikke Land
førend ved Sulnestape imod Vesten fra Ørkenøerne. Der=
paa sejlede de ind under Skotland ved Dyrnæs, gik i
Land, og nebbrøde et Kastel, hvis Besætning flygtede;
hvorefter de brændte over tyve Gaarde. Saa sejlede de
til Syderøerne, hvor de fandt Kong Magnus fra Man.

---

[1] eller Barøfjord.

Kong Hakon sejlede fra Norge.

319. Tre Dage efter Seljamændenes Fest sejlede Kong Hakon ud i Solunderhav med hele Flaaden; han havde da været Konge i Norge i sex og fyrretyve Aar; det var meget god Bør og smukt Vejr, og Flaaden var prægtig at see til, som det hedder:

> Valkyriers Fakler [1]
> Flaaden ledsaged,
> Brænding til Himlen
> Blusglands opsendte;
> Krigsheltens Færd var
> Farlig at skue,
> Lyn paa Storhavets
> Strømme den tændte.

Kong Hakon havde meget udvalgte Folk paa sit Skib; i Forrummet vare: Thorleif Abbed af Holm, Sire Askatin, fire af Kongens Præster og Klerker, og af Lægmænd: Aslak Guss, Kongens Staller, Andreas af Thississe, Andreas Havardsen, Guttorm Gullesen og hans Broder Thorsteen, Erik Gautsøn Skota, og endnu flere. I Krapperummet vare: Aslak Dagsen, Steinar Herka, Klemet den Lave, Andreas Gums, Erik Duggalsen, Kong Duggals-Faber, Einar Lungbard, Arnbjørn Svæla, Sighvat Bødvarsøn, Høskuld Oddsøn, Jon Høglife og Arne Slink. I det tredie Rum vare Sigurd Ivarsøn, en Søn af Ivar Kofa, Ivar, en Søn af Helge paa Loflo, Erlend Skolbeen, Dag fra Suderheim, Brynjolf Jonsøn, Gudleik Sneis, og endnu flere Mænd, som hørte til Kongens

---

[1]) De skinnende Skjolde og Landser.

Herberge. Andreas Plyt var Kongens Skatmester. I Stavnen vare følgende: Erik Skifa, Thorfinn Sigvaldsøn, Kaare Endridesen, Gudbrand Jonsøn, og endnu flere Skutelsvende. For det meste vare fire Mand i hvert Halvrum. Med Kong Hakon drog ogsaa Magnus Jarl af Orkenøerne fra Bergen, og Kongen gav ham et godt Langskib. Følgende Leensmænd fulgte med Kongen: Brynjolf Jonsøn, Finn Gautsøn, Erling Alfsøn, Erland Rød, Baard i Hestbæ, Eilif i Naustdal, Andreas Pott og Øgmund Krækedans. Foran Masten vare: Røgnvald Urka, Erling Ivarsøn og Jon Drotning; Gaut paa Mel og Nikolai i Giske bleve tilbage hos Kong Magnus. Kong Hakon fik god Vind, og naaede efter to Dages Forløb med en stor Deel af Flaaden Bredesund paa Hjaltland; saaledes som Sturla kvad:

> Landenes Hersker
> Hærskibes Flaade
> Lod lange Strømme
> Lægge tilbage;
> Hisset til Havnen
> Herligst fra Stavne
> Lyste da Søens
> Solklare Flamme.

Kong Hakon laae næsten en halv Maaned i Bredesund, og sejlede derfra til Orkenøerne, hvor han laae en Stund i Ellidevig, som er nærmest ved Kirkevaag. Da bekjendtgjorde han for sine Mænd, at han vilde dele Flaaden, og sende en Deel deraf sønder til Bredefjord, forat hærge der, men han selv vilde blive ved Orkenøerne med de største og fleste Skibe; da imidlertid Bønder og Ledingsfolk ikke gjerne vilde fare uden med Kongen selv, saa blev

ber ikke noget af dette Tog. Dagen for St. Olafs Dag
var en Søndag, da lod Kongen holde højtidelig Messe i
et Landtelt, og beværtede om Dagen Almuen paa sit
Skib. Derpaa sejlede han fra Ellidevig sønder forbi Mule,
forbi Regnvaldsøerne med hele Flaaden; Regnvald var
da kommen fra Ørkenøerne og havde forenet sig med Kon-
gen, samt de andre Skibe, der fulgte med ham. Kong
Hakon lagde med Flaaden ind i Regnvaldsvaag, og laae
der en Stund; da sendte han Bud over til Katenæs, og
lovede at lade dem i Fred, hvis de betalte en Skat, ellers
truede han dem, men Indbyggerne paa Katenæs bekvem-
mede sig til at betale Skatten, som Sangen lyder:

> Nordsæders milde
> Styrer af Næssets
> Folk, som Fred kjøbte,
> Først tog mod Skatter;
> Mægtige Hære
> Modet da tabte,
> Frygtende Heltens
> Harnisk og Glavind.

Imedens Kong Hakon laae i Regnvaldsvaag, indtraf der
en stor Solformørkelse, saa at der var kun en lille lys
Ring uden om Solen, og dette varede en Stund af Da-
gen. Kong Hakon havde faaet slette Tidender fra Sy-
derøerne, thi Jon Langlifsen var kommen efter Kongen
paa Hjaltland, da Kongen var sejlet vesterpaa, og bragde
den Efterretning, at Kong Jon i Syderøerne skulde have
svigtet sin Ed og vilde forbinde sig med den skotske Konge;
Kong Hakon vilde imidlertid ikke troe det, førend han fik
andet Beviis derpaa. St. Laurentii Aften sejlede Kong
Hakon over Petlandsfjord, og bad dem fra Ørkenøerne at

følge efter, saasnart de vare færdige. Magnus Jarl blev ogsaa tilbage. St. Laurentii Aften sejlede Kongen med hele Flaaden forbi Hvarf, og lagde til Havnen Halsøvig [1]. Derfra sejlede de til Raunøerne, og derfra til Skidsund til det Sted, som hedder Kjerlingesteen. Der kom Kong Magnus fra Man til ham, samt Frænderne Erling Ivar-søn, Andreas Nikolaisøn og Halvard, samt Nikolai Tart. De havde alle sejlet sammen tilligemed Jon Drotning, men skiltes paa Havet; Nikolai havde, siden han forlod Norge, ingensteds landet. Den Dag da Kong Hakon sej-lede fra Skidsund, kom Kong Duggal til ham paa en let Skude, og bad ham skynde sig saa meget muligt. Kong Hakon sejlede derfra til Mylsund, og derfra ind under Kjarbar; der samledes hele Flaaden, tilligemed Kong Duggal og dem fra Syderøerne. Kong Hakon havde da henimod to hundrede Skibe, de fleste store og vel udrustede.

Kong Hakon sendte en Hær til Satiri.

320. Da Kong Hakon laae i Kjarbar, deelte han Flaaden, og sendte halvtredsindstyve Skibe sønder til For-bjerget af Satiri, forat hærge der. Anførerne vare: Kong Duggal, Kong Magnus af Man, Brynjolf Jonsøn, Rognvald Urka, Andreas Pott, Øgmund Krækedans og Vigleik Præstesøn. Da sendte han ogsaa fem Skibe til Bot under Anførsel af Erlend Rød, Andreas Nikolaisøn, Simon Stutt og Ivar den Unge. Derpaa sejlede Kong Hakon sønderpaa forbi Satiri, og laae ved Gudø; der kom Kong Jon til ham, og gik ombord paa Biskop Thor-gisls Skib. Kongen bad ham følge sig, som han var

---

[1] ell. Asleifsvig, derfra til Ljodhus, og saa til Raunøerne.

pligtig til, men Kong Jon afslog det, og sagde, at han
havde svoret den skotske Konge Troskab, og fik større For-
lening af ham, end af Norges Konge, samt bad Kong
Hakon at raade som han vilde for det, han havde givet
ham. Der kom ogsaa en Abbed fra et Graamunke-
kloster til Kong Hakon, og bad for sit Kloster og den
hellige Kirke; Kongen opfyldte hans Ven, og gav ham
sit Brev derpaa. Ligeledes kom Kong Duggals Mænd til
Kongen, og sagde, at Høvdingerne over Satiri, Myrgad
og Engus, besade ogsaa Øen Il, og vilde overgive sig
til Kong Hakon; men denne svarede, at han vilde ikke
hærge paa Næsset, dersom de næste Dag før Middag kom
til ham godvillig, hvis ikke lod han sine Mænd hærge;
Sendebudene vendte tilbage. Om Morgenen efter kom
Myrgad og Engus til Kong Hakon, overgave sig ganske
til ham, aflagde ham Troskabsed, og stillede Gisler.
Kong Hakon paalagde Næsset en Skat af et Tusende
Ørne. Engus og Myrgad overgave Øen Il til Kongen,
men denne forlenede Engus med den paa samme Maade
som andre Høvdinger paa Syderøerne havde Leen af ham;
saaledes som det hedder i Rafnsmaal:

> Hurtig til Kampen
> Hærfører ledte
> Mod Syderøer
> Sin Orlogsflaade;
> Engus, da ængstet,
> Overgav Kongen
> Il, sit Ørige,
> Erobret af Hæren.

Skræk for den kjække
Kjæmpe da lammed
Vesthavs med Klipper
Kronede Strande;
Fredløse Fyrster
Frygtslagne sine
Hoveder, hjelmprydte,
Hærstyreren bragde [1].

Sønden paa Satiri er et Kastel, som en Ridder havde inde; han begav sig til Kong Hakon, og overgav ham Kastellet, hvilket Kongen derpaa lod besætte af Guttorm Bakkakolf. Broder Simon havde ligget syg en Tidlang, og døde da Kong Hakon laae ved Gudø; hans Lig blev nu bragt op paa Satiri, hvor Graamunkene toge imod det, og begrove det i deres Kirke; der blev bredet et Tæppe over hans Gravsted, og de ansaae ham for hellig.

Om Kong Hakons Hærgning.

321. Nu er at fortælle om den Deel af Hæren, som Kongen havde sendt hen forat hærge paa Satiriseid, at de gik i Land og brændte de Bygder, de kom til, og toge alt det Gods, de kunde faae; de dræbte ogsaa nogle, men alle, som kunde, flyede. Men da de kom til den største Bygd, kom der Brev fra Kong Hakon, som forbød dem at hærge. De droge da ud under Gudø Kong Hakon imøde, som det hedder:

---

[1] At „bringe Sejervinderen sit Hoved" (overladt til hans Raadighed) var fordum det samme, som efter vor Talemaade: „at give sig paa Naade og Unaade." En saadan Ydmygelse reddede næsten stedse den Paagjeldendes Liv.

> Herskerens Kjæmper,
>
> Haarde i Sindet,
>
> Sønden fra Satire
>
> Sejrende droge;
>
> Indtil de Skibe
>
> Atter bestege;
>
> Hærgede Skotlands
>
> Havne de søgte.

Kong Hakon sendte nogle lette Skibe forud sønder til Bot, thi han selv fik kun seent Bør; de skulde møde dem, som Kongen havde sendt did. Der var imidlertid det forefaldet, at de havde indtaget Kastellet, saa at Besætningen maatte overgive sig, og bad Nordmændene om Fred. Der var ogsaa hos Nordmændene en Skibsbefalingsmand, ved Navn Rudre, som foregav at han var ætbaaren til Bot, men da han ikke kunde faae Øen af Skotterne, afstedkom han megen Ufred der og dræbte mange, og derfor blev han af den skotske Konge erklæret landflygtig. Han kom til Kong Hakon i Syderøerne, aflagde ham Troskabsed, og blev hans Mand tilligemed hans to Brødre. Men saasnart de, som havde overgivet Kastellet, vare komne bort fra Nordmændene, satte Rudre efter dem, og dræbte ni Mand af dem, thi dem tyktes han ingen Fred at have givet. Derpaa kom Øen Bot under Kong Hakon, som det hedder:

> Bot de berømte
>
> Barske Hærflokke
>
> Erobrede da fra
>
> Ugudelig Skare;
>
> Kløvede af Klinger
>
> Krager til Bytte

Konningens Fjender
Faldt paa Syderøer.

De Nordmænd, som vare paa Bot, droge ind paa Skot-
land, og brændte nogle Torper og mange Gaarde. Rudre
foer ogsaa omkring, og gjorde alt det Onde, han kunde,
som det hedder:

Falske Landboers
Bygder antændtes,
Hedeste Flammer
Haller fortærte;
Kysternes Krigsfolk
Kaldtes af Døden,
Faldne for Flaadens
Fremmede Kjæmper.

Kong Hakon hærgede paa Syderøerne.

322. Da Kong Hakon laae ved Syderøerne, kom
der Budskab til ham fra Irland, at Irerne vilde under-
kaste sig hans Herredømme, hvis han vilde hjælpe dem til
at afkaste Engellændernes Aag, thi de havde bemægtiget
sig de bedste Søstæder. Kongen sendte da Sigurd den Sy-
derøske med nogle lette Skibe til Irland, forat erfare paa
hvilke Vilkaar Irerne vilde modtage hans Hjælp. Der-
paa sejlede Kong Hakon med hele Flaaden sønder forbi
Satiris Forbjerg, og lagde til ved Herøsund. Paa denne
Tid kom der jævnlig Sendebud fra den skotske Konge til
Kong Hakon, Prædikebrødre eller Barfodmunke, forat
mægle Fred imellem Kongerne; da gav Kong Hakon
Kong Jon sin Frihed, bød ham drage bort i Fred hvor-
hen han vilde, og gav ham mange gode Foræringer; der-
imod lovede han, at bidrage hvad han kunde til at der

blev Fred med den skotske Konge, og at indfinde sig hos Kong Hakon, naar denne sendte ham Bud. Kort efter sendte Kong Hakon nogle Mænd til den skotske Konge, med to Biskopper i Spidsen, Gillibert af Hammer og Biskop Henrik af Ørkenøerne, samt Andreas Nikolaisøn, Andreas Plyt og Povel Sur. De traf den skotske Konge i Staden Noar, han modtog dem vel, og det tegnede til Fred, da han lovede at sende Mænd til Kong Hakon med sine Fredstilbud; Sendebudene vendte tilbage. Kong Hakon havde ladet opskrive alle de Øer vestenfor Skotland, som han tilegnede sig, hvorimod den skotske Konge havde anført dem, som han ikke vilde afstaae, nemlig Bot, Herø og Kumrøerne. I andre Henseender var der ikke meget Kongerne imellem; desuagtet blev der intet af Freden. Skotterne trak Underhandlingerne i Langdrag, thi det led ud paa Sommeren, og Vejret begyndte at blive slet. Derpaa sejlede Kong Hakon ind under Kumrøerne med hele Flaaden. Underhandlingerne begyndte paa ny; Kong Hakon sendte nogle Biskopper og Leensmænd til Skotland, med hvilke nogle Ribbere og Munke holdt Møde; Udfaldet blev imidlertid det samme som før, og da det var kommet langt ud paa Dagen, strømmede mange Skotter ned fra Landet; Nordmændene satte ingen Lid til dem, gik ombord, droge til Kongen, og berettede deres Underhandlinger. Nu skyndede de fleste til at man skulde opsige Stilstanden og hærge, thi Hæren begyndte at lide Mangel paa Levnetsmidler.

Om Kong Hakons Hærgning i Skotland.

323. Kong Hakon sendte sin Hirdmand, Kolbeen den Mægtige, til Kongen af Skotland; han blev afsendt

med de Fredsforslag, som den skotske Konge havde sendt
Kong Hakon, og skulde have dem, som Kong Hakon
havde sendt den skotske Konge, tilbage, samt mælde, at
de skulde mødes med hele Flaaden, og tale om Fred eller
stride. Den skotske Konge var ikke meget for at stride
med Kong Hakon. Saa hedder det i Rafnsmaal:

> Kyndig i Krigens
> Konst Sejervinder,
> Østmænds Anfører
> Udfordred de Skotter;
> Dog ikke disse
> Dertil var lystne,
> For stærk de fandt
> Fremmedes Konning.

Nu blev Fredsunderhandlingerne aldeles afbrudte, og Kong
Hakon sendte fyrretyve Skibe ind i Skipafjord, under An=
førsel af Kong Magnus af Man, Kong Duggal og hans
Broder Alein, Engus og Myrgad; de anførte dem fra
Syderøerne, men over Nordmændene befalede Vigleik Prov=
stesøn og Jvar Holm. Da de kom ind i Fjorden, toge de
deres Baade, og droge op til en stor Sø, der hedder So=
kolofni; rundt om den laae et Jarldømme, der hedder
Lofnath. I denne Sø er der ogsaa en stor Mængde vel
bebyggede Øer, som Nordmændene hærgede med Jld; de
brændte ligeledes hele Bygden rundt omkring Søen, og
øvede meget Hærværk, saaledes som Sturla kvad:

> Krigere hurtig,
> havende Flugten,
> Baade trak over
> Brede Strandveje;

Judsøens Bygder,
Øer og Kyster,
Ivrig de hærged,
Intet de frygted.

Kong Duggals Broder Alein strejfede tvært igjennem Skotland, og dræbte mange; han tog mange hundrede Ørne, og øvede meget Hærværk, som det hedder:

Modige Helte
Hærfærd udøved
I vidtudstrakte
Ulvmædskers Lande;
Alein, den kjekke,
Kampen optændte,
Brat den fremraste,
Bringende Døden.

Derpaa vendte Nordmændene tilbage til deres Skibe; der overfaldt dem en stærk Storm, hvorved en ti Skibe forgik. Da faldt ogsaa Ivar Holm i en pludselig Sygdom, hvoraf han døde.

Om Søskaden i Syderøerne.

324. Kong Hakon laae, som før er fortalt, ved Syderøerne. Mikkelsmesse indfaldt paa en Løverdag, men Natten til næste Mandag opkom der en stærk Storm med Jlinger, saa at en Kog og et Langskib bleve drevne ind paa Skotland. Om Mandagen raste Stormen saaledes, at nogle kappede Masterne, andre drev. Kongeskibet drev ogsaa ind i Sundet, det lod syv Ankere falde, og tilsidst det største, men drev dog; kort efter holdt Ankerne. Denne Storm var saa heftig, at man tilskrev Troldbom den, og man udstod megen Strabadse; som det hedder:

Viis Inges Afkoms
Arving der mødte
Trolddom, som onde
Utydsker vakte;
Havet sig hæved
Heftig fra Grunden,
Sejlskjønne Skibe
Skilte fra Ankre.

Uvejret tuded,
Underlig styrket,
Over Hærskibes
Skrækslagne Gutter;
Med ej i Nøden
Nyttende Skjolde,
Brat dem paa Skotland
Brændingen jaged.

Om Skotterne og Kong Hakon.

325.   Da Skotterne saae, at Skibene dreve mod
Land, samlede de sig, droge ned mod Nordmændene, og
skjøde paa dem; men disse forsvarede sig, og brugte Kog=
gen som et Bolværk. Skotterne gjorde af og til Anfald,
men trak sig for det meste tilbage; der faldt kun faa
Mænd, men mange bleve saarede. Da sendte Kong Hakon
nogle Baade ind med Undsætning, thi Vejret begyndte at
lægge sig; som det hedder:

Sildig udsendte
Sejervant Kriger
Hurtige Svende
Sværdet at prøve, —

Dalgøters Konnings
Kjæmper frembroge,
Forræderist Fjende
Flur de ombragde.

Saasnart Kongens Mænd kom i Land, flyede Skotterne, men om Natten droge de ud paa Koggen, og bemægtigede sig det Gods, de kunde faae. Om Morgenen efter gik Kong Hakon paa Land med mange Folk; han lod da Koggen rydde og alting bringe ud til Skibene.

Slag i Skotland.

326. Kort efter saae de Skotternes Hær, og man troede, at det maatte være den skotske Konge selv, da Hæren var stor. Øgmund Kræfedans stod med en Trop oppe paa en Høj, og de forreste Skotter anfaldt ham. Nordmændene bade Kong Hakon at tage ud til Skibene, og vilde ikke, at han skulde udsætte sig for nogen Fare, han vilde blive paa Land, men gav dog efter for deres Forestillinger, og drog paa en Baad ud under Øen til sine Folk. Følgende Leensmænd vare paa Land: Hr. Andreas Nikolaisen, Øgmund Kræfedans, Erling Alfsøn, Andreas Pott, Erlend Rød, Rognvald Urka, Thorlaug Bose, Povel Sur og Andreas Plytt; der var i alt otte til ni hundrede Mand i Land, to hundrede Mand vare oppe paa Højen hos Øgmund, men de øvrige stode nede paa Strandbrædden. Der samlede sig nu en skotsk Hær af henved fem hundrede Ryttere med brynjede Heste og mange spanske Muulæsler, alle udvalgte. Skotterne havde ogsaa en stor Hær af Fodfolk, vel bevæbnede, mest med Buer og Ører. De Nordmænd, som stode paa Højen, traf sig hurtig tilbage mod Søen, forat Skotterne ikke

skulde omringe dem. Da kom Andreas Nikolaisøn op paa
Højen, og befalede Øgmunds Folk at søge ned til Strand-
brædden, men ikke fare saaledes omkring som Flygtninge.
Skotterne gjorde da et stærkt Anfald, og angreb dem med
Stene, ligeledes skete et stærkt Vaabenanfald paa Nord-
mændene, men disse trak sig tilbage, og dækkede sig med
deres Skjolde. Men da de kom ned mod Strandbrædden,
fore de hastigere afsted, end de egentlig vilde; de, som
stode paa Stranden, meente at de vare paa Flugt, og
nogle af dem løb derfor til Baadene, og satte fra Land.
Andreas Pott sprang over to Baade ind i den tredie, og
kom saaledes fra Land. Mange Baade sank, og nogle
Mænd tilsatte Livet. Adskillige andre Nordmænd toge
Flugten ned til Søen, og ved denne Lejlighed faldt Kong
Hakons Hirdmand, Hakon fra Steen. De Norske trak
sig nu sønderpaa fra Koggen; deres Anførere vare: An-
dreas Nikolaisøn, Øgmund Krækedans, Thorlaug Bose og
Povel Sur; der begyndte nu en haard, men meget ulige
Kamp, thi der vare ti Skotter om een Nordmand. En
ung skotsk Ridder, ved Navn Ferus, der var mægtig baade
ved Byrd og Lande, med en ganske forgyldt og med
Ædelstene besat Hjelm og det øvrige Harnisk derefter, red
ganske alene dristig imod Nordmændene, trængte igjennem
deres Fylking og tilbage til sine Folk. Den Gang var
Andreas Nikolaisøn kommen ind i Skotternes Fylking;
han mødte hiin fornemme Ridder, og hug ham i Laaret
med sit Sværd, saa at det kløvede Brynjen, og gik ind i
Sadelen; Nordmændene fratoge ham derpaa et kostbart
Bælte. Der var en meget hæftig Kamp, og der faldt
nogle paa begge Sider, dog flest paa Skotternes; saa-
ledes som Sturla kvad:

Der vare tappre
Tropper i Fægtning
Fældte en ædel
Fiendernes Høvding;
Han ihjelsloges
Høgen til Bytte, —
Hvo skal for hannem
Hævnen udøve?

Imedens Slaget stod, var det en saa stærk Storm, at
Kong Hakon saae ingen Mulighed i at faae Hæren i
Land; men Røgnvald og Eilif fra Naustdal kom til Slaget med nogle Mænd. Eilif roede ind paa en Baad, og
gik dristig i Kampen; Nordmændene begyndte at samle
sig, og Skotterne trak sig tilbage op paa Højen; de brillede nu hinanden en Stund med Skud og Steenkast, men
hen paa Dagen gjorde Nordmændene et tappert Anfald
mod Skotterne paa Højen; som det hedder:

Nordmøres Herskers
Herser opmuntred
Krigsmænd med Kampen
Forkyndende Sange;
Højsædets Vogters
Hirdmænd, slagvante,
Staalklædte modig
Fremstormed i Slaget.

Sværde de svang,
Sønder de skare
Falsktænkende Fiendes
Fasteste Rustning;

Indtil de Skotters
Udmattede Rækker,
Flygtig adskilte,
Foran sig de dreve.

Skotterne flygtede derpaa alt hvad de kunde bort fra Højen, men Nordmændene gik paa Baadene, og roede ud til Flaaden. Næste Morgen gik de i Land, forat hente de Faldnes Lig. Følgende vare faldne: Hakon fra Steen, Thorgils Gloppa, Kong Hakons Hirdmænd, en Bonde fra Throndhjem ved Navn Karlshoved, samt Halkel, Thorsteen Baad, Jon Ballhoved, Halvard Bunjard og tre Kjertesvende. Hvor mange der faldt af Skotterne, kunde Nordmændene ikke ret faae at vide, thi de toge enhver der faldt, og førte ham til Skoven. Kong Hakon lod sine Mænds Lig bringe til Kirken. Om Torsdagen lod Kongen lette Anker og sit Skib føre ud under Øen, og samme Dag kom den Hær til ham, som havde faret ind i Skipafjord. Fredagen efter var det godt Vejr, og da sendte Kongen Gjæsterne hen forat brænde de Skibe, der vare drevne paa Land; samme Dag sejlede han fra Kumrø ud til Melasø, hvor han blev liggende nogle Dage. Der kom de Mænd til ham, som han havde sendt til Irland, og berettede ham, at Irerne tilbøde at underholde hele hans Hær, indtil han fik dem befriede fra Engellændernes Herredømme. Kong Hakon havde stor Lyst til at sejle til Irland, men hele Hæren var derimod, og Vinden var heller ikke gunstig; Kongen holdt derfor Thing med sine Folk, og bekjendtgjorde, at han vilde sejle til Syderøerne, thi Hæren led Mangel paa Levnetsmidler. Da lod Kong Hakon Ivar Holms Lig føre ind til Bot, hvor det blev

begravet.   Derpaa sejlede Kongen fra Melasø, laae om
Natten under Hersø, sejlede derfra til Sandø, saa til For-
bjerget paa Satiri, og kom om Natten nordpaa under
Gudø, og derfra ud i Ilsund, hvor han laae i to Dage.
Han paalagde Øen en Skat af tre hundrede Ørne; den
skulde betales deels i Meel, deels i Ost.   Derfra sejlede
Kong Hakon den første Søndag i Vinternætterne, og fik
en saa stærk Storm med Mørke, at kun faa af Skibene
kunde holde sine Sejl.   Kongen løb da i Havn ved Bjar-
karø, og der gik Mænd imellem ham og Kong Jon, men
der blev dog ikke noget af deres Sammenkomst. Da spurgte
Kongen, at hans Mænd havde hugget meget Strandhug
paa Myl, og dræbt nogle af Mylboerne.   Derfra sejlede
Kongen til Mylkalv; der skiltes Kong Duggal og hans
Broder Alein fra ham; Duggal gav han det Rige, som
Kong Jon havde haft; Rubre gav han Bot, og Myrgad
Hersø; og Duggal gav han tillige det Kastel paa Satiri,
som Guttorm Bakkekolf havde ligget i om Sommeren.
Paa dette Tog havde Kong Hakon tilbagevundet alle de
Lande, som Kong Magnus Barfod havde bemægtiget
sig og erobret af Skotland og Syderøerne; som det
hedder:

> I Hast vandt Agdes Hersker
> Med Heltemod i Krigen
> Skatlandene fra Skotter,
> Adskilte før, tilbage;
> I Vest fra Havet ingen
> Hærfører sig da rejste
> Mod ham ustraffet, — herlig
> Saa frededes hans Rige.

Kong Hakons Hirdmænd dræbes.

327. Kong Hakon sejlede fra Mylkalv til Rauns; der forefandt han Balte Bonde fra Hjaltland, samt de Mænd han havde sendt til Ørkenserne og dem han havde givet Orlov til Norge. Fra Raunserne stævnede han nordpaa, men Vinden var ham imod, og han sejlede da ind i Veftrefjord paa Skib, laae der noget, og tog Fetalieskat af Øen. Derfra sejlede han forbi Hvarf, men da han kom udenfor Dyrnæs, lagde Vinden sig, og han lod da Skibene lægge ind i Goafjord. Det var Apost- lerne Simons og Judæ Aften. Men Messedagen selv var en Søndag; Kongen laae der om Natten, og paa Messedagen, da der var holdt Gudstjeneste, bragdes nogle Skotter til ham, som Nordmændene havde fanget. Kong Hakon gav dem Fred, og sendte dem op i Bygden, og de lovede at komme ned til Kongen med Ørne, men een blev tilbage som Gissel. Det hændte sig den Dag, at ni Mænd fra Andreas Bjuzas Skib gik i Land paa en Baad; kort efter hørte man dem raabe oppe paa Landet, hvorpaa nogle Mænd fra Skibene roede derhen; to stærkt saarede bleve tagne op af Søen, men syv vare blevne dræbte paa Landet, hvor Skotterne havde overfaldet dem. Saasnart Skotterne saae dette, løb de til Skoven, men Nordmændene toge Ligene med sig. Om Mandagen sejlede Kong Hakon fra Goafjord, hvor han lod hiin Skotter, som han gav Fred, sætte i Land, til Ørkenserne, og lagde med den største Deel af Flaaden ind i Røgnvaldsvaag. Da de sejlede over Petlandsfjorden, var der en stærk Malstrøm, hvori et Skib fra Rygiefylke forgik med alle dem, som vare ombord. Jon fra Hestbæ drev øster efter i Fjorden, og var nær dreven i Havsvælget, men ved Guds Miskundhed drev Skibet dog øster ud i Havet, og han sejlede til Norge.

Kong Hakon sejlede til Kirkevaag.

328. Da Kong Hakon laae ved Ørkenserne, var den største Deel af Flaaden sejlet til Norge, nogle med Kongens Orlov, men mange toge sig selv Orlov. Og da det varede længe, førend Vinden vilde blive ham gunstig, besluttede Kongen sig til at blive liggende paa Ørkenserne om Vinteren. Han bestemte tyve Skibe til at blive tilbage, men gav de andre Orlov til at sejle hjem; alle Leensmændene bleve ogsaa tilbage, undtagen Eilif fra Naustdal, der allerede var sejlet til Norge. Kongen skrev da ogsaa til Norge angaaende de vigtigste Anliggender. Efter Alle Helgens Dag lod Kongen sit Skib sejle til Medallandshavn, hvor Skibene bleve satte op; nogle bleve ogsaa satte inde ved Skalpeid. Derpaa drog han til Kirkevaag; han blev meget syg Aftenen før Mortensdag. Han drog til Bispegaarden med de Mænd, som han havde i sin Kost; baade Biskoppen og Kongen holdt da Bord i Hallen, hver for sine Mænd, men Kongen spiste oppe i sit Herberge. Han lod bestemme Leensmændene og hver af Høvedsmændene en Øre Land til deres Underholdning. Andreas Plyt var Kongens Drost, og skulde forestaae Kongens Bord, samt give ud til Hirden, Gjæsterne og Kjertesvendene, samt til alle sine egne Folk. Følgende Leensmænd vare i Kirkevaag: Brynjolf Jonsøn, Erling Alfsøn, Ragnvald Urka, Erling paa Bjarkø, Jon Drotning og Erlend Rød; de andre Leensmænd vare omkring paa Landet paa de Øres Land, som vare dem anviste.

Kong Hakon blev meget syg.

329. Kong Hakon havde om Sommeren haft mange vaagne Nætter og mange Bekymringer, og strax da han kom til Kirkevaag maatte han formedelst Sygdom gaae til Sengs; men da han havde ligget nogle Dage, blev det bedre med ham, og han var oppe i tre Dage. Den første Dag gik han omkring inde i Herberget, den anden til Biskoppens Kapel, hvor han hørte Mesſe, og den tredie Dag til Magnuskirken og omkring den hellige Magnus Jarls Skrin; den Dag lod han berede et Karbad, og lod sig rage. Natten efter tog Sygdommen atter til, saa at han atter maatte gaae til Sengs. Under sin Sygdom lod han læse for sig af Bibelen. Derpaa lod han først læse latinſke Bøger, men da det anſtrængede ham for meget at tænke efter hvad Meningen var, saa lod han, baade Nat og Dag, læse norſke Bøger for sig, først Fortællinger om Helgene, og da de vare ude de norſke Kongers Historie fra Halfdan Svarte af og ſiden de øvrige Kongers i Norge, den ene efter den anden. Da han mærkede, at Sygdommen tog til, anordnede han hvad Hirdmændene ſkulde have efter ham, og beſtemte, at man ſkulde give hver Hirdmand en Mark brændt Sølv, men hver af Gjæsterne, Kjerteſvendene, Skutelſvendene og hans andre Tjenere en halv Mark. Han lod ogſaa alt ſit ikke forgyldte Bordtøj veje, og befalede at man ſkulde tage deraf, hvis der ſkulde mangle paa ſkjært Sølv, saa at hver fik hvad han ſkulde have. Der blev ogſaa ſkrevet Breve til Kong Magnus om Rigets Anliggender og om den Underſtøttelſe Kong Hakon vilde forunde een og anden. Kong Hakon modtog den ſidſte Olie Natten før Lucies Dag; tilſtede vare Biskop Thorgisl af Stavanger, Biskop Gillibert af Hammer, Biskop Henrik af Ørkenøerne, Abbed Thorleif og mange andre Gejstlige. Forinden kyssede de Tilstedeværende ham, og han kunde da endnu tale. Hans troe Mænd spurgte ham da, om han havde nogen anden levende Søn end Kong Magnus, og han forsikrede højligen, at han ingen anden havde.

Kong Hakons Død.

330. Jomfru Lucies Dag faldt paa en Torsdag; Løverdagen efter silde om Aftenen tog Kongens Sygdom saa stærkt til, at han mistede Mælet, og efter Midnat kaldte den almægtige Gud Kong Hakon fra denne Verden, til stor Sorg for alle de Tilstedeværende og for mange af dem, som siden spurgte det. Da Kongen var død, blev der sungen Sjælemesse. Derpaa forlode alle Herberget, undtagen Biskop Thorgisl og Brynjolf Jonsøn og to andre Mænd, som vaskede Liget, og viste det al den anden Tjeneste, der sømmede sig saa berømmelig en Herre og Høvding, som Kong Hakon. Om Søndagen blev Kongens Lig baaret op paa en Loftsal og sat paa en Baar. Det blev iført prægtige Klæder, fik en Krands om Hovedet, og blev i alle Maader prydet som det sømmede sig for en kronet Konge. Kjertesvendene stode med Lys, saa at hele Hallen var oplyst; da gik Folket ind forat see Liget, og man fandt det klart og tækkeligt med rødmosset Ansigt som paa et levende Menneske. Hirden vaagede over Liget om Natten. Om Mandagen blev Liget baaret til Magnuskirke, hvor det stod om Natten; om Tirsdagen blev det lagt i Kiste, og bisat i Magnuskirke i Koret; der blev bredt et Tæppe derover. Derpaa blev der be=

sluttet, at der hele Vinteren skulde holdes Vagt ved Kongens Ligsted. Om Julen opfyldte Andreas Plyt Kongens sidste Villie, og alle hans Mænd erholdt gode Gaver.

Kong Hakons Lig blev ført til Bergen.

331. Kong Hakon havde befalet, at hans Lig skulde føres over til Norge, og at han vilde begraves hos sin Fader. Da nu den strængeste Tid af Vinteren var forbi, blev det store Skib, som Kong Hakon havde ført over i Vesterhavet, sat i Søen og i en Hast tiltaklet. Askeonsdag blev Kongens Lig optaget af Jorden, det var den tredie Non. Martii. Hirden bragde det ud over Skalpeid til Skibet, paa hvilket Biskop Thorgisl, Erling Alfsøn og Andreas Plyt førte Overbefalingen. De gik i Søen den første Løverdag i Faste, sik haardt Vejr og Modvind, og kom til Land sønder i Silavaag. Derpaa sendte de Brev til Kong Magnus, og berettede ham hvad der var skeet. Siden sejlede de nord til Bergen, saasnart Vinden tillod det, og kom ind i Larevaag før Benediktsmesse. Helligdagen selv roede Kong Magnus Liget imøde; Skibet blev lagt ved Kongsgaarden, og Liget baaret op i Sommerhallen. Om Morgenen efter blev det baaret ud til Kristkirke, fulgt af Kong Magnus, begge Dronningerne, Hirden og Borgerne. Derpaa blev Liget begravet i Koret i Kristkirke, og Kong Magnus takkede Ligfølget i en sirlig Tale. Alle Tilstedeværende stode der med sorrigfuld Hu, saaledes som Sturla kvad:

> Tre Nætter kjek Anfører
> Til Bergen monne komme,
> Førend den ædle Konning
> Hans Mænd til Jorden fulgte.

Heel mangen Mand derefter
I megen Sorrig stædtes
Med taarevædte Kinder
Ved Folkekongens Leje.

Kong Hakon blev begravet tre Dage før Mariemesse; da var ledet efter Guds Byrd Tolv hundrede og tre og tresindstyve Aar.

Om Kongens Udseende.

332. Kong Hakon var ikke høi, af Middelstørrelse og vel voren, hærdebred og smal i Midie, temmelig høi i Sædet, med langt Haar, store, dog smukke Øine; hans Ansigt var stort med god Farve. Han var yndet af alle, næsten saaledes som Kong Sverre havde været. Han var blid, naar han var vel tilmode, men forfærdelig, naar han var vred. Ingen kunde være muntrere, lettere af sig og raskere, end han. Mod fattige Folk var han altid blid; han havde et godt Væsen, naar han sad imellem Høvdinger, var ordsnild og veltalende paa Thinge, særdeles erfaren i Love og Regjeringssager. Det tilstode de forstandige Mænd, som bleve sendte til ham fra andre Høvdinger, at de aldrig havde seet nogen Høvding, der saaledes som han paa een Gang var Selskabsbroder, Konge og Herre. Han lod i mange Henseender Loven og Landsretten forbedre i Norge, og lod det indføre i Lovbogen, som nu kaldes den ny Lov; han afskaffede alle Mandbrab, og Lemlæstelse paa Fødder og Hænder indenlands; fredløs erklæredes den, som bortførte anden Mands Ægtehustru. Han afskaffede ligedes al Blodhævn, saa at ingen skulde undgjælde for andens Gjerning, men staae til Ansvar for det, hvori han var skyldig efter Loven.

Forbedringer og nyttige Indretninger i Landet.

333. Kong Hakon lagde mere Vind paa at fremme Kristendommen i Norge, end nogen anden Konge før ham siden den hellige Kong Olafs Tid. Han lod en Kirke bygge i Truns, og kristnede dette Kirkesogn. Der kom ogsaa mange Bjarmer til ham, som vare flygtede østenfra for Tartarerne; dem kristnede han, og gav dem Fjorden Malanger. Han lod ogsaa en Kirke bygge i Ofot, samt en Skanse og Brygge ved Agdenæs. Han byggede Træ= hallen paa Kongsgaarden i Nideros og et Kapel ved Kongens Værelser; han lod Kirken paa Gulø bygge nord fra Bergen, og flyttede Gulething did; han lod Apost= lernes Kirke bygge paa Kongsgaarden i Bergen af Steen, samt Olafskirken og Klosteret; han lod Kongsgaarden i Bergen forbedre med to gode Steenhaller, lod en Muur rejse omkring Kongsgaarden, og Kasteller over begge Por= tene; han lod Katrinekirken bygge ved Sandbro, og Ho= spitalet, hvortil han gav to hundrede Maaneds Madbol. Han lod Borgen i Bergen opføre paa ny, og omgive med en Muur, samt Alle Helgenskirke i Vaagsbotn, hvortil han i sin Sygdom gav et hundrede Maaneds Madbol. Han lod Kirken paa Øgvaldsnæs bygge, som i Størrelse er den fjerde Herredskirke i Norge. Tønsberg lod han om= give med en Steenmuur, lod et Kastel sætte over Porten og Gøtekastellet over Daneklev; han lod hele Bjerget be= bygge, og opførte Kongsgaarden ved Laurentii Kirke; han lod ogsaa Hospitalet bygge sønderfor Olafskirke, hvortil han gav tredive Mark Bol; han lod ogsaa Dybet ved Skeljesteen grave ud, saa at man nu kan fare med Kogger der, hvor man før næppe kunde komme frem med smaae

Færger; han lod Barfodmunkenes Kirke i Tønsberg bygge,
som siden blev flyttet sønderpaa til Dragsmark; ogsaa lod
han Vor Frue Kloster bygge, samt en Steenkirke, hvortil
han gav halvtredsindstyve Mark Bol. Han lod en Borg
rejse paa Valkebjerg, og flyttede Nikolaikirke i Oslo did;
han lod Kongsgaarden bygge der i Byen ude paa Øren,
lod Valdisholm bebygge, og en Borg opføre i Konge‑
helle paa Ragnhildeholm. Han lod ogsaa Guldøen be‑
bygge, og Ekerøerne rydde og bebygge, hvor han opførte
en Trækirke. Han lod Marstrand og mange andre øde
Øer i Vigen bebygge. Han lod en Steenborg opføre paa
Holmen i Mjøsen ved Ringesager, og en Gjæstebudssal
paa Vidheim i Øbo; han lod ogsaa en Gjæstebudssal
bygge paa Steig, og en Gaard paa Hof i Breiden med
en Gjæstebudssal, hvortil han lagde Jord; ligesaa en
Gjæstebudssal i Husebæ i Skaun paa Hedemarken, samt
et Kapel og en Gjæstebudssal i Thoptyn. Kong Hakon
kjøbte Lo i Opdalen, og lod der bygge en Gaard med
Gjæstebudssal og Kapel. Han lod ogsaa Sverresborg
paa Steenbjerget omgive med en Muur, og lod bygge
Huse der, efterat Baglerne havde nedbrudt den. Jesus
Kristus, Fader, Søn og Hellig Aand, vogte og bevare,
ære og velsigne slig en Herres Sjæl, der har efterladt sig
saa mange nyttige Indretninger, som denne velsignede
Herre Kong Hakon. Her ender Sagaen.

Brudstykke af
Kong Magnus Hakonsøns Saga.

(Første Blad).

. . . . . Hæren, som var dragen med Kong Hakon i Vesterhavet, og de berettede, at det i Vesterlandene saae ud til Krig. Denne Sommer drog Abbed Birger af Tutterø ud til Pavens Gaard; Korsbrødrene i Nideros havde nemlig foreslaaet ham til Ærkebiskop efter Ærkebiskop Einar, som var død om Efteraaret; vælge ham kunde de ikke, da han var en Præstesøn og Munk. Han besøgte Kong Magnus i Bergen, men de talte kun lidet sammen; Abbeden opholdt sig i Pavens Gaard om Vinteren.

Underhandlinger.

Efter Kong Hakons Død om Foraaret sendte de Baroner og Ombudsmænd, som vare paa Ørkenøerne, Biskop Henrik og Sire Askatin Tansler op til Skotland til Kong Alexander, forat underhandle om Fred imellem Landene; men deres Forslag blev kun slet modtaget, og Skotterne

truede med at dræbe de Nordmænd, der vare ankomne,
eller at kaste dem i Fængsel; de klagede over, at Nord-
mændene havde brændt og hærget over Trediedelen af
Skotland; Sendebudene fik derfor intet udrettet. Sire
Askatin drog da over til Norge til Kong Magnus, og
berettede ham, hvor slet man i Skotland havde taget imod
hans Ærende. Kong Magnus besluttede nu at sende
Øgmund Krækedans til Orkenøerne, og gav ham Befa-
ling derover forat forsvare Landet, men Erik Dufgalsen
sendte han til Syderøerne; han havde et Skib paa atten
Roerbænke, besat med Hirdmænd, Gjæster og Kjertesvende.
Med ham skulde Johan Thjore og Erik Bose gaae fra Or-
kenøerne, hver med sit Skib. Men da Øgmund kom til
Orkenøerne, erfarede han, at Kongen af Skotland havde
sendt en Hær til Katenæs, som fratog Indbyggerne der
meget Gods, fordi Kong Hakon havde paalagt dem Skat;
det var ogsaa et almindeligt Rygte, at der vilde blive
hærget paa Orkenøerne, og derfor vilde Øgmund ikke lade
Hæren forlade Øerne; Erik blev der da med de andre
om Vinteren. Sire Askatin kom, som før er skrevet, til
Norge; da var Øgmund med de øvrige allerede sejlede
bort, men Høskuld Oddsøn gjorde sig færdig til at drage
til Orkenøerne. Kong Magnus sendte Broder Mauricius
og en anden Barfodmunk ved Navn Sigurd med ham, og
gav dem Henrik Skot og endnu flere Svende med som
Tjenere. De skyndte sig op paa Skotland til den skotske
Konge, som tog noget mildere imod dem, end Biskoppen
og hans Ledsagere vare blevne modtagne; den skotske
Konge bad dem drage tilbage til Norge, og anmo-
dede Kong Magnus om, næste Sommer at skikke nogle
dulige Sendebud til Skotland, hvis det var ham om at

gjøre at der sluttedes Fred imellem Landene. De begave sig samme Høst tilbage til Norge.

Om Kong Magnus.

Kong Magnus sad i Bergen om Sommeren. Denne Sommer kom Halvard Guldsko fra Island, og bragde den Efterretning, at alle Islænderne nu havde underkastet sig Kong Magnus, og da han forlod Landet, var Efterretningen om Kong Hakons Død kommen til Island. Med ham fulgte Thorvard Thorarensen, der overgav sig og alle sine Besiddelser til Kong Magnus for hans Forbrydelse imod Kongedømmet ved Kong Hakons Hirdmænd, Thorgils Skardes og Bergs Drab. Siden den Tid have Islænderne aldrig unddraget sig fra at adlyde Kong Magnuses Befaling eller Forbud; de underkastede sig ogsaa villigere ham, end hans Fader Kong Hakon. Om Høsten gjorde Kong Magnus sig færdig til at drage til Throndhjem, men blev silde færdig. Alle Helgens Dag laae han i Leergola, og drog derfra til Sild, atter derfra til Selje og saa nord over Eidet; men Dronning Margrete drog udenskjærs med Skibene, og de mødtes i Steenvaag. Medens Kong Magnus laae her, saae man en Ild brænde ude paa Havet; Kongen sagde, at det var Gaarden paa Giske der brændte, og befalede nogle at sejle derhen, og sagde, at det var en Skam at ligge stille, og ikke hjælpe til at redde Gaarden eller Menneskene, hvis det skulde behøves. Jon Tviskafin, som var Skatmester paa Skibet, roede derhen med to Mand af de fleste Halvrum, men de havde ondt ved at komme frem. De fik den ny Gaard bjerget, som Nikolai havde ladet bygge, men den gamle brændte. Jon og hans Folk kom tilbage, efterat de havde

været Giskemændene til megen Hjælp. Kong Magnus
gik da til Throndhjem, og var ombord paa Kjertesvende-
nes Skude; han begav sig til Rein tilligemed Dronning
Margrete, men Kongeskibet seilede ind under Holmen, hvor
de havde det haardt om Natten. Kong Hakon seilede ind
om Morgenen, men kunde ikke lægge til ved Holmen; han
styrede da ind ad Aamundingen ud fra Bakke, hvor Ski-
bet satte til, men Folkene kom paa Land, og rebbede alt
Godset. Dette Efteraar døde Nikolai paa Giske, og med
ham uddøde Giskemændenes store mandlige Slægt, som
nedstammede fra Arne Armodsøn; han efterlod dog en
Datter ved Navn Margrete, hvis Moder var . . . . . .
Hun blev da anseet for et af de bedste Partier i Landet,
baade med Hensyn til Byrd, Rigdom og Skjønhed. Kong
Magnus sad den Vinter i Throndhjem; det var den an-
den i hans Regiering. Om Vinteren efter Juul kom
Broder Mauricius og de andre, som vare dragne med ham
til Skotland, tilbage til Throndhjem, og berettede Kong
Magnus Udfaldet af deres Ærende.

Om Kong Magnuses Reise til Bergen.

Kong Magnus drog om Foraaret til Bergen, og an-
kom der efter Paaske. Derpaa sendte han Biskop Gilli-
bert og Sire Askatin til Skotland efter den skotske Konges
Forlangende. De droge først til England, sønderpaa til
Linn. Der herskede den Gang megen Urolighed i Eng-
land; Simon Misfort var falden den Sommer. Biskop-
pen og hans Ledsager reiste saa nord til Jork, og opholdt
sig der noget. Det Efteraar, da Øgmund Krækedans
med de andre vare komne til Ørkenøerne, og Skotterne
vare dragne hen og havde paalagt Indbyggerne paa Ka-

tenærs Skat, overfaldt Hr. Dufgal dem paa Tilbagetoget,
dræbte mange af dem, og bemægtigede sig de mange Penge,
de havde med sig; blandt andre dræbte han en skotsk Lav-
mand. Den Sommer gjorde Skotterne et Tog til Sy-
derøerne; Engus paa Il underkastede sig dem, saavel som
mange andre af dem, som havde undergivet sig Kong
Hakon, da han var paa Syderøerne. De droge heelt søn-
derpaa til Man, og tvang Herskeren der, Magnus, til at
sværge sig Troskab, men Hr. Dufgal frelste sig ombord
paa Skibene, saa ham fik de ikke fat paa. Om For-
aaret efter kom han til Ørkenøerne, og bad om Hjælp.
Hans Søn Erik, Erik Bose og Jon Thjore fulgte da med
ham; de havde tre Skibe, og sejlede . . . . .

(Andet Blad).

. . . . . Vinteren efter Juul. Denne Vinter i
Julen indsatte Kong Magnus og Korsbrødrene i Bergen
med Biskop Askatins Samtykke en Provst til Apostlernes
Kirke, og lagde dertil Præbender og meget Gods. Kong
Magnus blev efter Julen saa syg, at han modtog den
sidste Olie. Samme Aar blev Gregorius Pave. I dette
Aar døde mange anseelige Høvdinger: Kong Henrik af
England, og hans Broder Kong Rikkard af Alimannia,
og Hertug Erik i Sønderjylland. Om Sommeren efter
gjorde Kong Magnus sig færdig til at drage fra Bergen
øster til Elven, hvor han efter Aftale skulde møde den
svenske Konge Valdemar. Han kom til Kongehelle hen-
ved Mariemesse i Høst, og tøvede der til Matthæusmesse
var forbi, men Kong Valdemar kom ikke; han gjorde
imidlertid en Lystrejse oppe i Sverrig. Kong Magnus
gad da ikke biet længer efter ham, men rejste til Tøns-

berg, og indrettede sig der til Vintersæde. Paa den Tid var Kong Valdemar ikke mere saa yndet i Sverrig, som han havde været imedens Birger Jarl levede; de vare da fire ægtefødte Brødre i Live: Kong Valdemar og Hertug Magnus, Junker Erik og Benedikt, hvilken sidste var Klerk; han havde Udsigt til at blive Ærkebiskop, men Junker Erik havde ikke noget, og kaldte sig Erik Ingenting; han var taget ned til Danmark, og havde opholdt sig der en Stund hos den danske Konge, men var nu kommen tilbage, og hans Broder Kongen bar nogen Mistanke til ham. Den Gang havde Kong Valdemar ogsaa ladet Jon Philippussøn gribe i Kirken og sætte i Fængsel. Kong Valdemar sendte da Bud til Tønsberg til Kong Magnus, og vilde træffe ham paa hvilket som helst Sted Kong Magnus vilde bestemme; men denne vilde ikke rejse længer end til Borg, og der blev da Mødet bestemt. En Dag førend Kong Valdemar begav sig til Mødet, bad Junker Erik ham om Tilladelse til at ride for sin Fornøjelse, og da Kongen gav ham Lov dertil, red han med nogle faa Svende til Norge. Han traf Kong Magnus i Varna, da han var paa Vejen til Mødet i Borg. Kong Magnus modtog ham vel, og Junker Erik fulgte ham til Mødet, hvor Kong Magnus gjorde sig Umage for at forlige Brødrene; ligeledes forligede han Jon Philippussøn med Kong Valdemar; de skulde komme sammen i Skara, hvor tolv Mænd skulde bekræfte deres Forlig med Ed. Da blev ogsaa Boe Galin, der i nogen Tid havde opholdt sig hos Kong Magnus, taget til Naade. Kong Magnus tog med den største Kjærlighed imod Kong Valdemar, og sendte ham Biskop Arne af Skalholt med flere gode Mænd imøde. Kong Valdemar var hos Kong Magnus i al den Tid de vare sammen, og der holdtes et prægtigt Gjæstebud; alting forhandledes i største Venskabelighed, og der bleve mange mærkelige Ting aftalte, som vi ikke her optegne. Ved Afskeden gav Kong Magnus Kong Valdemar herlige Foræringer, og sendte Olaf fra Steen og flere gode Mænd med Kong Valdemar til Skara, forat overvære de Eder, der skulde aflægges ved Forliget imellem Brødrene og med Jon Philippussøn, og som Kong Magnus havde paalagt dem med Kong Valdemars Samtykke. Men disse Eder bleve ikke aflagte til deres Tilfredshed, som skulde overvære dem, saa der opstod paa ny Tvist imellem de Svenske. Kong Magnus drog efter Mødet fra Borg til Tønsberg, og blev der Resten af Vinteren. Det var den tiende Vinter i hans Regjering. Denne Vinter var der megen Ufred i Danmark imellem Kong Erik og de Tyske. Den danske Konge stikkede da Sendebud til Kong Magnus, og gjorde sig megen Umage for at erholde hans Venskab og Forbund; han fandtes ogsaa villig dertil, stikkede Sendebud fra sin Side, og det gik i alle Henseender vel med Forhandlingerne imellem begge Konger. Den danske Konge Erik vandt denne Vinter nogle Fordele over de Tyske. Om Foraaret drog Kongen fra Tønsberg, efterat have endt . . . . Lindesnæs, kom Jon Philippussøn efter ham med en Trop, og forkyndte, at Kong Valdemar havde jaget ham ud af Landet, og vilde ikke holde det, han havde lovet Kong Magnus i Borg; han fulgte da med Kongen til Bergen.

Magnus . . . . .

Kong Magnus opholdt sig om Sommeren i Bergen, og iværksatte da den Beslutning, han havde taget Vinteren før i Tønsberg; han havde nemlig stævnet alle Sysselmændene i Vigen til sig paa Povelsmesse, og holdt Samtale med dem; han anordnede da, hvad hver af dem skulde have af hvert Syssel, naar han ikke . . . .; ligeledes de, som havde Leen af ham. Da var Ærkebiskop Jon og alle de Lydbiskopper, som vare i Landet, komne til Bergen; ligeledes Baronerne og næsten alle Leensmændene. To Dage efter Petersmesse holdt Kong Magnus Hirdstævne i Sommerhallen, og bekjendtgjorde da sin Beslutning angaaende de Værdigheder, han vilde tillægge sine Sønner. Ligeledes tilkjendegav han sine Mænd sin Villie med Hensyn til deres Vaabenrustning og andre Ting. Om Morgenen efter helligholdt Kannikerne Jesu Messedag i Apostlernes Kirke, og Kong Magnus bivaanede der tidlig om Morgenen Gudstjenesten og Messen, men Junkerne Udmessen i Kristkirken de spiritu sancto. Derefter blev Thinget sat paa Kristkirkegaard, og alting fuldført saaledes som Kongen havde bestemt paa Mødet . . . . og lykønskede Kongen; derpaa talte Stalleren Vigleik paa Hirdens Vegne; efter ham Ærkebiskoppen, som begyndte med den Sorg, som alle Nordmænd følte over Kong Magnuses Søn, Junker Olafs Død, og viste, hvilken Lykke den almægtige Gud nu havde forundt Norges Folk, og . . . . det Land, han havde arvet . . . . . ., og herom holdt han en lang og stirlig Tale. Derpaa

holdt Kongen en smuk Tale, og endte med, at han gav
sin Søn Erik Kongenavn, og Hakon Hertugnavn. De
gik da hen til den hellige Sunnivas Skrin, og lagde
deres Hænder . . . . . .

Tillæg.

Her begynder Fortællingen om Halfdan Svarte.

Halfdan Svarte tiltraadte Regjeringen i Oplandene atten Aar efter hans Fader Gudrød den Stærke Vejdekonges Død; han blev tidlig stor og stærk; han bekrigede de nærmeste Riger, og indtog dem; han hærgede paa Romerige, og holdt et Slag med Kong Sigtryg den Stærke, hvilket endtes med, at Kong Sigtryg faldt, og Halfdan bemægtigede sig Romerige. Derpaa holdt han et Slag med Kong Eisten paa Hedemarken, og vandt Sejer, men Kong Eisten flyede til Hadeland til Gudbrand Herse, hvor han samlede Folk paa ny; de droge om Vinteren ned til Hedemarken, traf Halfdan Svarte paa den store Ø, og holdt der et heftigt Slag, i hvilket der faldt mange paa begge Sider; der faldt Gudbrand Herses Søn Guttorm, som man haabede vilde blive een af de fortrinligste Høvdinger i Oplandene. Da flyede Kong Eisten, og sendte om Foraaret Halfdan Skat, hvorpaa denne forlenede ham det halve Hedemarken for deres Slægtskabs Skyld. Derpaa underlagde Halfdan sig Thotn og Hadeland, men Vestfold gav han sin Broder Olaf Geirstadealf. Derpaa giftede Halfdan Svarte sig med Ragnhild, en Datter af Harald Guldskjæg, Konge i Sogn, og havde med hende en Søn Harald, der blev opfødt hos sin Morfader Harald i Sogn, indtil han var ti Aar gammel. Da gav Harald Guldskjæg ham sit Rige og Kongenavn; kort efter døde Harald Guldskjæg, og samme Aar døde Dronning Ragnhild. Om Foraaret efter døde Kong Harald i Sogn paa Sotteseng, og strax da Halfdan Svarte erfarede det, drog han med en stor Hær ind i Sogn, hvor han blev vel modtaget; han gjorde Fordring paa Riget efter sin Søn, som heller ikke blev ham nægtet, hvorpaa han underlagde sig dette Rige. Da kom Atle fra Gaular, der var en stor Ven af Halfdan, til ham; Kong Halfdan satte ham over Sygnefylke, at haandthæve Lov og Ret og indkræve Skat paa Kongens Vegne; hvorpaa Kong Halfdan vendte tilbage til sit Rige i Oplandene.

Kong Halfdan indtog Vingulmark.

2. Om Høsten derefter opholdt Kong Halfdan sig paa sine Gaarde i Vingulmark; engang ved Midnat kom den Mand, der havde holdt Hestvagt, til ham, og forkyndte, at der var en Hær i Nærheden; han stod strax op, og befalede Hirden at væbne sig og de gik strax ud i Gaarden. Derpaa kom Hysing og Hake, og de havde en stor Hær; der holdtes et stort Slag, men Kong Halfdan maatte vige for Overmagten, flyede til Skoven, og mistede mange Mænd. Dette spurgte hans Fosterfader Ølver den Spage, og han samlede en stor Hær, og forenede sig med Kong Halfdan; de gik strax imod Gandalfs Sønner, traf dem paa Eid ved Øen, og strede med dem; Hysing og Helsing faldt, men Hake undkom ved Flugten;

hvorpaa Kong Halfdan underlagde sig hele Vingulmark, og hævede Skat deraf. Aaret efter drog han op paa He=bemarken, og samme Aar giftede han sig med Sigurd Hjorts Datter Ragnhild, og da underlagde han sig Ro=merige og Hadeland. Strax efter at Halfdan Svarte var draget bort fra Vingulmark, droge Gandalf og hans Søn Hake did, underlagde sig en Deel af Landet; og hærgede rundt om; der herskede nu i lang Tid megen Uenighed imellem Kong Halfdan og Kong Gandalf. Kong Half=dan og Ragnhild havde en Søn Harald. Det var en Egenhed hos Kong Halfdan, at han aldrig drømte; dette forebragde han en Mand, der hed Thorleif den Spage, og søgte Raad hos ham derfor; og han sagde ham, hvor=ledes han bar sig ad, naar han vilde noget skulde bæres ham for, at han nemlig lagde sig til at sove i et Svine=huus, og da manglede ham aldrig paa Drøm.

Kong Halfdans Drøm.

3. Kong Halfdan bar sig nu ogsaa saaledes ad, han lagde sig i et Svinehuus, faldt snart i Søvn, og havde en mærkelig Drøm: Det forekom ham, at han havde særdeles smukt Haar, der faldt i Lokker, saa lange, at nogle naaede ned til Jorden; de havde alle Slags Farver, men een af dem overgik alle de andre i Skjønhed og lys Farve; deres Længde forekom ham meget for=skjellig, nogle vare saa lange, at de naaede til Jorden, andre midt paa Benet eller til Knæet, eller midt paa Siden, andre naaede ikke længer end til Halsen, og nogle vare endelig lige udsprungne af Hovedet som smaae Horn. Denne sin Drøm fortalte han Thorleif den Spage, der udtydede den saaledes: at der vilde nedstamme en stor

Slægt fra ham, som med megen Berømmelse vilde herske over Riger, dog ikke alle med samme Berømmelse; men een vilde nedstamme fra ham, som vilde overgaae alle de andre i Storhed, Magt og Anseelse; og det holder man for, at denne Haarlok betydede Olaf Haraldsøn, der formedelst sin Hellighed udmærker sig fremfor alle Norges Konger, og som baade i Himlen og paa Jorden for alles Øine er det mest skinnende Lys. Halfdan var en indsigtsfuld Mand, der holdt over Lov og Ret; han indsatte Love, iagttog dem selv vel, og holdt andre til at efterleve dem, og forat Lovene ikke skulde lide nogen Vold, saa bestemte han selv Sagetal og anordnede Skik og Orden for hver Mand efter hans Byrd og Værdighed.

Om Kong Halfdan.

4. Det hændte sig en Juleaften, da Kong Hakon var kommen til Bords med hele sin Hird der hvor der var beredt Julegilde for ham, forsvandt alle Levnetsmidler af Bordene, baade Mad og Drikke og alt hvad der ellers var anskaffet til Gildet; Kong Halfdan blev siddende alene bekymret, da alle de andre søgte hver hjem til sit, og han søgte paa mange Maader at komme efter Aarsagen til denne Tildragelse. Der var en troldkyndig Finn hos ham; ham lod han gribe og pine at han skulde bekjende, men kom dog ikke efter det. Finnen søgte især Hjælp hos Kong Halfdans Søn Harald, der gik til sin Fader, og bad om Naade for Finnen, men forgjæves; hvorpaa Harald hjalp ham bort, ja tog endogsaa selv bort med ham. Engang kom de paa deres Reise hen til et Sted, hvor en Høvding holdt Gjæstebud; de bleve begge vel modtagne; og da de havde været der noget

Tid, sagde Høvdingen til Harald: „Din Fader holder det
for en svær Forbrydelse imod ham, at jeg fratog ham
det han havde bestemt til sit Julegilde, men jeg skal lønne
dig det, hvis du vil følge mit Raad, thi den, hvis Frelse
ligger dig mest paa Hjerte, er nu stædt i Nød, hvilket dog
vil blive dig til største Held, thi det er dig bestemt at blive
Enevoldskonge over hele Norge. Kong Hakon beredte sig
derpaa til at rejse hjem. Nu skal jeg sige, af hvad Grund
Hedningerne helligholde deres Juul, thi det er meget for-
skjelligt fra den, hvorfor de Kristne gjøre det; thi disse
holde deres Juul til Erindring om vor Herre Jesu Kristi
Fødsel, men Hedningerne samlede sig for at ære og til-
bede den onde Odin, og denne Odin har mange Navne:
han kaldes Vidrer og Har og Tredie og Jolner; Vidrer
kaldtes han, fordi de meente han raadte for Vejret; Har,
fordi de meente, at enhver blev høj ved ham; Jolner,
thi det udledte de af Julen; Tredie, fordi de havde en
Forestilling om, at den højeste er een og tre, og havde
hørt noget om Treenigheden, men forstode det paa en
gal Maade.

Harald befriede Dovre.

5. Nu er at fortælle om Kong Halfdan, at han
sad i Fred hjemme i Oplandene; da indtraf den Begiven-
hed, at meget Gods og anseelige Kostbarheder forsvandt
af Kongens Guldhuus, uden at nogen kunde vide, hvem
der voldte det; dette gav Kongen meget at tænke paa,
thi han kunde nok indsee, at den anden vilde gjøre det
oftere; han lod nu gjøre Anstalter paa den snildeste
Maade og med de strængeste Befalinger, saaledes at en-
hver, der kom ind i Huset og vilde tage Godset, maatte

blive derinde og bie til de andre kom. Kongen indsaae
ogsaa, at det maatte være en stor og stærk Mand, som
øvede saadanne Voldsgjerninger, hvorfor han lod sig smede
en udmærket Fjedder af det stærkeste Staal og snoe de
fasteste Blybaand. Derpaa er at fortælle, at en Morgen
tidlig, da man kom til Guldhuset, fandt man der en me-
get stor Jætte, en baade tyk og høj Kjæmpe; de kastede
sig i Mængde over ham, forat lægge ham i Fjedderen,
men han var dem meget haandstærk, saa der maatte tre-
sindstyve Mand til, førend de fik ham lænket, hvorpaa
de bandt hans Hænder fast paa Ryggen med Blybaan-
dene, og da maatte han endelig give efter. Kong Half-
dan spurgte ham om hans Navn, hvorpaa han svarede,
at han hed Dovre, og at han havde hjemme i det Fjeld,
der var opkaldt efter ham. Kongen spurgte, om han
havde stjaalet hans Guld; han gik til Bekjendelse, og
bad om Naade, og tilbød at give ham det Tredobbelte
igjen; men Kongen sagde, han skulde aldrig faae Naade,
men forblive der fængslet indtil der var stævnet Thing,
hvor han skulde dømmes til den forsmædeligste Død; lige-
ledes befalede han, at ingen maatte hjælpe ham eller give
ham Mad, og enhver, som gjorde det, skulde miste sit
Liv. Kongen drog derpaa hjem, men Dovre blev siddende
i sine Lænker. Kort efter kom Harald hjem; han spurgte,
hvad der var forefaldet og hans Faders Befaling, og
kunde da nok tænke, at det ikke vilde nytte at bede for
ham. Harald var den Gang fem Aar gammel; han
kom hen hvor Dovre sad, og fandt ham meget vred og
harmfuld. Harald sagde: „Du er ilde faren, men vil
du tage dit Liv af mig?” „Det veed jeg ikke saa vist,”
svarede Dovre, „formedelst din Faders Befaling, om jeg

vil udsætte dig for saa stor Fare." „Hvad behøver du
at bekymre dig om det?" sagde Harald; hvorpaa han
trak sin Kniv, som Finnen havde givet ham, et kosteligt
Stykke Arbejde, og skar Dovre løs af Fjedderen og Bly-
baandene; men saasnart denne var kommen løs, takkede
han Harald for sit Liv, og skyndte sig bort; han lod
Sko være Sko, og tog Fod i Haand, og fløj afsted, saa
man saae ikke et Glimt af ham.

Dovre søgte Harald og tog ham med sig.

6. Snart efter savnede man Dovre; Kongen spurgte,
hvem der var Ophavsmand til det, og man sagde, at det
var Harald, der havde befriet Dovre. Kongen blev for-
færdelig vred derover, og jog Harald bort, men sagde,
at han nente ikke at lade ham dræbe; derpaa forbød han
strængelig sine Mænd at hjælpe ham, men han kunde nu
holde sig til Trolden Dovre. Harald gik nu bort til øde
Marker og Skove, og laae adskillige Dage ude, men da
fem Nætter vare forbi, var han meget afkræftet af Hun-
ger og Tørst; da saae han at der gik en stor Karl, og
syntes at det var Trolden Dovre; denne sagde til ham:
„Du er nu ikke heller vel faren, Kongesøn, saaban som
du har det; man kan vel sige, at det især er min Skyld,
vil du nu fare med mig til min Hiemstavn?" Harald
sagde Ja; hvorpaa den anden tog ham i sin Favn, og
gik rask afsted med ham, indtil han kom til en stor Hule;
han havde da Drengen paa sin Arm, men i det han gik
ind i Hulen, bukkede han sig ikke dybt nok, og stødte
Drengen saa haardt imod Klippen, at han strax tabte
Sands og Samling. Dovre ansaae det da for en stor
Ulykke, hvis han skulde have dræbt Barnet, og det gik

ham saa nær, at han gav sig til at græde over ham; men da han saaledes gjorde Grimaser, og rystede med Hovedet, kom Harald igjen til sig selv, og saae op paa Dovre Karl, der nu forekom ham som et Uhyre, da han vrængede Munden, oppustede Kinderne, og saaledes spilede Øjnene. Da sagde Harald: „Det er sandt hvad man siger, min Fosterfader, at Graad gjør ingen smuk, thi dit Ansigt forekommer mig baade stygt og stort, men giv du dig tilfreds, thi mig skader intet.” Dovre blev da glad, og satte Harald ned i sin Hule. Der var Harald i fem Aar, og led ikke Mangel paa noget; Dovre holdt saa meget af ham, at han føjede ham i alt; han underviste ham i mange Ting, og øvede ham i Idrætter, og Harald tiltog meget baade i Vært og Kræfter. Man fortæller, at Dovre en Dag kom hen forat tale med Harald, og sagde til ham: „Nu troer jeg at jeg har lønnet dig forbi du frelste mit Liv, thi nu har jeg skaffet dig Kongedømmet, din Faber er nemlig død, og jeg havde min Haand i Spillet med; nu skal du drage hjem, og tage mod dit Rige, og jeg raader dig til, at du skal hverken lade dit Haar eller dine Negle skjære, førend du bliver Enevoldskonge over hele Norge; jeg skal ogsaa være dig til Hjælp og staae dig bi i Kampen; dette kan nok blive dig til Gavn, da jeg let kan bibringe andre Saar, siden jeg kan gjøre mig selv usynlig; far nu vel, og gid det maa altid gaae dig vel og geraade dig til Hæder og Lykke, skjøndt du har været hos mig.” Det gik Dovre meget nær, da de skulde skilles ad. Men da Harald kom hjem, blev han taget til Konge over alle de Fylker, hans Faber havde hersket over; han fortalte sine Mænd, hvor han havde været henne disse fem Aar; man kaldte ham da Harald Dovrefostre.

Halfdans Død.

7. Kong Halfdan døde paa den Maade, at han var kjørt fra et Gjæstebud i Hadeland over Søen Rend, og da han kom til Rikkilsvig, brast Isen, og han satte Livet til med en stor Deel af hans Folk, i Nærheden af et Sted, hvor der havde været Vandingssteder for Kvæget. Da var Kong Halfdan fyrretyve Aar gammel, og havde været Konge i to og tyve Aar. Kong Halfdan var særdeles aarsæl, og man tog sig hans Død saa nær, at da den spurgtes og hans Lig blev ført fra Ringerige forat begraves, saa droge alle Høvdinger fra Vestfold og Vingulmark og Romerige derhen, og forlangte alle, at faae Liget med sig forat højlægge det i deres Fylke, hvilket de meente skulde bringe dem gode Aaringer; men de bleve endelig enige om, at Legemet skulde fordeles paa fire Steder: Hovedet blev lagt i Høj paa Steen i Ringerige, men for Resten tog hver Høvding sin Deel hjem med sig, og lod kaste Høj hver i sit Fylke; disse Høje kaldtes Halfdans Høje, hvilke mange dyrkede ved Ofringer og Paakaldelse indtil det blev forbudet af hans Frænder.

Harald Haarfagers Herredømmes Begyndelse.

I en Alder af ti Aar tiltraadte Harald Halfdansøn, som kaldtes Dovrefostre, Regjeringen over Ringerige, Vestfold, Vingulmark og Romerige; hans Morbroder Guttorm var da sexten Aar gammel; denne var en særdeles smuk og stærk Mand, med et tækkeligt Udseende, forstandig og meget mandig; han forestod Hirden og hele Landets Bestyrelse. Kong Harald beskikkede sin Frænde Guttorm til Hertug over hele sin Hær; Harald var den Gang kun ung af Alder, men fuldvoxen i Kræfter og Størrelse, og tiltog heri længe efter, som Naturen og Alderen fører med sig; hans Haarvært kan sammenlignes med Silke i Skjønhed, og overgik i Længde og Tykkelse alle andres Haar, baade Mands og Kvindes, saavidt man kjendte nogen paa den Tid i de nordiske Lande; hermed stemmede hans Legems Skjønhed, Vært og Styrke, Mod og Dristighed, Raskhed og Driftighed, som han besad i høj Grad, derhos var han haardnakket og ueftergiven; hvortil endelig kom den Lykke, som var med ham, saa at han bestemtes til at blive Hersker over Norges Rige, over hvilket hans Slægt har hersket med Hæder hidtil, og vil vedblive at herfte herefter.   Ingen af de to Frænder, hverken han eller hans Fader Halfdan, havde Held til deres Juul; Thor tog engang fra Harald al den Anretning han havde gjort til Julen for sig og sine Venner, og Odin gjorde det samme ved Halfdan.   Næste Juleaften kom Svase, og bevægede ved Svig Harald til at gifte sig med Sne- frid den Finske;   med hende avlede han Sigurd Rise, Halfdan Haaleg, Gudrød Stira og Røgnvald Rettilbeen. Harald var elsket af sine Mænd;   mange gamle Mænd stode ham bi med deres Forstand, gode Raad og Omsorg; mange tapre og modige Mænd tyede til ham formedelst den gode Indretning, hans Gavmildhed og stirlige Hird; saaledes som Thjodulf den Hvinverske siger, en gammel Ven af Kongerne:

> Mange kjekke
> Mænd hjemsøgte
> Hurtig Konning
> Og ham tjente;
> Og tillige
> Ædlingen fulgte
> Oldinge og
> Hans Yndest naade.

> Af de Gamle
> Gulds Uddeler
> Megen Vidskab
> Vandt og mindtes;
> Af alt Folket
> Elsket var
> For ædel Rundhed
> Oplands Konge.

Hædret Fyrste
Sine Mænd
Gav det røde
Guld og Ringe,
Blanke Brynjer,
Skarpe Sværd,
Skinnende Skjolde
Skjønt udsiirte.

De lønnede Kongen for hans Gaver med en Berømmelse, der aldrig vil forgaae, saalænge dansk Tungemaal er til; med saadan Sandhed er hans Hæder forkyndt. Saa lyder Vidnesbyrdet om hans Mildhed i vore Frasagn: ved tapper Daad og Djærvhed forherligedes han af Kjæmper, der vare saa dristige og uforsagte, at de forsvarede Kongens forreste Fylking; de havde Kofter af Ulveskind isteden for Brynjer; saaledes som Aubun Illskælde siger:

Ulvkofter hedde
De som i Slaget
Blodige Skjolde bære,
Sværd at rødfarve,
Naar til Strid de komme,
Der i Flok man dem samler;
Kun forvovne Karle
Troer jeg det frommer at staae
Hvor de haandfaste Kjæmper
Hugge i Skjolde.

Formedelst alt dette blev Harald Dovrefostre berømt, og bevarede ikke allene sin Fædrenearv, men udvidede sit Rige paa mangehaande Maader, snart ved Feldtslag, snart ved Overtalelser hos dem, som regjerede forud; no-

get erhværvede han sig ved lykkelige Omstændigheder, andet
ved dybt overlagte Raad og langvarige Planer eller andre
Foranstaltninger.

Gandalfs og Brødrenes Fald.

2.   Efter Halfdan Svartes Død begyndte strax
mange af de Høvdinger, som han havde forjaget fra de-
res Riger, at anfalde Harald Dovrefostre; Formænd der-
for vare Gandalf og Brødrene Hægne og Frode, Sønner
af Kong Eisten af Hedemarken. Hægne Kaaresøn trængte
dybt ind i Ringerige. Da begyndte ogsaa Hake Gandalf-
søn sit Tog ud paa Vestfold med tre hundrede Mand,
drog ovenom igjennem Dalene, og vilde overraske Kong
Harald Dovrefostre; men Kong Gandalf laae med sin
Hær i Oplandene, og vilde der sætte over Fjorden til
Vestfold. Men da Hertug Guttorm erfarede det, sam-
lede han en Hær, og forenede sig med Kongen. Harald
vendte sig først op i Landet imod Hake, og de mødtes i
en Dal, hvor der holdtes et Slag, i hvilket Kong Ha-
rald vandt Sejer; der faldt Hake og største Delen af
hans Hær; dette Sted kaldtes siden Hakedal. Derefter
vendte Kong Harald og Hertug Guttorm tilbage; da var
Kong Gandalf kommen til Vestfold; de gik nu imod hin-
anden, og holdt Slag. Kong Gandalf flyede, mistede
største Delen af sin Hær, og kom saaledes tilbage til sit
Rige. Nu erfarede Kong Eistens Sønner paa Hedemar-
ken denne Begivenhed, de ventede sig snart et Anfald, og
sendte Bud til Høgne Kaaresøn og Gudbrand Herse, og
bestemte deres Møde i Hedemarken; de andre vendte sig
da til Oplandene, og fik en betydelig Hær; de spurgte,
hvor Oplændingernes Konger havde bestemt deres Møde,

kom derhen ved Midnat, uden at Vagterne bemærkede dem, førend Hæren var kommen udenfor den Stue, hvor Kong Høgne var, og ligeledes der hvor Gudbrand sov. Kong Harald lod da sætte Ild paa dem begge; men Eistens Sønner kom ud med deres Mænd, strede med Kong Harald, og faldt der baade Høgne og Frode. Efter disse fire Høvdingers Fald undertvang Kong Harald Dovre-fostre ved sin Frænde Guttorms kraftige Understøttelse, Ringerige, Hedemarken, Gudbrandsdalene, Hadeland, Thotn, Romerige og den nordlige Deel af Vingulmark. Derefter førte Kong Harald og Hertug Guttorm Krig og holdt Slag med Kong Gandalf, indtil denne endelig mi-stede Liv og Rige, og Kong Harald udvidede da sit Rige sønderpaa lige til Gøtelven.

Kong Harald ægtede Gyda Erikspatter.

3. Derpaa ægtede Kong Harald Gyda, en Datter af Kong Erik af Hørdeland; og hun forestillede Kongen, at han skulde bemægtige sig hele Norge, saaledes som der fortælles i det andet Kapitel i Olaf Tryggvesøns Saga; og da aflagde Kong Harald det Løfte, at han hverken vilde lade sit Haar kjæmme eller klippe, førend han var bleven Enevoldskonge over Norge; han blev derfor kaldt Harald Lufa eller den Langhaarede. Med Gyda havde han Sønnerne Guttorm, Harek og Gudrød.

Kong Haralds Feldtslag da han erobrede Norge.

4. Kong Harald Lufa og Hertug Guttorm droge fra Oplandene nord igjennem Dalene, og derfra nord over Dovrefjeld; da han kom ned i Bygden, lod han Indbyg-

gerne dræbe og Bygden brænde, men da Folket blev dette vaer, flyede alle, nogle ned til Orkedalen, andre til Gauldalen, andre til Skovene; nogle bade om Fred, og den erholdt alle, som begave sig til Kongen og bleve hans Mænd. De fandt ingen Modstand førend de kom til Orkedalen; der havde en Hær samlet sig, og de holdt der det første Slag med de der regierende Konger. Kong Harald vandt Sejer, men hine faldt; derefter underlagde han sig Orkedalefylke, saa at Landsfolket underkastede sig og hyldede ham. Overalt hvor Kong Harald underlagde sig Landet, indsatte han den Landsret, at han tilegnede sig al Odel, og lod alle Bønder, baade høje og ringe, betale sig Landskyld; ligeledes indsatte han en Jarl over hvert Fylke, forat overholde Lov og Ret, samt indkræve Sagøre og Landskyld. Jarlen skulde til sit Bord og Underholdning have Trediedelen af Skatter og Afgifter; hver Jarl skulde have tresindstyve Mand paa sin Bekostning, men hver Herse tyve Mand; hver Jarl skulde have fire eller flere Herser under sig, og hver af dem have tyve Marks Leen; men Kong Harald Lufa havde forøget Paalæg og Landskyld saa meget, at hans Jarler vare ligesaa mægtige, som Fylkeskongerne. Da denne Tidende spurgtes over Throndhjem, indfandt mange mægtige Mænd sig hos ham, og bleve hans haandgangne Mænd. Da kom ogsaa Hakon Jarl Grjotgardsøn ned fra Yrje med en stor Hær, Kong Harald til Hjælp. Derpaa drog Kong Harald Lufa ind i Gauldalen, holdt Slag der, og fældte to Konger, hvorpaa han underlagde sig Rigerne Gauldalefylke og Strindfylke; da gav han Hakon Jarl Land paa Strind, og indsatte ham til Jarl over Strindfylke. Derefter drog Kong Harald Lufa ind i Stjordalefylke, holdt

ber det tredie Slag, vandt Sejer og underlagde sig dette
Fylke. Nu samlede Indthrønderne sig, og der vare fire
Konger komne sammen med deres Hær: den ene regjerede
over Veradal, den anden over Skaun, den tredie over
Svarfbyggjefylke [1], den fjerde var fra Øen Ydre, og re-
gjerede over Øfylke. Disse fire Konger droge med deres
Hær imod Kong Harald, men denne holdt et Slag med
dem, og vandt Sejer; nogle af dem faldt, andre flyede.
Kong Harald Lufa holdt i alt fire eller fem Feldtslag i
Throndhjem, og efter at otte Konger vare fældede, under-
lagde han sig hele Throndhjem. Det paalagdes ogsaa
Jarlerne, at de skulde anrette et Gjæstebud aarlig for Kong
Harald og hele hans Hird.

Slag imellem Kong Harald og Atle.

5. Formedelst andre nødvendige Foretagender kunde
Kong Harald ikke, som han havde foresat sig, komme til
Gjæsteri hos sin Jarl Atle i Sogn; han sendte derfor
sine Mænd hen forat benytte Gjæstebudet, og paa den
Maade gik det tre Somre. Kongens Mænd indbøde sine
Frænder og Venner til at følge med sig, indfandt sig til
Gjæstebudet med hundrede Mand mere end ellers, teede sig
ilde derved, og gjorde megen Larm under Drikken. Den
fjerde Sommer, da Kongens Mænd skulde komme paa
Gjæsteri, jog Atle dem bort med Foragt, vilde ikke finde
sig i deres Overmod, og bad Kongen selv at tage paa
Gjæsteri eller modtage Penge derfor. De fordrevne Mænd
traf Kong Harald paa Gjæsteri paa Lade i Throndhjem,
og berettede ham, hvor slet de vare blevne behandlede;

---

[1]) Sparbyggiefolke.

Kongen var misfornøjet dermed. Hakon Jarl bad Kongen give sig Sygnefylke til Leen paa samme Vilkaar, som Atle Jarl havde det, hvilket Kongen tilstod ham. Det samme Aar drog Hakon den Gamle med en Hær af Thrønder og Helgelænder sønderpaa langsmed Landet; Atle Sygnejarl drog ham imøde, og de fandtes ved Sta-vanger [1] paa Fjalir, lagde til Slag, og strede. Hakon Jarl og nogle faa Mænd faldt; Atle Jarl blev saaret, og døde siden paa det Sted, som hedder Atleø. Derefter fortsatte Jarlernes Sønner Krigen, og Atle Jarls Sønner flyede, men Sigurd Hakonsøn sluttede Venskab med Kong Harald, hvorpaa denne gav ham Jarlsnavn. Derpaa underlagde Kong Harald Lufa sig hele Throndhjem og al Landets Styrke, noget ved deres Gunst, som før havde besiddet det, andet ved Gaver, eller ved Raad, ved Frygt, ved Feldtslag, og det lykkedes ham altsammen formedelst hans Dristighed og Iver, samt forbi man meente, at Dovre stod ham kraftig bi i Raad, og bibragde hans Fjender Saar i Slagene, og drev mange bort fra deres Flok, hvilket han let kunde gjøre, da ingen kunde see ham i Slaget, uden de, der havde Katteøjne. Dette og saa-dant mere fremmede meget hans Herredømme, og hvad der var det vigtigste, den Hæder og Held, som saaledes understøttede ham, at ingen kunde kappes med ham, som Udfaldet viste, at han nemlig skulde blive Enevoldskonge over hele Norge, som ingen før havde været, og over alle de andre Lande, som høre dertil, og siden bestandig have tilhørt hans Slægt, og den Hæder, som endnu overgaaer alle andre, at af hans Slægt skulde der komme Mænd,

---

[1]) Stafanæsvaag.

10 B.   K

saa berømte og saa nyttige for de nordiske Lande, som
Kong Olaf Tryggvesen, der først af alle Norges Konger
antog den sande Tro, og den hellige Olaf Haraldsøn, der
i sin Hellighed er højere og herligere end alle dem, der
have styret Norge, og til største Lyksalighed har det været
for alle og enhver i de nordiske Lande, at han skulde
være Konge over de nævnte Landskaber.

Kong Haralds Feldtslag.

6. Herefter gjorde Harald paa ny det Løfte, at
han ikke skulde lade sit Haar skjære, førend han hævede
Afgift af enhver Opdal, som af ethvert Udnæs og alt
hvad der laae derimellem, saavidt som Navnet Norge
naaede øster til Skovlandene og nord til Havet. Herved
rejste sig nu en langvarig Krig. Nord i Nummedalen
vare to Brødre Konger: Herlaug og Rollaug; de havde
været tre Sommere om at opføre en Høj, der var opført
af Kalk og Steen, og bygget af Træ; men da Højen var
færdig, erfarede Brødrene, at Kong Harald agtede sig imod
dem med en Hær. Da lod Kong Rollaug en Mængde
Levnetsmidler og Drik kjøre til Højen; hvorpaa Kong
Herlaug med tolv Mænd gik ind i Højen, og lod den
kaste til efter sig. Kong Rollaug gik op paa den Høj,
som Kongerne plejede at sidde paa, lod Kongens Højsæde
indrette der og satte sig deri; derpaa lod han Puder lægge
paa Fodskammelen, hvor Jarlerne plejede at sidde, og væl=
tede sig saa fra Kongesædet ned paa Jarlesædet, og gav
sig selv Jarls Navn. Derefter drog han Kong Harald
imøde, overgav ham hele sit Rige, og tilbød sig at blive
hans Mand, og fortalte Kongen sin hele Adfærd. Da
tog Kong Harald et Sværd, og fæstede det ved hans

Lænd, fæstede derpaa et Skjold om hans Hals, og gjorde
ham til sin Jarl og ledte ham til Højsædet; derpaa over-
gav han ham Nummedalsfylke til Bestyrelse, og satte
ham derover. Derefter drog Kong Harald tilbage til
Throndhjem, og beredte sig til at drage ud paa Møre, og
forsynede sig med Langskibe; men de fra Møre og Roms-
dal havde forsamlet sig, og droge imod ham med mange
Krigsskibe; da holdt Kong Harald sit første Søslag. Kong
Harald vandt Sejer, men Kongen over Møre faldt; saa
siger Hornklove:

> I Barndomsaar den Brave
> Blegladen Orlogsflaade
> Ubrusted, og paa Havet
> Ad Ægrens Vej lod stunde;
> Fra Norden fløj da Snekker,
> Thi Fægtning Helten lysted,
> Mod tvende Konger Kampen
> Den Kjekke rejse torde.

Og fremdeles kvæder Thorbjørn Hornklove:

> Vist Eder ingen Konning
> Skal overgaae (i Hæder),
> Som under Soles [1] gamle
> Lufthøje Throne fødes;
> Stærk du i Landsestormen
> Stod mod de bolde Kjæmper,
> Blodelven Ørne glæded,
> Men Skøgul [2] sig ved Striden.

---

[1] Rimeligviis (for sin Tid) rigtigere Solens. [2] Den be-
rømte Valkyrie.

Og end kvæder han:

> Til Orlog drog vor Hersker
> Og fik der Vaabenhæder,
> Tit Klingen klang mod Værger,
> Og Fjenden Sejren tabte —
> Med Skud, ej Ord, der hilstes
> De kappelystne Fyrster,
> Til Fjenders Fald forkyndte
> De røde Skjoldes Dundren.

Kong Harald underlagde sig efter dette Slag Nordmøre og Romsdal. Da kom Eisten Glumres Søn, Regnvald Jarl, til ham, og blev hans Mænd, og var længe efter en stor Ven af Kong Harald. Kong Sølve Hunbolfsøn undkom med sin Hær fra det Slag, han holdt med Kong Harald; han begav sig til Kong Arnvid paa Søndmøre, hvorpaa de samlede Tropper, og Kong Audbjørn fra Fjordene forenede sig med dem; disse tre Konger droge imod Kong Harald, og de mødtes indenfor Solskel, og holdt der et stort Slag. Der faldt mange af Kong Haralds Folk, iblandt andre: hans Jarler Asgaut og Asbrand, og Hakon Jarls Sønner, Grjotgard og Herlaug. Kong Arnvid og Kong Audbjørn faldt, men Sølve Klove undkom ved Flugten, blev en stor Viking, og anrettede megen Skade paa Kong Haralds Rige. Derefter underlagde Kong Harald sig Søndmøre, men Kong Vemund Kamban beholdt Fjordefylke, og blev Konge derover. Dette skete silde om Høsten, og man raadede Kong Harald til ikke om Efteraaret at drage sønder forbi Stad. Da satte Kong Harald Røgnvald Jarl over begge Mærerne og Romsdal, og han havde et stort Følge omkring sig. Kong Harald vendte da tilbage til Throndhjem. Den samme Vinter

drog Røgnvald Jarl landvejs over Ejdet, og saa sønder-
paa til Fjordene, indhentede Efterretning om Kong Ve-
mund, og overfaldt ham om Natten paa et Sted, som
hedder Naustdal, hvor Kong Vemund var paa Gjæsteri;
Røgnvald Jarl omringede Gaarden, og indebrændte
Kongen med halvfemsindstyve Mand. Derefter kom Berd-
lukaare til Røgnvald Jarl med et fuldtudrustet Langskib,
og begge droge nord paa Møre; Røgnvald Jarl tog de
Skibe, der havde tilhørt Kong Vemund, og alt det Løsøre
han kunde faae. Berdlukaare drog til Throndhjem til
Kong Harald; han var en stor Berserk, og blev hans
Mand. Om Foraaret efter drog Kong Harald sønderpaa
langsmed Landet med en Flaade, og underlagde sig Fjor-
dene og Fjaler; da drog han ind i Sogn, og anordnede
Landets Bestyrelse; om Høsten vendte han tilbage til
Throndhjem, og havde som oftest Sejer, hvorsomhelst han
holdt Slag.

Kong Haralds Slag med Erik.

7. Det sidste og største Slag holdt Kong Harald
med følgende Konger: Hørdernes Konge Erik, Sløkve
Jarl af Rogeland og hans Broder Sote, samt østen fra
Agde Kong Kjøtve den Rige og Thorer Haklang tillige-
med mange fornemme Mænd, der kom fra de østlige Land-
skaber til dette Slag; ligeledes kom Hørderne og Rygerne;
de droge sønderpaa mod Indvaanerne i Agde, men Kong
Harald sejlede efter dem, og laae paa det Sted, som hed-
der Hafursfjord nordenfor Jæderen; der laae disse tre
Konger med mange Jarler og andre mægtige Mænd.
Der havde samlet sig en stor Flaade, og Kongerne lagde
til Slag imod Kong Harald. Saa siger Thjodulf:

J Hafursfjord hørtes
Hvor heltemodig sloges
Vor højbaarne Konning
Mod Kjøtve den Rige;
Knøre [1] kom fra Østen
Kappelystne
Med gabende Hoveder,
Udgravede Skjolde.

Og fremdeles kvæder han:

De ladte var af Mænd,
Og hvide Skjolde,
Vestlandske Klinger,
Og Vælske Sværd.
Bersærker hylte,
Dem Gudur [2] beskjærmed,
Ulvkofter tuded,
Kampen begyndte.

Og fremdeles kvæder han:

For Lufa da ej kunde
Landet beholde
Den halstykke Fyrste,
Som Holm til Værn sig kaared;
Ned under Roerbænke
Haardtsaarede styrted,
Op Føbberne de rejste
Med Hovedet ved Kjølen.

―――――――

[1] eller en Art af Skibe, siden mest brugte til Handelsrejser.
[2] En af Valkyrierne eller Krigsgudinderne.

Og fremdeles kvæder han:

>De fristede den Tappre,
>Som Flugten dem lærte,
>Østmænds Alhersker,
>Som paa Utstein boer;
>Fast laae malte Snekker,
>Som modig Konning ejed,
>Haardt knugedes Skjolde
>Til Haklang maatte falde.

Og fremdeles kvæder han:

>Paa Vagen lode blinke
>Bekymrede Svende
>Skjolde [1], thi de ramtes
>Af slyngede Stene;
>Mod Østen de løbe
>Over Jædders Bygder
>Hjem fra Hafursfjorden,
>Og længtes efter Mjøden.

Derefter flyede Kong Kjøtve med hele hans Hær; Kongen kom ind paa en Holm, hvor man ikke kunde naae ham, men hans Folk flyede, nogle paa Krigsskibene, andre op paa Landet. Saa siger Thorbjørn Hornklove:

>Ej for Lufa kunde
>Længer sig holde
>Hersers Flok
>Eller Høvdinger;

---

[1] Efter Ordet Svafners (Odins) Salnæver eller Tagplader (Tagstene) — thi Valhal siges (i Eddaerne) at have være tækket med Skjolde.

Hvo som kunde
Af Vikinger
Flygted i Hast
Fra Hafursfjorden.

Da tog Kong Harald saa meget Hensyn paa, hvilke Mænd der havde været med ham eller ikke, at han begavede dem, der havde været med ham, med Gods og Ære, og lønnede hver efter sin Byrd og Fortjeneste, da han fik Norges Rige, men derimod dræbte han dem, som vare ham imod, eller fordrev dem af Landet, eller undertrykkede dem paa anden Maade. Efter dette Slag underlagde Kong Harald sig Hørdeland og Rogeland og Agdefylke, og da var han Enevoldskonge over hele Norge. Herefter ryddedes Landet og vandt i gode Sæder. Kong Harald lagde Skat paa saavel inde i Landet, som langsmed Kysterne. Nu var Kong Harald bleven en udmærket Mand i Styrke og Vært; hans Haar var nu sidt og filtet; derfor blev han kaldt Lufa. Da skar Røgnvald Jarl af Møre hans Haar, og gav ham Navn, og kaldte ham Harald hin Haarfagre; da var han over tyve Aar gammel. Fra ham nedstamme alle Norges Konger; han regjerede ogsaa over Norge lige til sin Død, saa at i hans Dage bar ingen Kongenavn i Norge uden han allene. J Hafursfjord faldt Jvar, en Søn af Røgnvald Jarl af Møre; til Bøder derfor gav Kong Harald Røgnvald de Øer, som ligge i Vesterhavet og hedde Ørkenøerne, samt Hjaltland, men han gav igjen sin Broder Sigurd begge disse Lande.

Om Kong Harald.

8. Kong Harald hin Haarfagre ægtede Asa, en Datter af Hakon Grjotgardsøn Ladejarl; deres Sønner

vare Halfdan Svarte og Halfdan Hvide, der vare Tvil-
linger, og den tredie hed Sigurd. En anden af Kong
Haralds Koner hed Svanhild, en Datter af Eisten Sø-
farer, Jarl af Hedemarken; deres Sønner vare Olaf
Geirstadealf, Bjørn Kjøbmand, Tryggve, Frode og Thor-
gisl. Man siger, at Kong Harald paa een Gang havde
ti Koner og tyve Friller; da hørte han tale om en Mø
i Jylland, der hed Ragnhild den Mægtige, en Datter af
Kong Erik; hun var særdeles skjøn og forstandig. Kong
Harald sendte sine Mænd over at bejle til hende for ham;
men da Sendebudene fremførte deres Ærende, lod Kongen
sin Datter kalde, og forestillede hende denne Sag, hvortil
hun da svarede: at der var ingen Konge saa mægtig i
Verden, at hun for at faae ham vilde give sin Mødom
for trediute Delen af hans Kjærlighed, og sagde, at hun
endnu ikke vilde gifte sig. Og da Kongedatteren havde
svaret saa stoltelig, begyndte baade Kvinder og Karle at
spotte Sendebudene saavel som deres Konge, og sagde,
at Kongen af Jylland kun lidet vilde ræbbes for den
norske Konges Hær, samt at det var kun lidet han endnu
havde forsøgt sig, fordi han havde faret noget omkring
indenlands og bekriget nogle usle Bønder, saa at de danske
Ravne og Ørne maatte længe blive hungrige og sultne,
hvis de skulde bie til Striden med Norges Konge Harald.
Derom taler Thjodulf den Hvinverske:

> Andre skulle de eje [1]
> Ragnhildes Trælkvinder,
> Tøse, dygtig kaade
> Ved Drikkepjat;

---

[1] Med andre Ord: have til Husfruer.

> Her seer I de Flaner!
> Gid Harald dem
> Sulte voldbundne,
> Men deres Mænd
> Dog have deres Vrede [1].

Kong Erik sendte med sin Datters Samtykke Bud til ham, at han vilde give ham Møen til Ægte, naar han vilde forskyde sine Ægtekoner og Friller; med denne Besked vendte Sendebudene tilbage. Da sendte Kongen alle sine Koner hjem til deres Frænder, og derpaa sendte han Bud til Danmark efter Ragnhild, som da blev sendt til ham; han holdt derpaa Bryllup med hende, og hun var en meget mandig Kvinde. Saa sagde Thjodulf:

> Han sig fra Holmrygers
> Og Hørders Møer skilte,
> Hver den i Hvin fødte
> Og af Hølders [2] Æt.

Hendes Søn var Erik Blodøre. Ragnhild levede tre Aar i Norge, førend hun døde paa Sotteseng. Derefter ægtede han Ashild, en Datter af Ring Dagsøn oppe fra Ringerige; deres Sønner vare Ring, Dag og Ragnar Rykkel, og de havde to Døttre, Thorgerd og Oløf Aarbod. I sin Alderdom avlede han en Søn med en Trælkvinde, ved Navn Thora Mösterstang; denne Dreng hed Hakon. Da Kong Haralds Sønner vorte til, forlangte de af deres Fader, at han skulde give dem noget Land at regiere over; han gav Gudrød Bestyrelsen af Romerige, forat værge Landet imod Vikinger, Danske og Gøter; ham dræbte

---

[1] Den sidste Verslinie er noget dunkel. [2] Rige Odelsbønders eller adelige Landmænds. Andre Læsemaader have: af Helges (d. e. det norske Helgelands) Slægt.

Sølve Klove efter i Brennøerne med alt hvad der var inden Borde. Halfdan Svarte og Halfdan Hvide gav han to fuldtudrustede Langskibe, og de droge ud forat hærge; Halfdan Hvide faldt i Estland. Gudrød var til Opfostring hos Thiodulf hin Hvinverske; Rærek var bestandig ved Hirden; Olaf Geirstadealf havde Bestyrelsen af Vestfold, og han og Bjørn, der forestod Grønland, vare begge sammen. Thorgisl og Frode gav Kong Harald Krigsskibe; de droge i Vesterviking, og hærgede vide om; men hvo der gjerne vil vide, hvilket Rige Kong Harald Haarfager gav sine Sønner, og Handelen imellem den engelske Konge Adelsteen og Kong Harald, fremdeles en Fortælling om Erik Blodøre og hans Giftermaal, Hærtog og Bedrifter, samt Fortællingen om Hakon Adelsteensfostre og om endnu flere af Kong Haralds Sønner, han maa opsøge det i Begyndelsen af Kong Olaf Tryggvesøns Saga.

Fortælling om Hauk Haabrog.

Bjørn paa Højen regjerede i Sverrig den Gang Kong
Harald tiltraadte Regjeringen i Norge; derefter var
Onund Konge i Sverrig i fyrretyve Aar eller længere;
saa hans Søn Erik, der var gift med Ingegerd, Harald
Haarfagers Datter; til hende ofrede de Svenske, og førte
hende ud paa en Ø, men hendes Broder Halfdan Svarte
førte hende bort med sig; derefter var der længe Ufred
imellem Kong Harald og den svenske Konge Erik. Det
var en Sommer at Kong Harald kaldte den kjæreste af
sine Mænd, Hauk Haabrog, til sig, og sagde: „Nu er
jeg fri for al Krigsfærd og Ufred her indenlands, nu ville
vi leve i Gammen og Glæde; vi vil nu sende eder i
Sommer over til de østlige Lande, forat kjøbe mig nogle
Kostbarheder, som ere sjeldne i vore Lande." Hauk bad
Kongen raade for dette, som for andet, hvorpaa Kongen
gav Mænd, som han før havde haft hos sig, Orlov til
at drage hen til forskjellige Lande. Hauk drog bort med
et Skib og godt Følgeskab, og kom om Høsten til Holm-
gaard, hvor han blev Vinteren over; han kom til et Sted,
hvor der holdtes Marked, til hvilket der var kommen en

Mængde Folk fra mange Lande; blandt andre Kong Erik i Upsals Kjæmper, Bjørn Blaaside og Salgerd Serk, der vare meget trættekjære Mænd, som hævede sig over alle der. En Dag gik Hauk igjennem Byen med sit Følge, og vilde kjøbe nogle Kostbarheder til sin Herre Kong Harald; da kom han til et Sted, hvor der sad en Mand fra Garderige; Hauk saae der en kostbar Kappe, der var ganske besat med Guld; denne Kappe kjøber han, giver Penge paa Haanden derfor, og gaaer bort forat hente Pengene; men før paa Dagen havde Bjørn falet paa denne Kappe til den svenske Konge, og Prisen var bestemt; og da Hauk var gaaet ud, kom Bjørns Svend, og sagde til Kjøbmanden, at Bjørn nødvendig maatte have Kappen, men Kjøbmanden fortalte, hvorledes det nu stod til med Handelen derom. Svenden gik nu bort, og sagde det til Bjørn, men i det samme kom Hauk med Pengene for Kappen, betaler, modtager Kappen, og gaaer ud; da kom Bjørn og Salgard ham imøde, og spurgte, hvad han vilde med den Kappe, som de havde kjøbt, men Hauk svarede, at han havde kjøbt den, og vilde beholde den. Bjørn sagde, at det tilkom Kong Erik at tage først blandt de Kostbarheder, som anstaae ham, og han var Overkonge i de nordiske Lande. Hauk svarede, at Kong Harald plejede ikke at afstaae noget af sit for den svenske Konges Skyld. Han sendte en Svend hjem med Kappen, men de bleve bestandig hæftigére, og Salgard sagde, de skulde stride om, hvem der skulde have Kappen, samt hvilken af deres Konger der skulde gjælde for den fornemste. Hauk svarede, at de kunde gjerne stride om Handelen med Kappen, men sin Konges Anseelse vilde han ikke lade beroe paa sine Vaaben. Da kom der en tyk og lav Mand hen til Hauk; denne spurgte om hans Navn, men han svarede, at han hed Bue, „og her," tilføjede han, „er et Sværd, som jeg vil give dig, ifald du har i Sinde at stride med Bjørn og Salgard, og der er ingen Tvivl om det jo kan bide." Hauk tog det, og betragtede det, og sagde: „Tak skal du have, men jeg vil ikke tage derimod, thi jeg har Vaaben nok, som kan bide, naar Mod og Tapperhed ikke mangler, men jeg vil kalde dig Bue med det hvasse Sværd." Bue svarede: „Kong Harald vilde ikke afslaae det, hvis jeg bad ham det, men det faaer nu være som det vil, I findes vel oftere;" hvorpaa han forsvandt. Nu kom det til Slagsmaal imellem dem, Hauk fik flere paa sin Side og havde flere Folk; der faldt nogle Mænd, og mange bleve saarede; Hauk fik Sejer, men Indvaanerne gik imellem dem, og skilte dem ad. De Svenske bleve meget forbittrede, og droge hjem med saa forrettet Sag; dette spurgtes til Norge, samt hvilket Vilkaar Salgard først havde bestemt, hvorover Kong Harald blev meget vred. Hauk kom nu hjem, og fandt Kongen, men Harald var temmelig vred, og spurgte: „Er det sandt, Hauk, at du har betroet min Anseelse til dine Vaaben?" „Nej," sagde Hauk, og fortalte derpaa Sagens sande Sammenhæng. Nu var Kong Harald tilfreds, og sagde: „Meget maatte du vel haabroge dig [1], Hauk, da du overvandt Kong Eriks Kjæmper." „Vist nok," svarede Hauk, „men ligesaa meget i England, da jeg knæsatte Englands Konge Adelsteen din Søn Hakon." Da smilede Kongen; siden blev Hauk kaldt Haabrog. Man siger, at der aldrig

---

[1] Gjøre dig til, knejse med Nakken. Den brugte Taalemaade sigter til Hauks Tilnavn, Haabrog, ordret, med Brog, som gaae højt op.

er kommen kostbarere Kappe til Norge. Bjørn og Sal-
gard begave sig til Kong Erik, og fortalte ham, hvilken
Vanære Hauk havde tilføjet ham, samt at Kong Harald
tyktes paa ingen Maade ringere Konge; Kong Erik blev
meget vred, og heraf kom Uenigheden imellem ham og
Kong Harald.

Vighard kom til Kong Harald og Hauk Haabrog.

2. Det hændte sig en Vinter, at Kong Erik havde
ladet berede Julegilde, og han var kommen i Højsædet og
Hirden havde taget Plads, men udenfor stode Mænd paa
Vagt, og saae en Mand komme paa Skier; han kom
hurtig farende, og steg af Skierne; det var en stor Mand
i en Ulveskinds Overkappe; han blev modtaget vel, tog
Overkappen af, og var iført en rød Skarlagens Kjortel,
havde Hjelm paa Hovedet, var omgjordet med Sværd, og
var en meget smuk Mand; han havde stort og fagert
Haar, og var overmaade stor og stærk. Han gik hen for
Kongen, og hilste ham; denne bød ham velkommen og
fandt det var en anseelig Mand; han spurgte efter hans
Navn, Slægt og Familie; han navngav sig Vighard, og
sagde, han havde hjemme i Helgeland; „men mit Ærende
er,” sagde han, om du vil modtage mig under samme
Vilkaar, som Bjørn og Salgard nyde.” Kongen svarede:
„Vistnok er du en smuk Mand, men dog kan jeg ikke agte
dig, som jeg endnu ikke har forsøgt, saa højt som dem,
der have vovet sig i mangen Fare for mig og ere meget
berømte Kjæmper.” Da sagde Vighard: „Saa farvel,
Herre!” gik derpaa ud, tog sine Sager, og besteg sine
Skier. Den Gang holdt Kong Harald Julegilde nordpaa

i Gudbrandsdalene, og den anden Dag i Julen vare
Kongens Mænd udenfor, og havde en Leg fore, men
Kongen sad og saae paa Legen, og Gaarden stod nær
ved et Fjeld; da sagde Kongen: „Hvad er det der paa
Fjeldet, der seer ud som en Hvirvelvind, mon det være
en Mand paa Skier? Sneen var løs og føg for ham,
men Vinden hverken voxte eller tog af, deraf sluttede man
det maatte være et Menneske, skjønt der kun var faa,
som vovede sig til at løbe der nedaf. Han kom i en Fart
til dem, nærmede sig Legen, gik hen for Kong Harald,
og hilste ham; Kongen tog vel imod hans Hilsen, og
saae, at han maatte være en stor Mand. Han sagde sit
Ærende, at han vilde tilbyde sin Tjeneste, naar han vilde
optage ham i sine Kjæmpers Lag. Kongen sagde: „Svare
dine Idrætter til dit Udseende, saa vil du indlægge dig
megen Hæder.” Kongen kaldte Hauk til sig, og spurgte
ham, om han vilde tage denne Mand i Lag og Fælles=
skab med sig; og han samtykkede i Kongens Ønske; de
vare lige store; hvorpaa den anden blev optaget i Kon=
gens Kjæmpers Lag.

Harald udsendte Hauk og Vighard.

3. En Sommer sagde Kong Harald, at han vilde
sende Hauk til Bjarmeland forat hente Skindvarer, og da
Vighard fik det at vide, sagde han, at han vilde rejse.
Kongen svarede, at han ikke vilde berøve ham denne Hæder,
hvorpaa han udrustede dem hver sit Skib, og da de vare
færdige, beværtede Kongen dem, og sagde, at han sendte
nu saadanne Mænd fra sig, hvis Tab han holdt for langt
større, end mange andres; „men jeg holder det for rime=
ligt,” sagde han, „at Kong Erik vil erfare eders Rejse,

og han vil da nok huske eder, at du, Hauk, tog Kappen
i Holmgaard; jeg kjender Kong Eriks Afgudsdyrkelse,
som han vil tage til Hjælp; men jeg sender eder til min
Fostermoder, som hedder Heid, og boer oppe ved Sand-
vig; benytter eder af hendes Raad; jeg sender hende en
Guldring, som vejer tolv Øre, og to gamle Flykker af
Vildsvinkjød, samt to Tønder Smør." De droge nu bort
med gode Folk og Vaaben; Kong Erik saae deres Rejse,
og sagde til Bjørn og Salgard, at de skulde rejse nord til
Surtsdale og Bjarmeland, og om Sommeren lod Kong
Erik et Gjæstebud anstille i Upsal. Derpaa lod han to
Vogne kjøre til det Sted, hvor han plejede at ofre til
Guden Lyter; det var Skik, at Vognen skulde blive
staaende om Natten, hvorpaa denne kom derhen om Mor-
genen; men denne Gang kom Lyter ikke efter Sædvane,
og man forkyndte Kongen, at Lyter ikke havde Lyst til at
rejse; Vognen blev saaledes staaende to Nætter uden at
han kom. Da foranstaltede Kongen et langt større Offer
end før, og den tredie Morgen bleve de vaer, at Lyter
var kommen; da var Vognen saa tung, at Hestene styr-
tede, førend de kom med den til Hallen; derpaa blev
Vognen sat midt paa Gulvet i Hallen, og Kongen gik
did med et Horn, bød Lyter velkommen, og sagde, at han
vilde drikke hans Skaal, og at det nu var særdeles magt-
paaliggende, at han begav sig paa denne Færd, og lo-
vede som før at give ham store Gaver. Lyter svarede,
at han havde ikke ret Lyst til denne Rejse, og sagde, at
han engang havde været der nordpaa; „og da," sagde
han, „traf jeg et saa stort Trold, at jeg aldrig har mødt
dets Mage, og gammelt var det den Gang; jeg skulde
ikke komme der, hvis jeg vidste, det levede endnu, men jeg

tænker, det maa nu være dødt.” Kongen sagde, at det maatte nok saa være. Lyter lovede Kongen godt, og samtykkede i at rejse; der bleve nu to Skibe udrustede for Bjørn og Salgard; og da de lagde ud af Lægeren, farer der en Drage foran dem med et sort Telt over; de saae ikke noget Menneske holde Rebene; den sejlede hvordan saa end Vinden var; derpaa sejlede de nordpaa langs med Landet.

Hauk, og hans Ledsagers Strid med Bjørn og Salgard.

4. Nu er at fortælle om Hauk og Vighard, at de kom nordpaa til Sandvig, og gik til Kong Haralds Fostermoder Heids Gaard, ser Mand fra hvert Skib; hun sad ved Ilden, og gispede meget; hun var iført en Skindkjortel, hvis Ærmer naaede til Albuen. Hauk bragde hende Kong Haralds Hilsen; hun svarede: „Gob tykkes mig Kong Haralds Hilsen,” og sagde, at hun vilde tage omborb med dem; hun befalede dem derpaa at vende tilbage, og sagde, at Rejsen vilde faae et slet Udfald. Hauk naaede ikke længer end under hendes Arm, og han var dog en meget stor Mand. Han overgav hende først Ringen; da sagde hun: „Hil være Kong Harald!” og satte den paa sin Arm; „og her,” vedblev han, „er endnu to Flykker, som han sender dig;” „det er en god Gave,” sagde hun; derpaa leverede han hende Smørtønderne; da sagde hun: „Ulig er Kong Harald andre Mænd, dette er gode Kostbarheder, hvis Mage jeg aldrig har faaet, og bliver det ham ikke lønnet, saa bliver intet ham lønnet.” Hun tog en Tønde under hver Arm, men kastede Flykkerne paa Ryggen, og sagde, at denne Gave

tyktes hende mere værd, end begge de andre; „ja," sagde
hun, „min Fostersøn vidste nok hvad jeg holdt mest af;
benytter nu mine Raad, og kommer med mig!" Saa
gjorde de. Hun gjorde nu Ild paa, og satte sig paa den
ene Side; hendes Mund forekom dem temmelig styg, thi
den ene Læbe naaede hende ned paa Brystet, men den
anden lagde sig bred op paa Næsen; hun afførte Hauk
Klæderne, og befølte ham, og sagde: „Du er mandhaftig
og lykkelig;" hun bad ham kysse sig, hvilket han gjorde.
Derpaa bad hun Vighard tage sine Klæder af, men han
vilde ikke dertil; Hauk bad ham, og det skete da; hun
sagde: „En stor Mand og sædelig og grumme stærk;"
hun bad ham kysse sig, men han ønskede, at alle Trolde
maatte kysse hende; hun svarede: „Større er din Skjøn-
hed," og tilføiede, at det vilde blive ham til større Meen,
end hende. Hun gav Hauk to Amuletter [1]; „og hvis
Bjørn og Salgard lægge imod eder med deres Skibe,"
sagde hun, „saa kast dem overbord fra dit Skib!" De
sejlede nu til Bjarmeland, og en Aften saae de et Skib
løbe frem imellem Øerne; de vilde nu sejle hen til de
Fremmede, forat tale med dem; Hauk kjendte nu, at det
var Bjørn og Salgard; deres Hilsener vare kun korte,
men de lagde strax Skibene sammen forat stride. Nu saae
de en Drage ligge under Øen, fra hvilken der udsløj Pile,
og for hver faldt en Mand; men Hauk huskede slet ikke
paa Kjællingens Amuletter. Mændene faldt nu langsmed
Bordene paa begge Skibene; Hauk og Vighard gik begge
over paa deres andet Skib, thi Vighards Skib var ryddet;

---

[1] Den bestemtere Betydning af det i Texten brugte Ord er
ubekjendt.

han gik da hen i Forstavnen, og springer over paa Bjørns
og Salgards Skib, tilligemed Hauk; de kom frem til Ma=
sten, hvor Bjørn og Salgard møbte dem, hvorpaa det
kom til Slag imellem dem, som ikke standsede førend alle,
som stode, vare saarede; Bjørn gik fra Løftingen imod
Hauk; nu sloges de fire, og Enden blev, at Bjørn faldt.
Da søgte Vighard mod Salgard, og da man mindst tænkte
derpaa, kom en Piil fra Dragen, og traf Vighard i Bry=
stet, saa han faldt død ned. Nu kom Hauk til at tænke
paa Amuletterne, han kastede dem i Vrede overbord, de
faldt ned ved Dragen, og der stod en Lue op imellem
Stavnene. Hauk dræbte derpaa Salgard, men han mi=
stede sit Øje; ingen af hans Mænd burde heller til at und=
sætte ham; han bærer da sine Vaaben og Klæder til en
Baad, og standsede ikke sin Færd, førend han kom tilbage
til Kjællingen Heid, hvem han fortalte hvad der var skeet;
hun ytrede sin Glæde over at han var kommen tilbage,
og helbredte ham; hvorpaa de atter droge afsted, og hun
fulgte ham hen til nogle Kjøbmænd, og fik ham ombord
hos nogle Mænd, som vilde sejle sønderpaa langs med
Landet. Derpaa vendte hun tilbage, men han fortsatte
sin Rejse, til han kom til Kong Harald, som han berettede
den hele Begivenhed. Kongen ytrede sin Glæde over at
han var kommen tilbage. Men om Løter er at fortælle,
at han kom tilbage til Kong Erik, og sagde, at han al=
drig herefter kunde være ham til Hjælp, formedelst de Saar
han havde faaet af hint store Trold i Norge.

Om Kong Haralds Udseende og Væxt.

5. Erik var Konge over Sverrig i syv og fyrretyve
Aar. Kong Harald var en overmaade skjøn og anseelig

Mand; han havde Haar saa fagert som Silke eller slaget
Guld, hvilket skilte sig ad i store Lokker og var saa langt,
at han kunde slaae det under sit Bælte; han var ogsaa
særdeles stærk og stor, hvilket hans Højde i Haugesund
endnu viser; der ligger vestenfor Kirken den Helle, som
var over hans Grav, og den er halv fjortende Fod lang;
der paa Kirkegaarden staae ogsaa to Stene, af hvilke den
ene stod ved Hovedet, den anden ved Fødderne; imellem
Stenene laae Hellen over Kongens Leje, da Højen blev
brudt, og saa tyk er den Steen, som har vendt ind i
Graven, at den naaer en Mand til midt paa Laaret.
Og da den vigtige Begivenhed skete, da Kong Harald af-
gik ved Døden, da var han tre og firsindstyve Aar gam-
mel; han døde paa Sotteseng i Rogeland, og er højlagt
paa Hauge ved Karmsund.   Kong Haralds Død blev
meget beklaget af hver Mand, og alle vare enige i, at
der aldrig havde været hans Lige i Vidskab og allehaande
Færdigheder, samt Gavmildhed og Gjævhed imod hans
Mænd; han skyede ogsaa al Trolddom og Hexeri, siden
han kom efter Dværgen Svases Bedrageri, der nemlig
kom til ham en Juleaften, og vendte hans Sind til en
finsk Kvinde, ved Navn Snefrid, med saa brændende Kjær-
lighed, at han giftede sig med hende og elskede hende frem-
for alt, thi hun forekom ham formedelst Svases Forgiø-
relse skjønnere end nogen anden Kvinde; han havde Søn-
ner med hende, som før er fortalt; men da Trylleriet fik
Ende, døde Snefrid, og over hendes Lig blev bredt La-
genet Svasesnaut, hvori der var skjult saa stor Trolddom,
at hendes Legeme forekom Kong Harald saa lifligt og yn-
digt, at han vilde ikke lade hende jorde, og sad over hende
i tre Aar, og var ikke sig selv mægtig formedelst hans

umaadelige Kjærlighed til den Døde; Kong Harald kvad
da en Drape om hende, der siden blev kaldt Snefrids
Drape, hvoraf Begyndelsen [1] lyder saaledes:

> Vrinsken stedse jeg skyer,
> Folk lytte til min Sang!
> Den forgjorte, døde Mø
> Nu til Gjenfærds Kar-Bad
> Vækker jeg, og dette Digt
> Dvalin [2] lader udgyde;
> Mænd jeg rækker Regins [3] Drik,
> Ret fyldt er Brages Skaal!

Derpaa raabte en forstandig Mand, der var hos Kong
Harald, og hed Egil Uldsærk, at man skulde tage Lagenet
af Liget, hvilket skete; Legemet var da, som man maatte
vente, raadent og stinkende, og blev saa begravet efter
gammel Skik. Derefter blev Kong Harald saa vred paa
Galdre og Forgjørelser og alslags Trolddom, at han lod
ingen saadan Mand trives i sit Rige, men lod ham enten
dræbe eller gjøre landflygtig. Derpaa blev dette kvædet:

> Pligt ej Folket fordum hylded —
> Finnekvinden Harald trylled,
> Hun solfaver syntes ham,
> Mange nu faae saadan Skam!

Her ender saa Fortællingen om Kong Harald.

___

[1] De to første Verslinier af dette, som det synes, med Hensyn
til dets Ægthed meget mistænkelige Digt (som vel snarere er af
en anden Forfatter og digtet langt sildigere) ere vistnok nu tem-
melige uforstaaelige. [2] Poesien kaldes (efter Eddafortællingerne)
Dvalins Mjød. [3] Regin hed en anden mythisk Dverg.

Her følger

Fortællingen om Olaf Geirstade-Alf.

Gudrød Veidekonges Søn Olaf, en brav Kjæmpe og
stor Høvding, var Broder til Halfdan Svarte. Olafs
Moder var Oløf, en Datter af Alfarin fra Alfheim.
Saasnart Olaf havde naaet den fornødne Alder, tiltraadte
han Regjeringen efter sin Fader i Grænland. Han var
særdeles smuk af Udseende og høj af Vært. Han havde
sit Sæde paa Gaarden Geirstad; deraf fik han Tilnavnet
Geirstade-Alf. Han havde foruden sin Fædrenearv Be-
styrelsen over de to Fylker, af hvilke det ene kaldtes Upse,
det andet Vestmar, saaledes som Thjodulf hin Hvin-
verske siger:

> Over Upse fordum
> Og Vestmøre
> Vide berømt
> Olaf hersked,
> Indtil Fodværk
> Folkets Ven
> Ude ved Kysten
> Overvandt.

Nu ligger højlagt
Paa Geirstade
Den i Striden
Djærve Konge.

Efterat Olafs Fader Gudrød var falden, tog Kong Al-
farin, der med et andet Navn hed Alfgeir, hele Vingul-
mark under sit Herredømme, og satte sin Søn Alf, der
kaldtes Gandalf, derover. Kong Eisten, en Søn af Høgne,
Eisten den Ondes Søn, underlagde sig hele Hedemarken
og Solløer, men Olaf Geirstadealf forsvarede hele sit Rige
imod Alf og Eisten og alle andre ligetil sin Død. Hans
Søn var Rægnvald Højere end Bjerge, der blev Konge
efter sin Fader; om ham digtede Thjodulf hin Hvinverske
Ynglingatal.

Olafs Drøm.

2. Olaf Geirstadealf havde en Drøm, som han
fandt meget mærkelig, og han vilde ikke fortælle den, da
han blev spurgt derom. Han lod derpaa stævne Thing
over hele sit Rige; Thinget blev sat paa Geirstad. Kon-
gen bad Almuen først at slutte deres Sager, derefter vilde
han bekjendtgjøre for Almuen, hvorfor han havde stævnet
Thing, skjønt mange vel vilde finde, at der var liden
Grund dertil; „ieg vil her fortælle min Drøm," sagde
han, „det forekom mig, at en stor, sort og grum Oxe
østenfra kom ind i Landet; den foer gjennem hele mit
Land og Rige, og mig tyktes, at der faldt en saadan
Mængde Mennesker for den og dens Fnysen, saa der
faldt ligesaa mange som der blev tilbage; tilsidst syntes
mig den dræbte min Hird." Han begierede derpaa, at
man skulde udlægge hans Drøm, „thi jeg veed," sagde

han, „at den har noget at betyde;" de svarede, at han kunde bedst selv forklare, hvad den betydede.   Kongen holdt derpaa følgende Tale: „Der har længe hersket god Fred og lykkelige Aaringer i dette Rige, og en langt større Folkemængde, end dette Land kan føde, men Oren, som jeg drømte om, maa være et Varsel for den Sot, som fra Østen vil komme over Landet, og med hvilken der vil følge en stor Mandedød; min Hird vil sidst bukke under for den, og rimeligviis vil jeg selv følge efter, thi jeg vil ikke mere end en anden overleve mit bestemte Maal. Nu er denne Drøm raadet saaledes som den vil gaae i Opfyldelse, og jeg vil nu tilføje et Raad for Almuen, at alle de Folk, som nu ere her samlede, skulle opkaste en stor Høj her ude paa Næsset, og gjærde for den tværs over Næsset mod oven, saa at intet Qvæg kan komme did; i denne Høj bringe hver Mand, som har nogen An- seelse, en halv Øre Sølv med sig til Graven.   Det vil, førend Soten ophører, indtræffe, at jeg føres til Højen efter min Død; i denne Henseende advarer jeg alle Mand, at de ikke tage den Beslutning, som nogle gjøre, at de ofre til Døde, som de mene vare dem til Hjælp medens de levede, thi jeg troer ikke, at Døde kunne udrette noget; det kan ogsaa være, at efter nogen Tid blive de til onde Aander, som før bleve dyrkede, hine samme onde Vætter, tænker jeg, øve snart i saa Henseende Gavn, og snart anrette de Skade; meget frygter jeg for, at der kommer Uaar i Landet, efterat vi ere højlagte, vi ville saaledes først blive dyrkede og siden anseete for onde Aander, skjøndt vi ingen af Delene volde."   Det gik ganske saaledes som Olaf havde sagt og som han havde udlagt Drømmen; hurtigere end man havde ventet kom en stor Sot, og der døbe mange Folk, og alle de Mænd bleve førte til Højen, som syntes at have nogen Adkomst dertil; thi Kong Olaf lod Mændene strax drage fra Thinget forat opkaste en overordentlig stor Høj, og Landets Indbyggere gave sig i Færd med Indhegningen, som han havde bestemt; det gik ogsaa saaledes, at Hirden døde sidst, og sidst skete Kong Olafs Højlægning, og han blev skyndelig lagt deri hos sine Mænd med meget Gods, og Højen derpaa atter til= lukket; da begyndte Mandedøden at tage af; derpaa fulgte et stort Uaar og Hungersnød, og da blev den Beslutning taget, at de ofrede til Kong Olaf for godt Aar, og kaldte ham Geirstadealf.

Her fortælles Ranes Drøm.

3. I det første Aar af den hæderlige Herre Kong Olaf Tryggvesøns Regiering boede kort fra Geirstad en Mand ved Navn Rane, som før er omtalt [1], en Foster= broder til Harald Grænske; Ranes Moder hed Oløf. Han drømte en Nat, at Olaf Geirstadealf kom til ham, og det forekom ham, at han først skyndelig fortalte ham hele sit Liv, og om Højbygningen, samt om Spøgeriet, og da det var ude, sagde han til ham, at Hakon Jarls Søn Svend agtede at drage bort fra Landet, og laae kort derfra; „thi," sagde han, „han kan ikke holde sig formedelst Olaf Tryggvesøns Herredømme, og ønsker gjerne at samle Bytte; ham skal du fortælle om min Høj og det Bytte, som kan ventes paa Geirstad, og følge ham derhen;" hvorpaa han forklarede ham, hvorledes Højen skulde bry= des; „og om Natten," vedblev han, „skulle I opbryde

---

[1] nemlig i Fortællingen om Harald Grænske i Flatøbogen.

Højen; ingen af Svends Medfølgere vil have Lyst til at gaae ind i Højen formedelst den Stank og ilde Lugt og Ligdamp, som gaaer ud af den; da skal du, Rane, til Sidstningen tilbyde dig at gaae ind i Højen, naar ingen anden vil dertil, hvilket ogsaa kun du kan udføre, og betinge dig forlods tre Kostbarheder, hvilke du vælger, samt at Svend selv skal holde Tovet, thi kun han vil have Mod og Mandshjerte nok til at oppebie at du kommer ud af Højen; først skal du bære alt det Løsøre, som allerede ligger i en Hob midt paa Gulvet i Højen, hen til Tovet, og lade det trække op; derpaa skal du tage Guldringen af den Mand, der sidder paa Stolen midt i Højen, samt Kniven og Bæltet, som han har om sig; derpaa skal du tage det Sværd han har liggende paa sine Knæ, og drage det ud og afhugge hans Hoved; og derpaa vil meget beroe og din Lykke komme an, hvorledes du bærer dig ad dermed, thi det gjælder om, at du atter sætter Hovedet lige paa Kroppen. Rimeligviis vil du mærke megen Tummel i Højen efter det, saa du vil finde det pusle og larme overalt; alle Lys ville da ogsaa slukkes ud, og de allerfleste skynde sig bort fra Højen, undtagen Svend og nogle faa Mænd, der blive hos ham. Næppe nytter det dig noget at tænke paa at fare i Højen, hvis du ikke er en modig Mand, men du vil dog nok ikke komme til nogen Nød, naar du følger mine Raad. Du skal ikke tale noget om de Kostbarheder, du tager med dig af Højen, men holde dem saaledes under din Kappe, at Svend ikke seer noget til dem. Dagen efter vil Svend indbyde dig og alle de andre til Byttets Deling; du skal ogsaa komme, og have to sadlede Heste med dig; du skal da først erindre Svend om Aftalen imellem eder angaaende de Kostbarheder, som

du skulde tage forud, derpaa skal du holde alle Kostbar=
hederne op og vise dem frem, og bede dem om at skifte
alt det andet Løsøre imellem sig, men sige, at du vil be=
holde Kostbarhederne; og vær da ikke nærmere, end at
man godt kan høre din Tale. Da vil Svend forlange,
at I skulle komme sammen og at du skal lade ham see
Kostbarhederne, men saa skal du ride bort saa hurtig du
kan; Svend og hans Mænd ville da sætte efter dig, for=
at naae dig; de ville komme saa nær, at Svend skyder
Hesten under dig, men saa skal du springe paa den an=
den, og sprænge ind i Skoven. Saa skal du drage op i
Grænland i Vigen til Kong Harald Grænske, hvor du
vil finde hele Huset i Bekymring, fordi Dronning Asta,
Gudbrand Kulas Datter, er i Barnsnød og kan ikke føde,
og har saa været i nogen Tid, saa at man ikke veed no=
gen Udvej. Da skal du tilbyde dig at gaae til hende, og
sige, at du haaber at kunne hjælpe, og bede om at du
maa raade for Barnets Navn, hvis det bliver en Dreng.
Derpaa skal du lægge Bæltet om hende, og da, tænker
jeg, vil det snart forandre sig med hendes Tilstand; hun
vil da føde et Barn, som vil være en stor og dygtig
Dreng; du skal give ham Navnet Olaf; ham skjænker
jeg Ringen og Sværdet Bæsing, som jeg forhen har an=
viist dig. Drag derpaa nord op i Norge til Olaf Trygg=
vesøn, og antag den Tro, han byder; vend saa tilbage
til Vigen, og hold dig fornemmelig til Olaf hin Unge;
det vil især være din Lykke, at følge ham saa længe som
muligt." Derpaa vaagnede Rane.

Rane gik ind i Olaf Geirstadealfs Høj.

4. Derefter drog Rane hen til Svend Jarl Hakonsøn, og fortalte ham om det Bytte, som kunde ventes; de droge om Natten i Land, opbrøde Højen, og fik meget Gods. Rane tog Kostbarhederne bort med sig af Højen, og handlede med Højboen, saaledes som denne selv havde befalet ham; ligeledes løb alting af imellem ham og Svend Jarl saaledes som nys er fortalt. Derpaa drog Rane til Vigen til sin Fostbroder Kong Harald, og blev vel modtaget; Asta laae i Barnsnød, og befandt sig meget ilde, og man mistvivlede meget om hende. Rane gik da hen til hende, og fortalte hende og Kong Harald sin Drøm; hun sagde, at hun vilde gjerne lade ham raade for Barnets Navn, naar det kunde hjælpe noget til hendes Helsen; Rane lagde da Bæltet om hende, som han havde taget af Olaf Geirstadealf, hvorpaa hun snart blev lykkelig forløst.

Kong Olaf Tryggvesøns Saga,

skreven, fra Begyndelsen af, af Odd Munk.

(Begyndelsen mangler).

..... og mere saadant, som fortælles om Gunhild og hendes Foretagender; og det Rygte gik vide i Norge, at Astrid havde en Søn, skjøndt kun faa vidste det. Det hændte sig den samme Aften, at Bjørns Faarehyrde kom hen til Thorsteens, og spurgte ham efter sine Faar, hvorpaa de gave sig til at tale om allehaande Ting. Men Thorsteen var ikke langt fra dem, og hørte deres Samtale. Da spurgte Thorsteens Huuskarl, hvad det var for Gjæster Bjørn havde om Aftenen; den anden sagde, at det var anseelige Mænd der vare komne, Hakon Jarl Sigurdsøn, tredive Mænd i alt, og de vare der til Gjæstebud: „jeg hørte, at Jarlen sagde Bjørn sit Ærende, at han efter Dronning Gunhilds Befaling var sendt efter Astrid og hendes Søn, forat bringe dem til Gunhild, og herhen agter han at komme i Morgen i dette Ærende.” Derpaa standsede de deres Samtale, men Thorsteen vidste nu hele Indholdet. Da det blev Dag, gik Thorsteen ind i Huset, hvor Astrid sov med hendes Søn, og befalede dem at skynde sig med at staae op og gaae bort; han kaldte hæftig paa dem, men de gjorde sig færdig i Mag. Thorsteen gik hidsig imod dem med en stor Vaand i Haanden, og lod som han vilde slaae dem og mishandle dem, hvis de ikke skyndte sig afsted; de gik derpaa ud, og han efter dem med Vaanden over Hovedet paa dem, og saaledes jog han dem til Porten. Og da de vare komne ud over Gaarden, sagde han Astrid og hendes Ledsagere Farvel, og bad dem tilgive sig alle de Ord han havde brugt imod dem; „J,” sagde han, „have med Taalmodighed fundet eder i alle Skjældsord, hvor uskyldige J end ere; men det var hverken for Hads eller Haardheds Skyld jeg saaledes forjog eder; nu vil jeg bede om Tilgivelse for det jeg sagde og gjorde, og J skulle nu høre, hvorfor jeg bar mig saaledes ad;” han fortalte dem derpaa hvad Bjørns Huuskarl havde sagt, og blev ved: „og jeg vilde at J det snareste muligt skulde drage bort fra mit Herberge, forat J ikke skulde blive grebne her.” Ved Skilsmissen bad han dem drage til Skoven, som var kort fra Torpet, og bad dem drage hemmelig derfra hen til den Sø, der hedder Mjøsen, og derpaa følge denne indtil de saae en lille Holm i Søen; han bad dem vade ud til den, og sagde, at Vandet var ikke dybere, end at det naaede midt paa Laaret, saa at det vilde ikke række til Kurven, hvori Thorolf bar Drengen; paa denne Holm bad han dem skjule sig, saa at de ikke bleve seete fra Landet; „men jeg,” vedblev han, „vil nu vende tilbage, og naar Hakon kommer til mig, saa vil jeg give mig til at søge med ham, og da haaber jeg nok at J ved min Foranstaltning ikke skal findes, og jeg skal altid lægge Vind paa at hjælpe eder, men J skulle blive der paa

Holmen til i Morgen, og oppebie min Ankomst." Astrid
bar sig nu i alle Dele ad, som han havde budet hende,
men han vendte tilbage. Og da han kom hjem til Torpet,
og gik over Gaarden, kom Hakon Jarl der med et stort
Følge; Thorsteen gik dem imøde, bød ham velkommen, og
bød Jarlen til sig med alle hans Mænd, og sagde det
var Tid at spise. Jarlen takkede for Tilbudet, men sva-
rede, at de trængte hverken til Spise eller Drikke saa
tidlig paa Dagen, og at han siden vilde ride over til
Bjørns. Thorsteen sagde: „Hvad er eders Ærende,
Herre?" Han svarede: „Mig haver Gunild, Dronning
over alt Norge, sendt ud at opsøge Astrid og hendes Søn,
som hun vil lade kjærlig opfostre," og spurgte, om de havde
været der om Natten. „Her vare," svarede Thorsteen,
„nogle fattige mig ubekjendte Folk, som fik noget at spise,
men jeg veed ikke hvem det var; de sov da jeg gik ud
af Huset, førend I kom, og jeg tænker, de sove endnu."
Derpaa gik han ind i Husene, og søgte efter dem i alle
Husene, og var længe derinde, en to eller tre Timer, kom
derpaa ud, og sagde, at han havde ledt efter dem overalt
i Husene, hvor han kunde tænke de vare, men havde ikke
kunnet finde dem. Jarlen befalede derpaa, at man skulde
søge omkring i Torpet og i alle Gaardene, hvilket ogsaa
skete, men de fandtes ikke. Da raabte Thorsteen til, at
man skulde gjennemsøge Skoven, som var nær ved Tor-
pet, og sagde, at der vare mange Smuthuller i Skoven,
som man kunde skjule sig i, „og maaskee," sagde han,
„de have skjult Drengen under Rødderne af et eller andet
Træ, men selv pakket sig bort, vi maae derfor nødvendig
give Agt paa om vi kunne høre noget til et Barns
Graad." Nu deelte de deres Folk i to Hobe forat lede

i Skoven, og derved traf det sig, at Thorsteen blev allene; han løb da i en Hast hjem til Torpet, dog hemmelig, tog en Søn af en Trælkvinde, bar ham til Skoven, og lagde ham ved Rødderne af et Træ; og da en Times Tid var leden, hørte de alle Barnegraad, og skyndte sig derhen; men Thorsteen kom sidst, og da talte de om, hvad det monne være for en Dreng. Da sagde Thorsteen: „Det er intet Kongebarn, men det er gjort til Spot og Haan mod os, at Barnet er lagt her." Da de saaledes havde ledt til Non uden at finde noget, opgave de Haabet derom. Da bad Thorsteen dem at vende tilbage, og sagde det var Tid at spise; og saa gjorde de. Om Natten efter kom Thorsteen, som han havde lovet, til de andre, og havde tre Heste med sig belæssede med Fødemidler tilligemed den Mand, som skulde være deres Ledsager til Sverrig. Og derefter bad han dem fare med Fred. De takkede ham for hans Velgjerninger, og de skiltes nu som Venner; de droge nu til Sverrig, og kom til Hakon den Gamle, der modtog dem med Glæde og Kjærlighed; der vare de vel holdne.

Om Gunhild og Hakon.

2. Den næste Høst fordrev Gunhild Hakon fra hans Besiddelser og erklærede ham landflygtig fra Norge formedelst hans Forseelser, med mindre han vilde gjøre alt hvad hun forlangte. Hakon forlod da Norge, og drog over til Sverrig tilligemed sin Datter Aud, en særdeles smuk Kvinde, og blev vel modtaget af Kong Erik. Denne var da bleven skilt fra Sigrid Storraade, Skogle-Tostes Datter. Grunden dertil var efter nogles Sagn, at hun var storraadig, og tillige herskesyg, men Kongen vilde ikke finde

sig i hendes Overmod; men nogle sige, at hun vilde ikke
have ham længer, fordi det var Lov i Landet, at naar
Ægtemanden døde først, skulde Konen højsættes hos
Manden, og hun vidste, at Kongen ikke kunde leve længer
end ti Aar, eftersom han forat vinde Sejer, da han streb
med Styrbjørn, havde gjort det Løfte, ikke at leve længer
end ti Aar.   Da Hakon nu kom til Sverrig, fortæller
man, at Kong Erik bejlede til hans Datter, og fik hende;
derfor hæbrede Kongen ham meget, og han levede der i
megen Anseelse en Vinter.   Men om Vinteren efter Julen
begjerede Hakon Jarl af Kong Erik, at han skulde lade
ham faae hundrede væbnede Mænd, og sagde, han vilde
hen til Hakon den Gamle; Kongen tilstod ham det. Hos
Kongen var Hakon den Gamles Søn Regnvald, der strax,
da han hørte dette, lavede sig til at rejse, og skyndte sig
til sin Faders Gaard, og fortalte ham, at Hakon Si-
gurdsøn vilde komme til ham; da Hakon hørte dette, lod
han tre hundrede Mand væbne sig, hvilke alle vare hans
Huusfolk, og han anrettede et godt Gicæstebud for dem,
og paa den Maade forventede de Hakons Ankomst med
store Tilberedelser, og vare ikke bange, men drukke nu
med Glæde.   Og da man saae Hakon Jarl komme, gik
Hakon den Gamle ham imøde, bød ham til Gjæstebud, og
bad ham være velkommen, og ytrede megen Glæde og
Venskab over hans Komme. Da svarede Hakon: „J an-
det Ærende kom jeg hid til eder end forat spise eller
drikke, thi til at spise og drikke vil der være Lejlighed nok,
naar vi komme hjem.” Da sagde Hakon den Gamle:
„Hvorfor kom J da hid til mig?” Han svarede: „Dron-
ning Gunhild sendte mig hertil i det Ærende, at hun vil
byde Kong Tryggves Søn til sig, som hun venter er her

i eders Vold; hun vil opføde ham med megen Hæder til
Trøst for hans Moder Astrid og andre hans Frænder;
men hun bad mig at fremføre denne Sag og at anbefale
den, thi hun fortryder paa at Drengens Fader blev dræbt;
hun vil nu bøde derfor først til Guderne, siden til Men‑
neskene, og gjengjælde det paa hans Søn, som blev for‑
brudt paa Faderen, og hun troer at gjøre dette paa den
hæderligste Maade, naar hun opføder hans Søn med
Kjærlighed og antager ham i Søns Sted." Hakon den
Gamle svarede: „Drengens Moder har Mistanke om, at
det ikke er sandt, men troer snarere, at hun, hvis hun
maa raade, lader ham følge efter sin Fader. Og derfor
drog hun fra Norge, og flyede baade sine Frænder og
Fosterjord, og søgte hid til os. Nu troer hverken jeg
eller hun Gunhild, thi vi ansee hende for listig og svige‑
fuld og klygtig i allehaande falske Paafund; og det siger
jeg dig, Hakon, at denne Dreng kommer aldrig i din
eller Gunhilds Magt, hvis jeg maa raade, med mindre
jeg bliver saa grusomt overvældet, at jeg da er anderledes
til Sinds end nu." Hakon fik saaledes intet udrettet,
men drog bort, og kom hjem; og Kong Erik spurgte,
hvorledes det var gaaet med ham og hans Navne. Hakon
fortalte hvorledes det var løbet af. „Jeg sagde dig det
forud, at Rejsen vilde være unyttig, skjøndt du forsøgte
din Lykke hos Hakon den Gamle, thi han er i mange
Dele mægtigere end vi, og det er kort siden, at han gik
af med Fordelen i de Stridigheder vi havde sammen."
Og da Julemaaned var forbi, og de Dage da Gjæstebu‑
det havde staaet, og hver drog til sit, da drog Hakon
atter med mange Folk hen forat gjæste sin Navne, og
Kongen gav ham to hundrede vel bevæbnede Mand. Da

Navnerne kom sammen, begyndte de paa ny deres Un=
derhandling, og deres Samtale førtes snart med meget
Hæftighed, Tvist og Vrede. Hakon sagde, at Drengen
skulde drage bort med ham, hvad enten Hakon den Gamle
vilde eller ikke; men Hakon den Gamle sagde, at han
skulde ikke drage med. Da gik en baade stor og stærk
Mand, ved Navn Burste, hen imod Hakon Sigurdsen:
han var Hakon den Gamles Arbejdsmand og Træl, og
forrettede alt det værste Arbejde; han havde en over=
maade stor Møggreb paa Skulderen, hvori der ikke skor=
tede paa Møg; denne svinger han imod Hakon Sigurd=
søn, og sagde: „Hvem er denne fremmede og overmodige
Mand, der taler saadanne Ord til vor Høvding Hakon;
enten pakker du dig nu herfra, uden at tale saa stolte og
haanlige Ord til vor Høvding, eller jeg slaaer til dig
med denne Møggreb, saa du skal huske det saalænge du
lever; skynd dig nu bort fra dette Torp, hvis du ikke vil
udsætte dig for den største Skam, thi aldrig kom her før
en saa dumdristig Mand, som du.” Denne Mand kaldtes
Agermanden, og var den stærkeste og uregjerligste Mand.
Hakon indsaae, at det vilde være det fornuftigste, ikke at
udsætte sig for denne Mands Forvovenhed, og betænkte,
at det vilde være en Skam for ham hele hans Liv, hvis
han led nogen Overlast af ham, hvis en ussel Træl til=
føjede ham Forhaanelse, dette vilde være en altfor stor
Skam. Han forlod derfor Torpet, red hjem til Kong
Erik, og var hos ham til om Sommeren, da han drog
derfra til Danmark, og opholdt sig længe hos Kong
Harald Gormsøn, og der forefaldt mange mærkelige Be=
givenheder.

Om Kongen i Garderige og hans Moder.

3. Paa den Tid regjerede Kong Valdemar med megen Hæder over Garderige. Man siger, at hans Moder var en Spaakvinde, og det kaldes i Bøger Phitons Aand, naar Hedningerne spaaede. Hendes Forudsigelser traf gjerne ind, og hun var den Gang ældgammel. Det var Skik hos dem, at man den første Juleaften skulde bære hende paa en Stol hen for Kongens Højsæde. Og førend man begyndte at drikke, spurgte Kongen sin Moder, om hun saae eller vidste nogen Fare eller Skade forestaae hans Rige, eller at der nærmede sig nogen Ufred eller anden farlig Sag, eller at andre attraaede hans Besiddelser. Hun svarede: „Jeg seer ikke noget, min Søn, som jeg kan tænke vil blive dig eller dit Rige til Meen, eller noget, der truer din Lykke; dog seer jeg et stort og herligt Syn: Ved denne Tid og i dette Aar er der født en Kongesøn i Norge, som vil blive opfødt her i dette Land, og det vil blive en berømmelig Mand og dyrebar Høvding, og han vil ikke gjøre dit Rige Skade, men tværtimod mangfoldelig forøge det for dig, og derpaa vil han vende tilbage til sit Land endnu i sin unge Alder, og han vil da erholde sit Rige, til hvilket han er født og baaren, og vil være Konge og skinne med megen Klarhed, og være mangen Mands Hjælper i Norden, men kun kort Tid vil hans Herredømme vare over Norge. Bærer mig nu bort, thi jeg vil nu ikke sige mere, og nok er nu sagt." Denne Valdemar var Fader til Kong Jarisleif.

Om Olaf Tryggvesøn og hans Moder Astrid.

4. Da Olaf og Astrid havde været to Aar hos Hakon den Gamle, sørgede han hæderlig for deres Bortrejse, og overgav dem til nogle Kjøbmænd, som agtede sig til Garderige; han vilde sende dem til Astrids Broder Sigurd, der stod i megen Anseelse hos Kongen af Garderige. Hakon den Gamle forsynede dem med alt hvad de behøvede til denne Rejse, og skiltes ikke fra dem, førend de vare komne ombord med godt Selskab. De styrede derpaa til Havs, men bleve paa denne Rejse overfaldne af Ransmænd, som bemægtigede sig alt Godset, dræbte nogle Mænd, og førte de andre bort med sig til forskjellige Sider, og derpaa i Nød og Trældom. Her blev Olaf skilt fra sin Moder, som siden blev solgt fra Land til Land. Olaf blev ogsaa solgt som Træl, ligesom de andre Fanger, og havde tre Herrer i dette Fangenskab. Den første, der kjøbte ham, hed Klerkon, og han dræbte hans Fosterfader for hans Øjne. Kort efter solgte han Olaf til en Mand ved Navn Klerk, og fik en udmærket god Buk for ham, og i denne Mands Vold var han i nogen Tid. Men den Gud, der ikke vil lade sine Venners Ære og Hæder skjules, saalunde som Lyset ikke kan skjules i Mørket, han viste da ogsaa hin unge Mand sin store Naade, og løste ham af dette Fangenskab, som fordum Josef. Denne Mand, i hvis Magt han nu var, solgte ham til en Mand ved Navn Eres, og fik en kostbar Klædning for ham, som paa vort Maal kaldes Vest eller Slagning. Den Husbonde, som nu havde kjøbt ham, havde hjemme i hedenske Lande. Hans Kone hed Rechon, og deres Søn Reas. Han kjøbte ogsaa tilligemed ham hans Foster-

broder, der hed Thorgils og var Thorolfs Søn; han var ældre end Olaf. De levede ser Aar i denne Trældomsstand.

Om Olaf.

5. Og paa denne Tid regjerede nu Valdemar over Garderige; hans Dronning hed Allogia, en meget forstandig Kvinde. Astrids Broder Sigurd stod i en saadan Anseelse hos Kongen, at han erholdt store Besiddelser og et stort Leen af ham, og blev sat til at udføre Kongens Sager samt at indkræve Kongens Skyld vide om fra Landskaberne; hans Befaling skulde ogsaa adlydes over hele Kongens Rige. Olaf var ni Aar gammel, da det hændte sig, at hans Morbroder Sigurd kom hen til det Sted, hvor Olaf var, og Bonden der var taget ud paa Ageren med sine Arbejdsfolk. Sigurd red da til Torpet med en stor Skare Mænd og sømmeligt Følge. Olaf gik da og legede med de andre Drenge; han havde vundet en saadan Yndest hos sin Herre, at han ikke blev behandlet som Træl, snarere som en kjær Søn, og han lod ham ikke mangle paa noget, som han bad om; han fornøjede sig hver Dag saaledes som han selv vilde. Olaf bød ham nu velkommen med megen Kløgt, og Sigurd tog vel og venlig imod hans Hilsen, og sagde: „Jeg seer, min gode Dreng, at du har ikke den Maneer paa dig, som Mænd hertillands, hverken i dit Udseende eller i Tungemaal; siig mig engang dit Navn, din Herkomst og Fosterjord.” Han svarede: „Jeg hedder Olaf, Norge er mit Fædeland, min Slægt er kongelig.” Sigurd sagde da: „Hvad er da din Faders ellers Moders Navn?” Han svarede: „Min Fader hed Tryggve, men min Mo-

ber Astrid." Sigurd sagde: „Hvem var din Moders
Fader?" Han svarede: „Hun var en Datter af Erik
fra Oprustad, en mægtig Mand." Og da Sigurd hørte
dette, steg han af Hesten, og omfavnede og kyssede ham,
og sagde, at han var hans Morbroder; „og sandelig er
dette en Glædesdag, da vi her have truffet hinanden."
Derpaa spurgte Sigurd om Olafs Rejser, og hvorledes
han var kommen did, samt hvorlænge han havde levet i
denne Fornedrelse; og han fortalte ham om sine Rejser
saaledes som alt var gaaet til. Og derefter sagde Si‐
gurd: „Vil du nu have, Frænde, at jeg skal kjøbe dig af
din Herre, saa at du ikke længer skal være i Trældom
eller Tjeneste hos ham." Han svarede: „Godt har jeg
det rigtig nok nu imod før, men jeg vilde gjerne befries
herfra, naar min Fostbroder ogsaa kunde blive fri af sin
Trældom, og drage bort med mig." Sigurd sagde, at
han gjerne vilde gjøre det, og ikke vilde spare noget der‐
for. Og derpaa kom Bonden Heres hjem, og bød Si‐
gurd velkommen, thi han skulde kræve Landskyld af Egnen
deromkring og af hvert Huus, og see til at alting blev
udredt. Og tilsidst gav Sigurd sig til at tale med Bon‐
den, om han vilde sælge Drengene for Betaling; „jeg
vil strax," sagde han, „betale deres Værd." Den anden
svarede: „Den ældste Dreng vil jeg sælge for hvad vi kan
blive enig om, men den yngste vil jeg ikke skille mig ved,
thi han er baade forstandigere og tillige smukkere, og ham
holder jeg meget mere af, og vil ikke miste ham for me‐
get; og ham sælger jeg ikke uden for høj Betaling." Og
da Sigurd hørte dette, spurgte han, hvormeget han vilde
have, men Bonden undslog sig bestandig, hvilket kun gjorde
Sigurd saa meget begjerligere. Og tilsidst er at fortælle

om denne Handel, at den ældste Dreng gik for en Mark
Guld, men den yngste for ni Mark Guld, og Bonden
vilde dog ikke saa gjerne have været af med ham, som
med den anden Dreng. Derefter drog Sigurd bort med
sin Frænde Olaf, og hjem til Garderige. Men i dette
Land var det Lov, at ingen maatte der opføde en Konge-
søn af udenlandsk Slægt eller fra et fjærnt Rige uden
selve Kongens Vidende. Sigurd førte Olaf hjem med sig
til sin Bolig, og varetog ham der hemmelig, saa kun faa
vidste af hans Nærværelse, men sørgede for Resten godt
for ham; og saaledes hengik en Tid. Det hændte sig en
Dag, at Olaf, uden at Sigurd vidste deraf, gik bort fra
sit Herberge tilligemed sin Fostbroder; de gik dog hemme-
lig afsted, og kom hen i et Stræde. Og der saae Olaf
paa een Gang sin Fjende, ham, som for sex Aar siden
havde dræbt hans Fosterfader for hans Øjne, og derpaa
solgt ham selv i Trældom; da han nu fik Øje paa ham,
blev han rød som Blod, svulmede i Ansigtet, og blev
ganske ophidset ved dette Syn; han skyndte sig da tilbage,
og hjem til sit Herberge. Kort efter kom Sigurd fra
Torvet, og da han saae sin Frænde Olaf svulmende af
Vrede, spurgte han, hvad der fejlede ham; han fortalte
ham Grunden dertil, og bad ham være sig behjælpelig til
at hævne hans Fosterfader: „saadan Harm og saa me-
gen Skam, som den Mand tilføjede mig," sagde han, „jeg
vil nu hævne min Fosterfader." Sigurd sagde, at han
vilde tillade ham det, hvorpaa de stode op, og gik med et
stort Følge, og Olaf var Vejviser til Torvet. Og da
Olaf saae Manden, grebe de ham, og førte ham udenfor
Borgen. Derpaa gik den unge Dreng Olaf frem, og
vilde nu hævne sin Fosterfader; man gav ham da en stor

Bredøre i Haanden til at hugge Manden. Olaf var den
Gang ni Aar gammel. Derpaa svang Olaf Øren, og
hug ham over Halsen, og Hovedet af; hvilket Hug an-
saaes for meget mærkeligt af saa ung en Mand. Paa
denne Tid vare der i Garderige mange Spaamænd, som
kunde forudsige mange Ting; de sagde i Følge deres
Spaadomsgave, at en fornem og ung Mands Fylgier
vare komne der til Landet, og aldrig før havde de seet
nogen Mands Fylgier lysere eller fagrere, og dette san-
dede de med mange Ord, uden dog at kunne vide, hvem
han var. Men saa overordentlig, sagde de, var hans
Fylgie, at det Lys, som skinnede over den, udbredte sig
over hele Garderige og vide over den østlige Deel af
Verden. Men efterdi Dronning Allogia, som før er sagt,
var en overmaade forstandig Kvinde, saa forekom dette
hende særdeles mærkeligt. Hun bad nu Kongen med fagre
Ord, at han vilde lade stævne Thing, at man skulde
komme did fra alle nærliggende Herreder; da, sagde hun,
vilde hun komme derhen og træffe en Foranstaltning, saa-
ledes som hende tyktes. Kongen gjorde det, og der sam-
ledes en stor Mængde Mennesker. Nu befalede Dronnin-
gen at der skulde slaaes en Kreds af hele Skaren; „og
den ene," sagde hun, „skal staae ved Siden af den anden,
saaledes at jeg kan see enhver Mands Aasyn og Ansigts-
træk og især hans Øine, og jeg haaber at kunne skjønne,
hvem der tilhører denne Fylgie, naar jeg faaer hans Øje-
steen at see, og det vil da ikke kunne skjules, hvo der
har denne Natur." Kongen bifaldt hendes Tale, og da
dette Thing havde varet i to Dage, og Dronningen var
gaaet fra Mand til Mand, betragtende hver Mands Ud-
seende, uden at finde nogen, som hun kunde formode

raabte for saa stor Lykke; da Thinget saaledes havde
varet i to Dage, og den tredie Dag kom, da blev Thin‑
get endnu mere forøget, og alle søgte derhen efter hans
Befaling, de de ellers vilde blive straffede. Hele Folket
dannede nu en Kreds, men denne berømmelige Kvinde og
herlige Dronning betragtede enhver Mands Aasyn og Ud‑
feende. Da kom hun endelig hen til det Sted, hvor der
stod en ung Dreng for hende i slette Klæder, han havde
en Kappe paa, og Hætten var slaaet ham tilbage over
Skuldrene. Hun saae paa hans Øjne, og mærkede strax,
at ham tilhørte denne høje Lykke, førte ham frem for
Kongen, og forkyndte for alle, at nu var han funden,
som hun længe havdt ledt efter. Denne Dreng blev nu
taget i kongelig Beskyttelse. Han kundgjorde da for Kon‑
gen og Dronningen sin Æt og høje Fødsel, at han ikke
var Træl, men nu kom det for Dagen, at han var smyk‑
ket med kongelig Æt. Derpaa antog Kongen og Dron‑
ningen Olaf til Opfostring med Kjærlighed og megen
Godhed, og de velsignede ham med mange Goder, som
om han var deres egen Søn. Drengen vorte op i Gar‑
derige, tidlig fuldkommen i Styrke og Forstand, og han
tiltog altsom han vorte til, saa at han i saa Aar over‑
gik sine Jævnaldrende i alt det, som pryder en god Høv‑
ding. Og strax da han begyndte at vise sig og sine Fær‑
digheder, udmærkede han sig paa mange Maader, og i
kort Tid havde han lært al ridderlig Færd og krigerske
Øvelser, saa godt som Mænd, der ere de kjækkeste og
drabeligste i denne Syssel. Herved erhvervede han sig
megen Berømmelse og Gunst, først hos Kongen og Dron‑
ningen, og saa fremdeles hos alle andre saavel Høje som
Lave; han opvorte nu der, og tiltog i Forstand og Aar

og alle Færdigheder, som pryde en berømmelig Høvding.
Og Kong Valdemar gjorde ham snart til Høvding i Hir-
den, og satte ham til Formand for de Krigere, som skulde
vinde Hæder for Kongen, og han øvede mangen fortrinlig
Daad i Garderige og vide om i de østlige Lande, skjøndt
kun faa vorde omtalte. Da han var tolv Aar gammel,
spurgte han Kongen, om der vare nogle Borge eller Land-
skaber, som havde ligget under hans Herredømme, og som
Hedningerne havde taget fra hans Rige, saa at de nu
besade hans Ejendom og Hæder. Kongen svarede og
sagde, at vist nok vare der nogle Borge og Torper, som
havde tilhørt ham, men som andre havde frataget ham
og lagt til deres Rige. Olaf sagde da: „Giv mig da
nogle Folk og Skibe til min Raadighed, og lad os see,
om jeg kan vinde det tabte Rige tilbage, thi jeg længes
efter at bekrige og stride med dem, som have skabet eder;
dertil vil jeg benytte eders Lykke og min egen, og enten
vil jeg da faae dem dræbte eller de maae flygte bort for
min Magt." Kongen optog dette vel, og gav ham slige
Folk, som han forlangte. Nu viste det sig, som før blev
sagt, hvor dygtig han var i alt Ridderskab og Krigs-
øvelse; han forstod ogsaa godt at styre Fylkingerne, da
han længe havde øvet sig deri. Han drog nu afsted med
denne Hær, og holdt mange Slag, og vandt en stor
Sejer over sine Fjender; han tilbagevandt alle de Borge
og Kasteller, som før havde ligget under Garbekongens
Rige, og mange fremmede Folkeslag lagde han under Kong
Valdemars Herredømme. Men om Høsten vendte han til-
bage med herlig Sejer og anseeligt Bytte; han havde da
mange Slags Kostbarheder i Guld, herlige Klæder af
Peld og dyrebare Stene, som han bragde Kongen og

Dronningen; og nu var hans Hæder fornyet, og alle ønskede ham velkommen med megen Glæde. Saaledes blev han ved hver Sommer at hærge og at øve berømmelig Daad, men om Vinteren var han hos Kong Valdemar. Og imedens han straalede i al denne Herlighed, da fortælles der, at han efter en stor Sejer vendte hjem til Garderige; de sejlede da med saadan Bram og Dejlighed, at Sejlene paa deres Skibe vare af kostbart Pelb, og det samme vare ogsaa deres Telte. Men af saadant kan man skjønne, hvilken Rigdom han havde vundet ved den Stordaad, han øvede i de østlige Lande.

Om Kong Olaf.

6. Saa fortælle kloge og kynbige Mænd, at Olaf aldrig har ofret til Afguderne, men han vendte altid sin Hu fra sligt. Dog plejede han ofte at følge Kongen til Afgudstemplet, men kom aldrig derind; han stod da altid ude ved Døren. Engang talte Kongen til ham derom, og bad ham lade det være, „thi maaskee Guderne," sagde han, „vrebes paa dig, og du taber din Ungdoms Blomster; jeg saae gjerne, du vilde ydmyge dig for dem, thi jeg er bange for de ville hæftigen vrebes paa dig, saa meget som du udsætter dig derfor." Han svarede: „Aldrig rædbes jeg for Guder, der hverken have Hørelse eller Syn eller Vid, og jeg kan indsee, at de ingen Forstand have, og hvilken Natur de ere af, kan jeg mærke deraf, at du forekommer mig at have et tækkeligt Udseende, hver Gang den Tid er forløben, i hvilken du er der forat ofre til dem; men du forekommer mig altid at have et ulyksaligt Udseende saalænge du er der. Og deraf kan jeg slutte, at de Guder, du tilbeder, forestaae Mørkets Gjer-

ninger." Og man siger, at da Olaf stod i saadan An=
seelse, vare der nogle Mænd, mere avindsfulde end velvil=
lige, som bagtalte ham hos Kongen, og han blev udsat
for mange gjæve Mænds Had. Derfor drog han bort,
og havde en stor Hær med sig; han bekrigede hedenske
Folkeslag, og vandt altid Sejer; han drog vide om i
Østerleden, og underlagde sig Folket. Da han ledtes ved
denne Id, var det blevet Vinter, og han vilde da vende
hjem til Garderige. Da fik de stærk Modvind, som stand=
sede deres Rejse for denne Gang; han vendte sig da til
Vindland med sin Hær, og lagde sine Skibe til Leje.

Om Olaf Tryggvesøn og en Frue.

7. Over Vindland regjerede den Gang Kong Bu=
risleif, en stor Høvding; han havde fire Døttre; den ene
fik siden Olaf, den anden blev gift med Sigvalde Jarl,
den tredie med den danske Konge Svend Tveskjæg. Men
over det Landskab, hvor Olaf var landet, regjerede Kon=
gens Datter Geira; hun var Dronning, havde et stort
Rige, og regjerede det vel. Kort fra hendes Hovedstad
var Olaf landet med sin Flaade. Hun var mægtig, og
tilbragde sin Enkestand i Hæder og Ære. Hun havde en
dygtig og tro Høvding hos sig, som vogtede hendes An=
seelse og Hæder; denne Mand hed Dirin; en Dag rejste
han i et Ærende hen i Nærheden af det Sted, hvor Olafs
Skibe laae, og vendte derpaa igjen hjem. Dronningen
spurgte ham, hvor han kom fra og hvad Nyt han kunde
fortælle. Han svarede: „Jeg kommer fra Stranden, min
Frue!" „Hvad spurgte eller saae du?" sagde hun. „Hær,
Dronning," sagde han, „jeg skal sige dig noget, Dron=
ning, baade forunderligt og herligt, som du gjerne vil

vide, og som nu for nylig har viist sig." „Hvad da?" sagde hun. Dixin svarede: „Her i Havnen ved vor Borg ere komne mange herlig udrustede Skibe med alle Krigsfornødenheder, samt med dyrebare Klæder og mange Slags Kostbarheder; Folkene selv ere meget smukke, og forsynede med de bedste Vaaben og Hærklæder; sjelden ville saadanne Folk blive seete her. Men een af dem overgaaer dog langt de andre, og jeg troer vist, at der i ham skjules en Konge; thi denne Mand maa være af en særdeles fortrinlig og udmærket Natur; han er høj og vel voren, og har et skarpsindigt Aasyn og smukt Legeme; han har ogsaa saa skarpe og fagre Øjne, at jeg aldrig før har seet saa anseelig en Mand, og jeg kan forsikre eder, at denne Mand forekommer mig at være af mere end menneskelig Færd og Natur; han maa besidde meget Vid og udmærket Kløgt, og under dette herlige Udseende, tænker jeg, skjuler sig kongelig Værdigheds Hæder. Og hvis det ikke mishager eder, min Frue, da vilde jeg ønske I vilde opfylde hvad eders Hæder byder: Gaa ham sømmelig imøde med alle eders Mænd, og byd ham til eder paa bedste Maade! Jeg tænker, han gjerne vil modtage det, hvis han høflig bliver indbuden med Velvillie. Jeg hørte hans Mænd sige, at de vilde blive her i Landet i Vinter; og det er min Tro, at vi ville erholde noget Godt af denne Mands Nærværelse, naar vi kunne faae den. Og hvis I søger efter en Mand, Dronning, som kan forestaae med eder den kongelige Værdighed, være Forstander for eders Magt og eders Landværnsmand, og frelse eders Land mod eders Fjenders Anfald, hvem kan I da finde af højere Værdighed og smukkere end ham; og aldrig i eders Dage vil I finde nogen, der saaledes kan være

Værn og Forsvar mod eders Fjender. Og med Sandhed maa jeg sige efter den Forstand, som mig er given, at jeg troer I finder aldrig en saadan Mand i eders Land, ja ikke blot i eders Land, men om I end søger blandt alle Mænd, som fødes under Himlen, saa vil du dog foretrække ham for alle andre, thi hans Lige finder du ikke." Dronningen sagde: „Hvis eder synes, at det sømmer sig saa vor Værdighed, saa begiv dig til ham, og forkynd ham fra mig, at jeg byder ham hid med alle hans Folk." Dixin sagde: „Hvis I giver mig Tilladelse dertil, Frue, da vil jeg gjerne fare." Derpaa drog han med mange Mænd ned til Skibene, og i Høvdingernes og alle hines Paahør fremførte han med megen Veltalenhed Dronningens Ærende. Og da Olaf hørte denne Indbydelse og den Venskabelighed, hvormed den skete, da glædte han sig, og takkede med fagre Ord for hendes Højmodighed. Da Olafs Skibe vare satte paa Land og Folkene vare færdige, gik han med alle sine Mænd til Borgen. Men Dronningen red ham imøde med megen Pragt, og bød Olaf velkommen, som da med Rette kunde kaldes Konge, og hun modtog ham med meget Venskab, og spurgte først efter hans Navn, og siden efter hvilken Værdighed han besad. Og da han havde sagt hende de Ting hun havde spurgt om, gav Dronningen ham en herlig Hal, samt mange Tjenestefolk, baade Karle og Kvinder, og alt hvad der hørte til at besætte Hallen. Dronning Geira regjerede over Landet Germania imod Vesten, hvor baade Jordens Beskaffenhed og Folket er bedre end andre Steder. De herskede nu med megen Herlighed, men Olaf beboede denne Hal. Og da det kom mod Julen, bleve store Tilberedelser gjorte, og mange indbudne. Og da alt var færdigt til

Gjæstebudet, gik Dronningen med et stort Følge hen til Olaf, og indbød ham til at de skulde drikke sammen i den Hal, hvor hun selv drak med sin Hird. Han tog derimod med meget Venskab, og dette Gjæstebud blev meget berømt. Olaf og Dronningen sade i eet Højsæde, og drak af kostelige Kar baade Mjød og Viin. Høvdingen Dirin talte vexelviis med dem med meget Vid; og sagde til hende, hvilken Styrke og Hæder det vilde være for hende, hvis hun havde en saaban Mand til at styre sit Rige. Ligeledes talte han med ham om, hvor ønskeligt det var at raade over et Rige, der var forsynet med saa mange Goder, men især, hvor meget hun overgik andre Kvinder i sin Færd og Natur og i alle legemlige Fortrin, og om de end begge søgte hele Verden over forat finde et godt Giftermaal, vilde intet sømme sig bedre, end naar han tog hende til Kone, og hun ham til Husbonde. Og da han havde udsaaet denne Ordsæd i deres Bryst, gav den sig til at slaae Rebber og at fæstes hos dem begge, og det forekom dem ønskeligt og de spaaede sig megen Lykke deraf. Derpaa blev Gjæstebudet forøget med de fortræffeligste Fødemidler, og varede mange Dage, og tog saaledes til at den sidste Dag blev der endnu stærkere beværtet end den første, som det sømmede sig en mægtig Konge, med alle de bedste Levnetsmidler, som vare at faae.

Om Kong Olaf.

8. Der levede Kong Olaf nu i megen Hæder og Velbehag. Engang da han sad og talte med Dronningen, sagde han: „Er der nogen Borg, Herreder eller Landstrækninger, som have unddraget sig fra eders Herredømme, og I gjerne vilde have igjen, og som Ransmænd eller

Vikinger have med Uret frataget eder?" Dronningen
svarede: „Herre! jeg skal nævne eder de Borge, som
have unddraget sig fra vort Herredømme, og længe have
vi taalt deres Overmod." Derefter udrustede Olaf sin
Hær til at drage fra Landet, og havde mange Folk, og
søgte til de Borge, som tilhørte Dronningen. Og naar
han indsluttede Borgene, forelagde han dem to Vilkaar,
hvad enten de vilde betale Skat efter Ret og Skjel, og
yde den Tjeneste og Lydighed, som de vare forpligtede til,
eller han vilde anfalde Borgene, og da maatte de vente,
at der hverken sparedes dem Liv eller Gods. De, som
forsvarede Borgene, talte meget derimod, og sagde, at de
ikke vilde overgive sig, men modsætte sig med al deres
Magt. Derpaa beleirede han Borgene, og bestred dem
med Vaaben, og lod Valslynger bære derhen, og anvendte
andre Kunster, som hans Mænd vare vante til, og saa
hæftigt var hans Anfald, at der ingen Modstand kunde
gjøres, men han brød Borgene, gik op med sine Folk, og
bemægtigede sig en overordentlig Mængde Gods. Og alle
de, som stode imod og svarede stoltelig, maatte nu bukke
under med Skam, og alle de bleve dræbte, som ikke yd‑
mygelig bade om Naade, og Olaf kunde skalte og valte
som han vilde. Han drog nu til en anden Borg, og be‑
leirede den, og forelagde dem samme Betingelser, som de
forrige. Men de svarede: „Vi have spurgt, hvor stærk
eders Magt er, og hvor ilde det gaaer dem, som mod‑
sætte sig eders Befaling; vi ville nu fatte en fornuftigere
Beslutning, end vore Naboer, overgive os i eders Vold
og aabne Borgen for eder." Olaf tog venlig derimod;
de aabnede da Borgportene, og han gik ind i Borgen.
Og da samlede sig alle Høvdinger og mægtige Mænd og

hele Almuen, og de opmuntrede hinanden med Iver, til
under ingen Omstændigheder at give efter. Men da Olaf
mærkede dette Forræderi, at der kom en uhyre Hær imod
dem fra alle Sider, saa drog han sig tilbage ud til et
Sted paa Borgmuren, og raabte højt til sine Kamerader,
som stode ved Muren: „Een Udvej seer jeg nu for os,"
sagde han, „nemlig at stige ned fra Muren, og jeg vil
først forsøge det, og siden tage imod eder, naar I springe
ned, og det vil ingen Nød have, thi der er blød Leerjord
underneden." Derpaa sprang han ned, og det befandtes,
som han sagde, og han opmuntrede nu de andre til at
springe bagefter, skjøndt det tyktes dem højt. De gjorde
nu saa, sprang ned fra Muren, og ved hans Bistand
frelstes de alle. De belejrede nu alle Borgen, og gjorde
saa haardt Anfald, at de brøde store Aabninger, hvorpaa
alle trængte ind; og da skortede det ikke paa en haard
Kamp. Der handledes uden Barmhjertighed med dem, og
de maatte bitterlig fortryde deres Misgjerning; de dræbte
hver Mands Barn, og plyndrede alt Godset, nebbrøde
Borgen, og stak tilsidst Ild paa den. Og med saadan
Sejer vendte Olaf tilbage, og bragde Dronningen Guld
og Sølv og herlige Kostbarheder. Man holder for, at
denne Borg, som Olaf belejrede, var Jomsborg, hvor
man vilde svige ham, og hvor han blev indsluttet i Bor-
gen med tresindstyve Mand.

Om Kong Olaf.

9. Da Olaf havde været tre Aar i Vindland, til-
drog det sig, at Dronningen pludselig døde. Og dette
foraarsagede Olaf megen Sorg, da han tog sig det over-
maade nær. Efter denne sørgelige Begivenhed fandt han

ikke mere Behag i det Rige. Men han havde forestaaet det med saadan Berømmelse, at alle Indvaanerne elskede ham inderligen; han kunde desuagtet ikke give sig tilfreds; hvorfore han beredte sin Hær til at forlade Landet, og haabede, at han da snarere vilde glemme sin Sorg; han agtede at fare til Rusland. Men da han kom til Danmark, gik de op fra Skibene paa Land, og toge Strandhug, som Skik er, og toge meget Kvæg og dreve det til Stranden. Indbyggerne samlede sig, og satte efter dem med en stor Hær. Og da de saae en stor Mængde fare efter sig med alle Slags Vaaben, saa flyede de til deres Skibe. Men da de havde søgt langt op i Landet, og der nu var en lang Vej til Skibene, og deres Fjender vare komne efter dem, saa de vare dem lige i Hælene, da vare de komne til en lille Skov, som kun var et ringe Skjul at hjælpe sig ved. De gik nu hen, hvor nogen Skygge af Skoven kunde bedække dem. Da sagde Olaf: „Jeg veed, at en almægtig Gud styrer Himmelen, og jeg har hørt, at han har et Sejersmærke, i hvilket er megen Kraft, og det kaldes Kors. Lader os nu anraabe ham, at han vil befrie os, og lader os alle falde ned til Jorden og ydmyge os for ham! Lader os nu tage to Kviste, og lægge dem i Kors over os! Gjører nu alle, som I see mig gjøre! De gjorde saa, lagde sig ned, og toge to Kviste, og lagde dem over sig i Korsets Lignelse. Men deres Fjender kom nu til Skoven med Støj og Raab, og tænkte at skulle gribe dem, thi de saae dem kort før. Og nu løb de til dem, og traadte paa dem, men fandt dem ikke; saaledes skjulte Korsets Tegn dem ved vor Herre Jesu Kristi Bistand, at de ikke bleve seete af deres Fjender, og vare forhen nær faldne i deres Hænder; de andre vendte da med megen Forundring tilbage. Da Olaf og hans Mænd saae det, sprang de op, og vilde til deres Skibe. Dette saae nu deres Fjender, og satte efter dem anden Gang. Og da var der ingen anden Maade at skjule sig paa, end at de lagde sig paa den flade Jord. Ikke desmindre bleve de hjulpne ved guddommelig Bistand, thi da skete det saa forunderligt, da de laae paa Marken, at de, som gik og ledte efter dem, saae dem ikke; de ransagede det bedste de kunde, men fandt dem dog ikke, og vendte da atter tilbage uden Ære og Sejer. Saaledes befriede det hellige Kors Olaf fra Faren paa jævn Mark som i tyk Skov. Olaf drog da til sine Skibe, og de takkede Gud at de vare undkomne.

Om Kong Olafs Drøm.

10. Derefter sejlede Olaf bort med sine Skibe, og styrede øster til Garderige. Kongen og Dronningen toge overmaade vel imod ham; og han opholdt sig der om Vinteren. Og engang bares ham et mærkeligt Syn fore: Det forekom ham at han saae en stor Steen, og at han gik langt op ad den, lige til han kom ovenpaa den; ham tyktes da, at han blev hævet op i Luften over Skyerne; og da han opløftede sine Øine, da saae han overmaade fagre Steder og lyse Mennesker, som boede der; han mærkede ogsaa en søb Lugt og saae alle Skovens fagre Blomster, og der forekom ham at være større Herlighed, end han var i Stand til at tænke og sige. Da hørte han en Røst tale til sig: „Hør du, som er skikket til at vorde en god Mand, thi du tilbad aldrig Guderne, og viste dem ingen Afgudstjeneste, men snarere foragter du dem, og derfor skulle dine Gjerninger mangfoldiggjøres til

det Gode og tage til; men endnu skorter dig dog meget til at du kan være paa disse Steder og til at du kan leve her evindelig, thi du kjender endnu ikke din Skaber, og du veed ikke hvem den sande Gud er." Og da han havde hørt dette, forfærdedes han hæftig, og sagde: "Hvo er du, Herre, at jeg kan troe paa dig." Røsten svarede: "Drag du til Grækenland, der skal Herren din Guds Navn kundgjøres dig; og naar du holder hans Bud, da skal du have det evige Liv og Salighed; og naar du rettelig troer, da skal du omvende mange andre fra Vildfarelsen til Frelsen; thi Gud haver bestemt dig til, at du skal tilføre ham mange Folkeslag." Da han havde hørt og seet dette, da vilde han stige ned af Stenen; og da han foer ned, da saae han gruelige Steder fulde af Luer og Kvaler, og derhos hørte han en ynkelig Graad og mange Slags gruelige Ting; og det forekom ham, at han der gjenkjendte mange Mænd, som havde troet paa Afguder, baade Venner og Høvdinger; og det forekom ham, at han saae Kvalen, som var beredt for Kong Valdemar og hans Dronning. Dette gjorde et saadant Indtryk paa ham, at da han vaagnede, flød han i Taarer, og han vaagnede med stor Skræk. Derefter befalede Olaf sine Folk at gjøre sig færdige til Bortrejsen; "jeg vil nu," sagde han, "sejle til Grækenland." Og saa gjorde han, og fik god Bør, og kom til Grækenland, og traf der bønhøre og vel oplærte Præster, som lærte ham at kjende vor Herre Jesu Kristi Navn. Han blev nu underviist i denne Tro, som forhen var ham forkyndt i Søvne. Derpaa traf han en berømmelig Biskop, og bad ham meddele sig den hellige Daab, som han længe havde været begjerlig efter, forat han kunde være i kristne Mænds Samfund; og derpaa blev han primsignet. Derpaa bad han Biskoppen fare med sig til Rusland, og forkyndte der Guds Navn iblandt Hedningerne. Biskoppen lovede at tage med, naar han selv vilde rejse, thi da vilde Kongen selv og andre store Høvdinger gjøre mindre Modstand, og snarere vilde han medvirke til, at Værket maatte faae Fremgang og Guds Kristendom voxe og tiltage. Derpaa drog Olaf bort og tilbage til Rusland, hvor han, som før, blev modtaget vel. Der opholdt han sig nu nogen Tid, og talte ofte til Kongen og Dronningen, at de skulde sørge for deres Frelse, og at det var langt fagrere at troe paa den sande Gud og Skaberen, som skabte Himmel og Jord, og alt hvad deri findes. Han sagde ogsaa, hvor ilde det sømmede sig for mægtige Mænd, at fare vild i saa stort Mørke, at holde det for Gud, som ingen Hjælp kan yde, og at lægge paa det al Vind; „J kunne ogsaa,” sagde han, „med eders Forstand skjønne, at det er sandt, som vi forkynde. Og aldrig skal jeg aflade at forkynde eder den sande Tro og Guds Ord, at J kunne give Frugt for den almægtige Gud.” Men skjøndt Kongen stod længe imod og modsatte sig at forlade sin Tro og Afgudsdyrkelsen, saa bragdes han dog ved Guds Miskundhed til at indsee, hvilken Forskjel der var paa den Tro, han havde, og den, Olaf forkyndte. Han blev ogsaa ofte herligen mindet om at det var Vildfarelser og Modsigelser, som de forhen havde antaget, men de Kristnes Tro var bedre og herligere. Og formedelst Dronningens helbringende Tale, hvormed hun ved Guds Miskundhed understøttede denne Sag, lovede Kongen og alle hans Mænd at modtage den hellige Daab og sande Tro, og hele Folket der blev kristnet. Og da dette var fuld ført, beredte Olaf sig til at rejse bort derfra, og hans Berømmelse udbredte sig nu meget, hvor han kom frem, ikke allene i Garderige, men lige til Norden. Og da kom ogsaa Olafs Berømmelse lige nord til Norge, og hvilken ypperlig Gjerning han øvede hver Dag.

Om Kong Olaf.

11. Der fortælles, at Olaf hørte tale om en udmærket Mand paa en Ø, der hedder Syllingerne; det er kort fra Irland. Han var prydet med fortrinlig Gave og Spaadoms Aand fra Gud. Olaf sejlede med sine Skibe hen til denne Ø; han havde da sex Skibe. Manden paa Øen vidste af sin Viisdom at de vilde komme did; han befalede nu alle Munkene, som vare der, at iføre sig prægtige Klæder og gaae til Stranden med alle Helligdommene. Der vare mange Munke og Klerke og Guds Tjenere, og de vare alle iførte kostbare Kapper; dette var tidlig om Morgenen. Paa den Tid gik Olaf i Land, og saae en stor Skare drage ned fra Landet, og Morgensolen skinnede paa de kostelige Klæder. Og da Olaf saae, at det var Fredsmænd, gik Skibsfolkene dem imøde. Og da de fandtes, modtog Olaf dem vel. Denne Abbed var Herre over Øen. De hilsede hinanden med Venskab, hvorpaa Abbeden sagde: „For kort siden blev det mig aabenbaret, hvo du er og hvilken Mand du skal blive; og i den Hensigt kom jeg, at jeg vilde lære dig den sande Tro og forkynde dig Herrens Jesu Kristi Navn, og den Daab, af hvilken du vil faae al Hjælp, saavel som alle de, der rettelig troe formedelst dit Bud." Derpaa begyndte han at forkynde ham Guds Ord, og talte om den almægtige Guds Miskundhedsgjerninger. Og derpaa

døbte han Olaf og alle hans Ledsagere, og helligede dem
alle i den hellige Daab. Derefter forbleve de her paa
Øen, indtil de aflagde Daabsklæderne, og de bestyrkedes
i det hellige Ord, og Olaf lærte der meget, og formedelst
hans Bønner erholdt Olaf af Gud, at han blev oplyst i
aandelige Ting. Derpaa gav han sine Mænd Lov til at
drage i Handelsfærd hvorhen de vilde, dog skulde de komme
til England, førend han tog derfra. Og efterat have er-
holdt denne Tilladelse, droge de i Handelsfærd, men Olaf
styrede med sine Skibe til England. Da han kom der,
hørte han, at en Jarl ved Navn Sigurd regjerede over
Northumberland. Derhen styrede Olaf, og da han var
kommen over Havet, sejlede han opad en Fjord med me-
gen Kunst. Jarlen var da ogsaa kommen fra et Hærtog,
og laae der i Fjorden med tre Skibe, og de saae nu hine
prægtige Skibe løbe overmaade vel, og besatte med smukke
og særdeles vel udrustede Mænd; og een Mand saae de
var langt større og smukkere, end nogen de før havde seet;
han var iført Purpurklæder, og styrede det fagreste Skib,
og de søgte nu ind i Landet, lode Skibene løbe i Havnen
for blotte Master, da Sejlene vare tagne ind, og stæv-
nede rask til Havnen; og derpaa tjeldede de, og gjorde
alt i Stand. Jarlen undrede sig meget over deres Rask-
hed, og spurgte hiin anseelige Mand, hvem han var og
hvorfra han var kommen. Han sagde, at han hed Ale
(Ole) den Rige og var Kjøbmand; „men vi ere alle,“ sagde
han, „komne fra Garderige.“ Og deres Samtale varede
kun en kort Tid, førend de gjorde Fælleskab med hinan-
den, og lagde Skibe og Folk sammen; de vilde nu hærge
paa Vikinger og Ransmænd og onde Folkeslag, som vide
om havde bemægtiget sig store Landstrækninger. Og de

indgik den Forening imellem sig, at de af al Magt og
Kraft skulde ødelægge dem.

Om Hakon og Ale.

12. Paa den Tid da Olaf Tryggvesøn indgik denne
Forening med Sigurd Jarl, regjerede Kejser Otto over
Sarland og Peituland; han kaldtes Otto den Røde. To
af hans Jarler nævnes ogsaa, den ene hed Urguthjot,
den anden Brimisskjar; de vare store Høvdinger. Kejser
Otto aflagde det Løfte, at han inden tre Aar vare omme
skulde faae Danmark kristnet. Den Gang regjerede Kong
Harald Gormsøn over Danmark. Men Hakon Jarl Si-
gurdsøn var forpligtet til at komme Kong Harald Gorm-
søn til Hjælp, dersom hans Land blev overfaldet, efterat
han havde sveget Guldharald; dette var bestemt ved For-
liget imellem dem. Kejser Otto udrustede nu sin Hær
mod Danmark. Dette erfarede Kong Harald, og sendte
nogle Mænd til Norge til Hakon Jarl, forat bede ham
at komme ham til Hjælp, og Hakon gjorde sig snart fær-
dig, havde hundrede Skibe, og kom til Danmark; han
og Kong Harald samledes, plejede Raad med hinanden,
og bleve enige om at samle en Hær imod Kejseren og
drage ham imøde. Det kom da til Slag, og der faldt
mange paa begge Sider; tilsidst begav Kejseren sig paa
Flugten med sin Hær. Og da han kom til sine Skibe,
havde han et guldbeslaaet Spyd i sin Haand, ganske blo-
digt; han stak det i Havet og kaldte Gud til Vidne, og
sagde: „Naar jeg anden Gang kommer til Danmark, da
skal jeg enten faae Danmark kristnet eller her lade mit
Liv." Nu drog han hjem til Sarland. Men Kong Ha-
rald og Hakon Jarl lode opføre et stort Virke, som kaldes

Danevirke; det var opført tværtover Landet imellem Mundingen af Slien og Eideren; Hakon Jarl drog derpaa til
Norge.   Kejser Otto samlede nu en stor Hær i de tre
næste Aar, drog derpaa til Danmark, og havde nu en
langt større Magt end før; nu droge ogsaa hans Jarler
med ham. Kong Harald erfarede dette, og sendte Mænd
til Norge til Hakon Jarl, og bad ham om Undsætning.
Hakon Jarl gjorde sig snart færdig, hvilket tyktes ham
højt forundent; han drog til Danmark, og havde en stor
Hær. Han begav sig til Kong Harald med tolv Mand,
og Kongen blev glad; „vi vil nu sende Bud efter din
Hær," sagde Kongen. Jarlen svarede: „Vi maae først
tales noget ved, førend dette gaaer for sig; mig har du
at byde over baade til at meddele dig Raad og at yde dig
Bistand, saa og disse tolv Mand, som ere her med mig;
vi have nemlig een Gang før kommet dig til Hjælp med
en Hær, saaledes som aftalt var."   „Sandt er det,"
sagde Kongen, „men jeg haaber, at du lader denne Hær
være mig til Gavn." Hakon Jarl svarede: „Det er noget, som jeg ikke kan befale mine Mænd, thi de holde sig
forpligtede til at værge mig og mit Land, men ikke til at
værge dit Land." „Hvorledes skal jeg da bevæge dig og
dine Mænd til at yde mig Hjælp?" sagde Kongen. „Det
kan kun skee paa een Maade," sagde Jarlen, „naar du
nemlig eftergiver alle Skatterne af Norge. Og hvis du
ikke vil det, saa ville alle de andre, som ere komne hertil,
drage hjem, undtagen jeg og disse tolv Mænd." „Man
maa tilstaae," svarede Kongen, „at du overlister alle
Mænd i Klogt og Raadslagning; thi det er to vanskelige
Kaar, jeg har at vælge imellem." „Overvej det nu,"
sagde Jarlen, „men det synes, at Skatten fra Norge vil

være dig til liden Baade, naar du først er bleven dræbt i Danmark." "Snart skal jeg beslutte mig," sagde Kongen, "saaledes som Sagerne nu staae, yd mig din Bistand, og tag hvad du forlanger." Der blev da sendt Bud efter Jarlens hele Hær. De gave hinanden Haand paa denne Forening, og droge derpaa mod Kejseren med hele deres Magt; Kongen drog til Eideren med sin Hær, men Hakon Jarl med sin til Slien. Kejser Otto spurgte, at Hakon Jarl var kommen til Danmark, og vilde stride imod ham. Kejseren sendte da sine Jarler Urguthjot og Brimisskjar til Norge; de havde tolv Kogge med Mænd og Vaaben ombord, og skulde kristne Norge, imedens Hakon Jarl var borte. Nu maae vi først fortælle om Kejseren og hans Hær: de gik op i Land, og saae Danevirke, som tyktes dem vanskelig at angribe. Og nu mødtes Kejser Otto og Kong Harald, hvorpaa det strax kom til Slag; de strede paa Skibene, og der faldt mange paa Kong Haralds Side, hvorfore han veg tilbage. Derpaa lagde Kejseren til Land paa den anden Side ved Slimundingen, hvor Hakon Jarl var; der begyndte ogsaa strax Angrebet, men Kejseren havde mindre Fordeel, og tabte mange Folk; han lagde da fra og etsteds til Land. Og der traf han nogle Krigere, der havde sex Skibe, alle store. Kejseren spurgte, hvem der var deres Anfører? Denne svarede, han hed Ale. Kejseren spurgte, om han var en Kristen eller ikke; han svarede, at han var Kristen og havde antaget Kristendommen i Irland. Derpaa tilbød Olaf Kejseren sin Hjælp, og denne sagde, han vilde gjerne modtage den, thi han haabede, han vilde have Lykke med sig. Olaf forenede sig derpaa med Kejseren; han havde tre hundrede Mand. Kejseren og Olaf

og de andre Høvdinger holdt nu Raad, thi de vare i stor
Forlegenhed, da Hæren manglede Fødemidler; thi alt
Kvæget var drevet bort, og de kunde derfor ikke faae no-
get Strandhug. De havde da kun Valget imellem to
onde Kaar, enten at drage bort, uden at udrette videre,
eller at dræbe deres Heste til Føde; ingen af Delene syn-
tes de om. Men Kejseren vilde paa ingen Maade drage
bort. Han var nu meget bekymret i sin vanskelige Stil-
ling, og lod da Ale kalde til sig; og da han kom, mod-
tog Kejseren ham vel, og bad ham om at give sig et
godt Raad i denne Sag, saa at de hverken skulde be-
høve at drage bort med uforrettet Sag, eller æde deres
Heste eller anden Uføde. Ale svarede: „Gud raade der-
for, men den Vægt lægger jeg paa min Raadgivning, at
det jeg foreslaaer, skal anvendes; og det er mit første
Raad, ikke at spise nogen Uføde, hvorledes det end gaaer.”
„Deri samtykker jeg,” sagde Kejseren, „og ligesaa, at dit
Raad skal følges.” Ale sagde da: „Vi skulle anraabe
den almægtige Gud, at han vil give os Sejer; og der-
næst giver jeg det Raad, at hele Hæren i Dag skal fare
hen i Skoven, og hver Mand tage en Dragt Ved, og
bære det til Birket, og vi ville da see, hvad der videre
lader sig gjøre.” Dette skete nu efter hans Anordning.
Der var gjort et Dige udenfor Birket, ti Favne bredt og
ligesaa dybt, og Kasteller vare satte over Portene. Da
de nu havde baaret Vedet til Birket, sloge de store Broer
over Diget; derpaa toge de alle deres Vandkar, fyldte
dem med Træspaaner og Tjære, stak Ild deri, og lod
derpaa Karrene rende mod Birket med denne Tilberedning.
Der blæste en hvas Søndenvind og det var tørt Vejr;
Ilden opbrændte derfor først Karrene og det løse Ved,

angreb derpaa Birket, og ubbredte sig saaledes, at hele Danevirke brændte op paa denne ene Nat. Men da det blev Morgen, faldt der en stærk Regn, hvis Lige man næppe havde seet, og deraf slnktes al Ilden; man kunde da strar drage derover, hvilket næppe havde været muligt, hvis det ikke havde regnet. Da Kong Harald og Hakon Jarl fik dette at vide, bleve de slagne af Frygt; de flyg= tede og droge til deres Skibe. Men Kejser Otto og Ale droge over Broerne, og de havde da fastet fire Dage for Sejer, men nu fik de Levnetsmidler nok, og Kejseren fandt, at Ales Raad var vel lykkets. Og da spurgte Kejseren ham, hvorfra han stammede. Han svarede: „Nu skal jeg ikke længer holde mig skjult; jeg hedder Olaf, og er en Søn af Kong Tryggve af Norge." Nu satte Kej= seren og Olaf efter Kong Harald og Hakon Jarl, og de holdt tre Feltslage, hvori mange faldt, og Kong Harald og Hakon Jarl flyede hver Gang, men Kejseren og Olaf forfulgte dem igjennem Landet. Og hvor de droge frem, bøde de alle at lade sig kristne, og da skulde de i alle Henseender have Fred. De fleste valgte nu det som klo= gest var, og antoge Troen, men de, som ikke vilde det, blive dræbte. De vandt nu en stor og fager Sejer. Hakon Jarl og Kong Harald bleve ved at trække sig til= bage, og saae at deres Fordeel blev bestandig mindre og mindre, eftersom Folket lod sig kristne. De holdt et Stævnemøde med hinanden, og fandt deres Stilling endnu værre, end da de flyede fra Skibene. De bleve enige om, at sende Mænd til Kejseren, forat begiere Fred, og da ikke at ville modsætte sig at kristnes. Sendebudene droge nu til Kejseren, og forebragde dette Ærende, hvilket Kejseren tog vel imod, og han øuskede, at de alle skulde

holde Thing sammen. Sendebudene vendte tilbage, og
berettede Tingenes Stilling. Og nu kom de alle sammen
til eet Thing, det talrigste der har været i Danmark; da
opstod den Biskop, som var hos Kejseren og hvis Navn
var Poppa, paa Thinget, og forkyndte Troen for dem vel
og længe. Kong Harald sagde, efterat han havde hørt
Talen: „Det er ikke at vente, at jeg skulde forandre
mine Tanker ved din Tale ene og allene, med mindre jeg
seer, at den Tro, som J forkynder, besidder mere Kraft,
end den vi have tilforn.” Biskoppen sagde da: „Der
skal ingenlunde mangle paa Beviser paa vor Tro; man
maa nu tage et Jern og gjøre det gloende, og jeg vil
bære det i min Haand ni Skridt, men hvis den almæg-
tige Gud skjermer mig for Branden, saa at min Haand
er uskadt, da skulle alle eders Folk antage Troen.” Dette
lovede nu baade Kongen og Jarlen og alle deres Mænd.
Derpaa gik Biskoppen med Jernet, og brændte sig ikke;
saa skjermede Gud ham. Og da Kong Harald saae dette,
da antog han og alle hans Mænd Troen, thi dette Tegn
forekom dem meget kraftigt, og hele de Danskes Hær blev
da døbt. Hakon Jarl derimod var langt mere seen til at
antage Troen, og satte sig stærkt derimod, men lod sig
dog omsider bevæge og modtog Daaben. Og strax da
dette var skeet, bad Jarlen om Orlov til at rejse hjem,
hvilket ogsaa Kejseren tillod ham, dog betingede han sig
tillige, at Jarlen skulde overholde Kristendommen i Norge,
og paabyde Troen for andre, ellers skulde han opgive
Regjeringen. Nu drog han bort, og kom paa sin Vej til
Gotland, hvor han hærgede, men de Præster, som Kej-
seren havde givet ham med, sendte han tilbage. Jarlen
fik derpaa Efterretning om et Afgudstempel, hvori der

vare hundrede Guder, og som var helliget til Thor; did,
hen drog han, nedbrød Templet og bemægtigede sig alt
Godset. Han plyndrede derpaa rundt omkring i Landet,
fik meget Gods, og drog til sine Skibe. Ottar Jarl, som
da regjerede i Gøtland, blev meget forbitret, og drog mod
Jarlen, men naaede ham ikke, thi han var da borte.
Ottar Jarl stævnede derpaa Thing, gjorde Hakon Jarl
landflygtig og erklærede ham for en Skjænder af Hellig,
dommene, fordi han havde nedbrudt det fornemste Tempel
i Gøtland. Og da dette tildrog sig, erfarede Jarlerne
Urguthjot og Brimisskjar Hakon Jarls Foretagender, og
ventede sig derfor Ufred; de sejlede da bort fra Norge
med alle deres Skibe og endnu otte til, hvilke alle vare
ladede med Mænd og Gods, og vilde ikke oppebie Jarlen.
Men da Hakon Jarl spurgte, hvad Jarlerne havde fore,
taget sig, at de havde kristnet hele Vigen, saa blev han
meget vred derover, og sendte Bud over Vigen, at ingen
skulde overholde denne Tro; og da dette spurgtes, und,
flyede de, som ikke vilde fornægte Kristendommen, men
nogle vendte tilbage til Hedenskabet. Jarlen vendte lige,
ledes tilbage til Hedenskabet, og lod ligesaa mange Tem,
pler igjen oprejse, som der vare blevne nedbrudte. Og
saaledes sad han nu i Fred, og regjerede ene over hele
Norge, uden at betale Kong Harald nogen Skat, saa at
deres Venskab var meget i Aftagende. Kejseren, Kong
Harald og Olaf droge nu alle til eet Gjæstebud. Og
førend de skiltes ad, lovede Kong Harald, at alle hans
Mænd skulde bevare Troen, og det holdt han; derpaa
gave de gjensidig hinanden Gaver. Derefter drog Kej,
seren tilbage til sit Rige med glimrende Sejer. Han ind,
bød da Olaf Tryggvesøn til at drage med sig, men han

vilde heller drage andensteds hen og hærge paa hedenske
Folk; og de skiltes ad med Venskab.

Om Olaf Tryggvesøn.

13. Derpaa drog Olaf bort med sine Folk, og
hærgede baade paa Britter, Irer og Skotter, og anfaldt
hedenske Folk, men lod kristne Mænd fare i Fred. Der
var indgaaet den Aftale imellem Olaf og Sigurd Jarl,
at hver af Olafs Mænd skulde tage to Dele, naar Jar=
lens tog een, og Olaf selv tre Dele, mens Jarlen kun
tog een. Og dette var blevet bestemt saaledes, forbi Olaf
selv og hans Mænd i Begyndelsen erhværvede langt større
Bytte til Deling formedelst deres Tapperhed og Mod. Det
hændte sig, da de vare i Irland, og havde gjort Bytte,
som de ofte kunde rose sig af, da breve de utallige Hjor=
der til Skibene, baade Nød og Faar og Geder, som de
vilde have til Føde, og de breve disse ned til Skibene.
Da kom en fattig Stakkels Bonde, der var daarlig klædt,
til Olaf, og bad ham give sig sin Hjord, som han kjendte
sig ved, og at drive den tilbage til hans Huus. Olaf
svarede: „Jeg kan ikke opfylde din Begjering, thi det er
umuligt du kan kjende din Hjord blandt en saa stor
Mængde, du kan hverken skille den fra de andre eller faae
den samlet sammen, og der vil ingen kunne findes, som
skulde være i Stand dertil.” Bonden sagde da: „Viis mig
den Barmhjertighed, at jeg maa faae det af mit Kvæg,
som min Hund kan skille fra Hoben for mig.” Olaf
sagde: „Hvis du har saa klog en Hund, at den kan faae
dine Faar og Nød skilte fra de andre, og den ved sin
Forstand og Klogskab kan kjende dem fra den anden Hjord,
saa vil jeg tilstaae dig din Bøn, men pas vel paa, at du

10 B.　　　　　　　　　　　　　　　　O

ikke foraarsager os noget Ophold." Og paa Bondens Befaling løb Hunden ind i de utallige Flokke af Hjorden, og der var ikke forløbet en halv Time, førend den havde skilt alt Bondens Kvæg fra det andet, og drev det bort fra det andet Kvæg. Herover forundrede Olaf og hans Mænd sig meget, og undersøgte, hvilken Natur eller Forstand denne Hund besad. Bonden sagde, at den havde større Lighed med kloge Hyrder end med uforstandige Hunde, thi den havde Menneskeforstand. Olaf undrede sig meget derover, og ansaae Hunden, hvilket ogsaa var saa, for en stor Kostbarhed, og bad Bonden om han vilde give ham den. Og Bonden gav ham strax Hunden; men Olaf gav igjen Bonden en tyk Guldring og oven i Kjøbet, hvad der var mere værd, sit Venskab; og de skiltes nu ad som Venner. Denne Hund hed Vige, og det er almindelig Mening, at der aldrig har været en større Kostbarhed af den Slags, end denne Hund.

Om Olaf Tryggvesøn og Kjæmpen Alpin.

14. Der fortælles, at da Olaf kom til England, var der en Kjæmpe, der hed Alpin, en særdeles stærk Mand og en stor Holmgangsmand; han besad megen Ejendom, skjøndt han havde erhværvet den med Uret, og var i alle Henseender en overmodig Mand, men smuk af Udseende. I England var der en formedelst hendes Frænder anseelig Enke, der ogsaa selv var en mandig Kvinde; hun hed Gyda, og havde et stort Rige; til hende bejlede Kjæmpen Alpin. Men hun svarede saaledes, at hun vilde lade stævne Thing, og der vilde hun vælge den hun vilde have til Mand. Deri samtykkede Kjæmpen. Dette spurgte Olaf og Vikingerne, hvad Dronningen

nemlig havde aftalt med Kjæmpen; og mange af dem
gjorde sig færdige til at drage til Thinget, og smykkede
sig med prægtige Klæder, og haabede, de skulde blive
valgte; mange af dem havde ogsaa forhen forsøgt sig i
Mandeprøver. Olaf tog ogsaa derhen, og havde klædt sig
saaledes, at han havde en lodden Kappe paa, og skjulte
sit Hoved med en sid Hat; han drog nu til Things med
sine Mænd. Dronningen kom ogsaa til Thinget tillige-
med tredive Kvinder; de rede ud af Borgen i et prægtigt
Tog, men hun var dog anseeligere end alle de andre.
Kjæmpen Alpin sad paa en Stol, herlig smykket med de
kostbareste Silkeklæder og Guld og Ædelstene, ligest det
hvormed Afgudsbillederne smykkes paa Alteret. Og hen
til ham rede nu hine skjønne Kvinder, og sade paa deres
Heste. Kjæmpen tog strax til Orde: „Hør du æble Frue,
det er mit Bud, at I stige her af Hestene, og tager her
eders Sæde hos mig, og vælg mig til din Mand og Kjæ-
reste.” Denne mægtige Frue var Søster til Skotternes
Konge Olaf med Tilnavn Kvaran. Hun saae nu paa
begge Sider af sig en stor Skare og mange berømmelige
og smykkede Mænd; hun saae ogsaa, at Alpin var herlig
smykket. Hun red nu Kredsen rundt, og betragtede op-
mærksom alle de Mænd, der vare komne did, baade med
Hensyn til deres Udseende og Klæder, men fandt ikke den
hun søgte og som tækkedes hende; det samme gjør hun
endnu engang, at hun nemlig rider og ransager hver
Mands Aasyn og Udseende. Og da hun red den tredie
Gang, kom hun hen til en stor Mand i en lodden Kappe;
og da hun havde betragtet hans Øjne, sagde hun: „Denne
Mand vælger jeg til min Husbonde blandt alle dem, som
ere komne hid.” Og da Alpin saae sig tilsidesat og for-

agtet, saa at han ikke kunde vente sig dette elskelige Gif-
termaal, men derimod denne Mand udvalgt dertil, da lo
han bittert, og sagde, at det Giftermaal skulde han ikke
længe nyde Godt af. Thinget blev nu hævet, men et
prægtigt og herligt Gjæstebud forberedt, og Rygtet derom
udbredte sig over alle Landskaber; did drager først Jarlen
og mange andre Høvdinger, da Olaf skulde holde Bryllup
med denne Kvinde. Og da han sad ved Gjæstebudet,
kom Kjæmpen Alpin meget forbitret, og udæskede Olaf
til Holmgang, og sagde, han skulde vise baade sin Styrke
og Djærvhed. Det var den anden Gjæstebudsdag, at
Olaf blev æsket til Tvekamp. Han lovede, at komme.
Og strax den næste Dag i Dagningen drog Olaf selv
tolvte til Holmstævne; Kjæmpen kom ogsaa med fire og
tyve Mand; og de begyndte Kampen, og der faldt af
Kjæmperne to og tyve Mand. Og da kastede Olaf sine
Vaaben, løb imod Kjæmpen, greb ham, og fældte ham til
Jorden; og derpaa bandt han alle dem, som endnu vare
i Live, fast; satte saa Kjæmpen paa en Hest, lod ham
vende Ansigtet mod Halen, og drev ham saaledes foran
sig hjem til Borgen. Og da Jarlen og de andre Høv-
dinger saae dette, da tyktes dem alle, at det var den her-
ligste Sejer, som Olaf havde vundet, samt hvor haanlig
Kjæmpen var medhandlet og hvilken Skjændsel der var
vederfaret ham. Og da foragtede Jarlen dem, og sagde,
at han ikke vilde taale deres Overmod, og befalede ham
at forlade Landet, hvilket han ogsaa gjorde. Olaf op-
holdt sig der nogen Tid, og han og Gyda havde en Søn
sammen, der hed Tryggve; han stred siden med Svend
Alfifasøn tre Dage før Juul.

Om Hakon Jarl.

15. Nu maa vor Fortælling vende sig derhen, at den Gang regierede Hakon Jarl Sigurdsøn i Norge, som før er omtalt. Sigurd var en Søn af Hakon Grjotgardsøn. Denne Hakon var mægtig og snild, og ved sine Raad og listige Paafund fik han Harald Gunhildsøn fældet ved Hals i Limfjorden, og derefter Guldharald, som han selv nedlagde med Danekongens Samtykke. Saaledes forenedes de to Riger, Norge og Danmark. Da fik Hakon ogsaa det meget Guld, som hans Frænde havde ejet. Derpaa indsatte Kong Harald Hakon til Bestyrer og Jarl over Norge, men han skulde hvert Aar betale Danekongen Skat. I tretten Aar vare Nordmændene saaledes statskyldige til de Danske. Og i det trettende Aar streb Kejser Otto med de Danske. Da flyede Kong Harald og Hakon Jarl til Limfjorden; men derpaa flyede Hakon Jarl til Norge, og betalte aldrig siden nogen Skat til Danekongen. Men nogle Aar efter kom Jomsvikingerne ved Midvinters Tid til Norge med hundrede og halvfjerdsindstyve Skibe, og strebe med Hakon Jarl og hans Søn Erik i Hjørungevaag; og de strebes saa tappert, at man har faa Exempler i de nordiske Riger paa et saadant Slag. De strebes den hele Dag, men Hakon Jarl tog stundum i Land, og bragde sine Afguder Offer, og paakaldte dem meget; men paa den Dag udrettede hans Bøn intet. Der faldt mange af hans Mænd, og kun faa af Jomsvikingerne. Og den næste Dag strax ved Solens Opgang begyndte de atter Slaget, og strebe lige til Solen stod i Sønder. Og da gik Hakon i Land, og paakaldte nu Thorgerd Holdabrud for Sejer, men førend hans Bøn

opfyldtes, gav han hende sin ni Aars gamle Søn. Og
da kom hun med til Slaget, og der skete et forfærdeligt
Slag med Hagelvejr; og da lede Jomsvikingerne et stort
Nederlag. Erik Hakonsen gjorde hæftige Anfald, og ned-
lagde mange. Da flyede Sigvalde Jarl med tredive Skibe
til Danmark; men Bue blev tilbage, og sagde, at det
var bedre at lade Livet der med Mandighed, end at flye
med Angst og Bæven. Og den tredie Dag strede de med
frygtelig Tapperhed. Men eftersom mange kom Hakon
Jarl til Hjælp, de andre derimod maatte hente Undsæt-
ning langtfra, og mange faldt, saa kunde de ikke gjøre
Modstand. Og da Bue saae sine Mænd falde, og Fol-
kene omkring sig formindskes, men Fjenderne begyndte at
entre, da greb han sine Guldkister hver i sin Arm, efterat
have kjæmpet paa det bjærveste; han bar sig da saaledes
ad, at han stak sine Armstumper i Kisterne, raabte der-
paa: „Overbord, alle Bues Mænd!” og styrtede sig
saa overbord.

Om Hakon Jarls svigefulde Anslag imod Olaf Tryggveson.

16. Nu er at fortælle, at Hakon Jarl hørte mange
Berømmelser over de mangfoldige Feldtslag og snilde Fo-
retagender, som Olaf Tryggveson svede vide om. Da
tænkte han frem og tilbage paa, hvorledes han skulde
forebygge, at han ikke ved noget Paafund eller underfun-
dige Kunster skulde berøve ham eller hans Sønner Riget;
og han pønsede paa mange Maader, hvorledes han kunde
oplægge Raad imod ham, at han ikke skulde miste sit Rige,
men søgte derimod at spænde ham selv nogen Snare, at
han kunde berøve ham sin Fædrenejord eller Livet. Han

løb nu stævne et talrigt Thing, til hvilket der kom mange Høvdinger. En Mand, ved Navn Thorer Klakka, var en stor Ven af Jarlen; ham kaldte han til sig paa Thinget, og sagde, at han vilde sende ham øster til Garderige, hvor han skulde forkynde, at Jarlen var død, samt at Landet nu laae uden Høvding, og det var alles Villie at unde Olaf Tryggvesøn Kongedømmet; „og i dette Ærende," vedblev han, „skulle Olaf Tryggvesøns tvende Morbrødre staae dig bi, og bekræfte dette, og sige, at de ere sendte for med Hæder at bringe ham tilbage til sit Fosterland. Men Olafs Frænder skulle sværge paa Tro og Love, at de ikke ville aabenbare Olaf denne List, førend de stige i Land i Norge; da skal det staae dem frit for." Man fortæller ogsaa, at denne Thorer havde før været hos Olaf, og var hans edsvorne Ven, og ikke desminde overtog han dette Forræderi, og havde saa fast forpligtet sig til svigefulde Planer imod Olaf Tryggvesen, og formedelst Jarlens Bestikkelser og Overtalelser lovet at opfylde hans Villie. Jarlen sendte nu Bud efter Olafs tvende Frænder; den ene hed Karlshoved, den anden Josteen. Og da de kom til Jarlen, gjorde han dem bekjendte med det Forræderi han havde fore; men de afsloge at deeltage deri, og sagde, at dette var et Foretagende, som det lidet skikkede sig for dem at øve mod deres Frænde. Jarlen sagde, at de valgte sig en slettere Lod, som de endnu mindre vilde have Lyst til, hvis de afsloge dette; de skulde nemlig strax døe, hvis de ikke opfyldte hans Villie. Nu vovede de ikke andet, end at samtykke i hans Forlangende. De beredte sig nu til Rejsen, og hver af dem førte sit Skib; derpaa sejlede de til England, og da de kom der, spurgte de, at Olaf var da faret øster til Garderige.

Derpaa sejlede de derhen; og da de kom der, modtog han dem vel og med meget Venskab, og anrettede et sagert Gjæstebud for sine Frænder. Derpaa gav Thorer sig til at fremføre sit bedragerske Ærende, og berettede Olaf alt det, som vi før fortalte. Olaf spurgte da sine Morbrødre, om det var sandt hvad han sagde. De ludede med Hovedet, og svarede forsagt og med mørkt Aasyn, at det var sandt. Olaf troede dem nu, at det maatte være sandt, thi alle deres Folk bekræftede det. Men det undrede Olaf og mange andre, hvorfor Brødrene Karlshoved og Josteen vare saa nedslagne i saa glad en Sammenkomst. De vare der nu om Vinteren. Om Foraaret gjorde Olaf sig færdig til at rejse fra Garderige med sex Skibe, foruden de tre, paa hvilke de andre vare sejlede did. Disse Skibe vare ladede med mange store Kostbarheder, Guld, Ædelstene, kosteligt Peld og alt Slags Kjøbmandsgods, som var sjeldent i Norge. Han sejlede nu uden at vide noget af dette hans Frænders Forræderi, og foretog uden nogen Mistanke denne Rejse. De sejlede med god Bør og megen Glæde. De landede i Norge paa det Sted, som hedder Thjalveshule, og tjeldede over deres Skibe. Og da Mændene vare faldne i Søvn, gik Josteen og hans Broder over paa Olafs Skib; de kom hemmelig og forsagte, og bade ham gaae i Land; han gjorde saa, og de satte sig ned kort fra Bryggen, og talte sammen; da sagde de begge paa een Gang: „Vi have begge fortjent Døden af eder, og derfor bringe vi eder vore Hoveder, formedelst vort Bedrageri og Svig.” Derpaa fortalte de grædende den hele Sammenhæng, „og paa dette Sted, Frænde!” sagde de, „maa Døden være eder tiltænkt.” Da svarede Olaf: „Beholder selv eders Hoveder, og jeg vil tilgive eder dette, men siger mig nu,

hvad jeg skal gjøre." De sagde da: „Vi vide, at en
Finn har sin Bolig her i dette Fjeld, og han veed mange
Ting forud; lad os gaae hen og opsøge ham, og spørge
ham hvad vi skulle gjøre, og bede ham give os et godt
Raad." Olaf sagde da: „Det er mig ledt og lidet om
at gjøre at opsøge det Slags Mennesker eller at søge
Hjælp hos dem, men siden eder saa synes, saa skee Guds
Villie og vor!" De gik derpaa om Natten i Mørket, og
Vejen var fuld af Morabser og man kunde let synke i;
Olaf faldt da i en Pøl med begge Fødder, men de rakte
ud efter ham og hjalp ham op; da sagde Olaf: „Det
er Straf som forskyldt, og det viste sig, at det skikker sig
ilde at søge Trøst eller Hjælp hos Finnen, og jeg har
faaet det betalt." De andre svarede: „Det er et gam-
melt Ord, at det skal blive galt, før det bliver godt."
Finnen vidste nu deres Færd forud, og lukkede Døren op
paa sit Huus, forat de kunde finde hans Bolig. Og da
de saae Lys derfra, saa fandt de snart Vejen did; og
Finnen talte indenfor, og sagde: „Jeg veed, Olaf, hvem
du er, og hvad du søger, og hvem du skal vorde; du be-
høver ikke at gaae ind i mit Huus, og haardt har jeg
haft det i Dag for din Skyld, siden du kom til Land;
der fare ikke ringe Fylgier med dig, thi lyse Guder led-
sage dig; men jeg kan ikke udholde deres Nærværelse, thi
jeg er af en anden Natur; og derfor skal du blive uden-
for, medens du taler med mig." Da sagde Olaf: „Siig
mig nu, Finn, hvorledes vi skulle bære os ad, hvordan
det vil gaae med vort Foretagende, og om jeg faaer dette
Rige eller ikke." Finnen svarede: „I Morgen tidlig vil
Thorer hente dig til Samtale, og bede dig gaae i Land,
og han vil udbede sig en hemmelig Samtale med dig, og

forlange, at I skulle sætte eder ned; han vil da see til
at vælge sig et højere Sæde end dig, men du skal sætte
dig derimod, thi to af hans Mænd ere skjulte i Skoven,
og strax naar han giver dem et Tegn, ville de løbe frem
og dræbe dig. Men lad du to af dine Mænd være paa
den Maade i Skoven, at de, strax naar du giver dem et
Tegn, kan løbe frem og dræbe Thorer; paa den Maade
vil Thorer blive fanget i den Snare, han satte dig, og
det gaaer da til som tilbørligt er. Men kort efter dette
vil Hakon blive dræbt, og du vil da erholde Riget; og
naar det er fuldbyrdet, som jeg nu siger dig, at du styrer
Norges Rige, da vil du paabyde en ny og ubekjendt Tro
i dette Land, og førend du standser dermed, ville de aller-
fleste af dine Undersaatter adlyde dette Bud; og hvis Er-
faringen bekræfter hvad jeg nu siger dig, da skal du ikke
byde mig nogen anden Tro og Levemaade, end den jeg
nu har, og ikke nøde mig dertil, thi jeg lader mig ikke
omvende til noget andet eller til at antage nogen Natur
forskjellig fra den jeg nu har; men jeg skjønner ikke at
jeg kan være eder eller eders Værdighed til nogen Nytte,
med mindre eders Hund skulde blive saaret; hvis saa
skeer, da send den til mig, og jeg skal læge den." Der-
paa droge de bort, gik ned til Skibene, og toge hemmelig
ombord, saa at ingen vaagnede derved. Og alt dette gik
for sig saaledes som Finnen havde sagt. Da nemlig Olaf
og Thorer talte med hinanden om deres Sæder, og de
begge vilde have det højeste, da svang Olaf sin Handske
med den højre Haand over sit Hoved, og da løb der fire
Mænd frem af Skoven, af hvilke de to vare Josteen og
Karlshoved, og disse løb foran de andre hen til det Sted,
hvor Olaf og Thorer sade, og hug begge paa een Gang

til Thorer, der saaledes endte sit Liv. Da Thores Mænd
saae dette, flyede de bort, men de, som vare paa Skibene,
bade om Naade, og denne tilstod Olaf alle dem, som
lovede at lade sig kristne og at yde ham Bistand, hvilket
de med Taknemmelighed modtoge. Da Olaf saae sig saa-
ledes omgivet med Svig, og dog frelst ved Guds Mi-
skundhed, da takkede han Gud; og herom er nu nok for-
talt for denne Gang.

Om Hakon Jarl den Mægtige.

17. Dernæst er at fortælle, at Hakon Jarl paa
sine gamle Dage begyndte at vise Haardhed imod Folket
formedelst Overmod og Pengegjerrighed; han viste sig og-
saa uvoren i Kvindesager, thi han tilegnede sig alle de
Kvinder, han kunde faae, hvad enten det var Søstre,
Mødre eller Døttre, og beholdt dem hos sig saalænge ham
tyktes. Han begyndte da at vise megen Haardhed mod
hele Almuen, hvorfore Folket blev ildesindet imod ham,
saa at mange kaldte ham Hakon den Onde. Og der
fortælles, at en Islænder digtede et langt og slemt Kvæde
om ham, fuldt af mange og uhørte Ting. Hakon havde
større Tillid til Ofringer, end de fleste andre. Og han
drev det saa vidt, at Kjærligheden blev til Ryggesløshed,
saa at han havde gifte Koner hos sig af fornem Slægt
og mange Møer, og de vare hos ham en Uge eller Maa-
ned, og da sendte han dem skjændede hjem til deres Fædre
og Mødre. En Mand ved Navn Brynjolf boede i Gau-
lardalen, en mægtig og meget rig Mand; han havde en
smuk Kone. En Nat sendte Hakon Jarl sine Trælle ud,
med Befaling at de skulde bortføre hans Kone. Da de
kom til Gaarden, var Brynjolf kommen i Seng til sin

Kone; de fremførte deres Ærende, og sagde, at Jarlen sendte ham Bud, at han skulde lade sin Kone drage med dem. Brynjolf svarede: „Det er meget denne Jarl tillader sig at sige og gjøre, og saa tøjlesløs bliver nu hans Færd, at man maa haabe at der raades Bod derpaa ved at hans Regiering tager en ynkelig Ende, og dette Folk er nu snart drevet til det Yderste.” Brynjolf blev nu hæftig vred, og jog Jarlens Sendebud bort i største Forbittrelse; de kom til Jarlen, og sagde ham det. Derpaa sendte Jarlen flere Mænd derhen, at han skulde give Slip paa sin Kone, hvad enten han vilde eller ikke, og i andet Fald skulde de dræbe ham. Da disse kom til Brynjolf, og sagde ham Jarlens Bud, svarede han: „Jeg veed ikke, hvorledes det vil løbe af, om Jarlen eller vi skal gaae af med Sejeren;” hvorpaa han sprang op, men de grebe hans Hustru, og hun drog med dem. Men Brynjolf drog hen til alle Gaardene deromkring, og krævede Hjælp hos dem; han fortalte, hvilken Nød der drev ham, at de ikke skulde være udsatte for en saadan Vold, og eggede dem meget til at gribe til Vaaben mod Jarlen; det var ikke ham allene, sagde han, men dem alle, som Nøden tvang dertil. Og eftersom han var mægtig, vennesæl og af stor Slægt, saa samlede mange sig til ham, alle med samme Forbitrelse mod Jarlen; de vare forsynede med gode Vaaben og tappert Mandskab, og droge frem med megen Tummel og Støj. De droge ind over Gaularaas, og ad Vejen til Lade, som var Jarlens Hovedgaard; der var ogsaa det største Hovedtempel i Norge. Og alles Villie var som ens, at dræbe Jarlen eller at indebrænde ham. Jarlen opholdt sig da paa Lade, som var Hovedstaden i hele hans Rige, og hvor hans Forældre forhen havde boet; det store Tempel, som stod der, havde han besat med utallige Afgudsbilleder. Men om vi end fortælle saadanne Ting om Hakon Jarl, som kunne tykkes trykkende og haarde, saa fortælles dog ogsaa om ham, at hans Regjering i Førstningen i lang Tid var meget yndet, men da han blev ældre, blev han haardere og hans Regjering mere trykkende. Der fortælles ogsaa om ham, at han var en særdeles smuk og forstandig Mand, og overgik alle andre, som have haft samme Vær= dighed; ogsaa var han en fortrinlig Kriger. Hans ægte= fødte Sønner vare Svend og Erlend. Erik var ikke æg= tefødt; han var baade lig sin Fader og ulig ham; lig med ham i Forstand og Tapperhed, men ikke i Udseende og Tænkemaade; han var mild og velvillig, og vilde gjerne mægle imellem Høvdingerne og deres Undergivne, og sagtmodig, undtagen mod sine Fjender, imod dem var haard og stræng. Erik og Svend vare ikke i Landet, da denne Begivenhed forefaldt. Det hændte sig om Morge= nen tidlig, at nogle Mænd kom til Jarlens Herberge, og berettede ham, at der nærmede sig en stor Hær fra alle Sider. Da Jarlen hørte dette, formodede han nok, at det ikke kunde nytte at søge Bistand i Herrederne, thi alle Indbyggerne der vilde være ham imod, og der var ingen Hjælp derfra at vente; han flygtede til Skibene, som vare kort fra hans Gaard, og lagde ud paa Fjorden til= ligemed hans Søn Erlend og hans Huusfolk; de fik i en Hast to Skibe færdige, og lagde fra Land, og satte nu deres Haab til Søen, da det var bristet paa Landet. Men da Jarlen var kommen et kort Stykke fra Land, saae han, at der sejlede ni Skibe ind ad Fjorden, og stævnede imod ham. Da de saae disse, undrede de sig

meget. Men da de saae hen over Bagstavnen, da kom
der ligeledes mange Skibe indenfra imod dem med megen
Hæftighed og Skrig. De baade sejlede og roede med me-
gen Iver og aabenbar Fjendskab, med det Forsæt ikke at
lade Jarlen undkomme.

Om Olaf Tryggvesøn.

18. Efterat Thorer Klakka var dræbt, samlede Olaf
Tryggvesøn alle de Skibe, de havde haft med sig fra Gar-
derige, og sejlede nordpaa langsmed Landet. Og paa
denne Tid sejlede han ind fra Agdenæs imod de to før
omtalte Skibe, som kom inde fra Fjorden. Olaf befalede
sine Mænd at lægge imod dem: „Jeg vil vide, hvem det
er," sagde han; men dette sagde han, uden at ane, hvem
det var der sejlede imod dem. Da nu Hakon Jarl saae
sig saaledes trængt, mærkede han, at han maatte under-
kaste sig den Dom, som hans Fjender vilde lade ham
lide; han sagde da til sin Søn Erlend: „Du skal nu
tage en liden Baad, paa hvilken jeg vil gaae ombord med
nogle faa Mænd, og roe til Land; men bliv du tilbage,
thi jeg haaber, at du formedelst den Yndest, du staaer i,
vil beholde Livet; thi mange ere velsindede imod dig, og
ingen vil gjøre dig noget, naar jeg ikke er med." Saa
skete, Jarlen lagde til Land, og løb strax ind i Skoven,
og skyndte sig afsted. Men da han kom ind i Sko-
ven, mærkede han, at der allerede laae Baghold, hvor-
paa han søgte efterpaa med sine Mænd, og drog hen
til Gaulardal, forat unddrage sig sine Fjenders Forføl-
gelse. Men de andre Mænd satte efter ham med Hæf-
tighed, og fandt nu hine to Skibe, og lagde fra alle Si-
der imod dem. Da Erlend nu saae, at hans Fjender

havde hans Liv i deres Magt, saa sprang han overbord
med nogle af sine Mænd, og gav sig til at svømme. I
samme Øjeblik kom Olaf Tryggvesøn; han sad ved Roret
paa sit Skib, og saae den unge Mand svømme bort fra
Skibene. Olaf spurgte de Skibsfolk, som vare tilstede,
hvad det var for en ung Mand, der svømmede bort fra
Skibene; og man sagde ham da, at det var Jarlens Søn,
og at han hed Erlend. Og strax da han hørte dette, ka-
stede han Roerpinden, som han holdt paa, efter ham, og
traf ham i Hovedet, hvoraf han døde. Derpaa spurgte
Olaf, hvad det var for en Uro og Ufred, der var paa
Færde, og de fortalte ham Grunden dertil. Derpaa
spurgte de, hvad det var for en gjæv og anseelig Mand,
der talte med dem. Han svarede, at hans Navn var
Olaf, og han var Tryggves Søn. Men da Thrønderne
hørte dette, bøde de ham velkommen, og sagde med Kjær-
lighed: „Sandelig skal du være velkommen hos os, thi vi
have nu i lang Tid længtes efter dig, og vi ville gjerne
tage dig til vor Konge, hvortil du er født; lader os nu alle
sætte efter Jarlen, og dræbe ham; dertil ønske vi nu din
Bistand; og naar han er overvunden, skal du besidde hele
Norges Rige, thi vi ville vælge dig til Konge over hele
Norge.” Olaf Tryggvesøn blev nu glad ved deres Ord,
og sagde, at dertil vilde han love og yde dem sin Hjælp.
Derpaa lagde de med alle Skibene til Land, forenede den
hele Hær i een Fylking, droge derpaa frem forat finde
Jarlen, og deelte Hæren i flere Afdelinger forat opsøge
ham. Men saasnart Jarlen erfarede, at Olaf Tryggvesøn
var kommen did, og at Krigsfolket strømmede til ham,
saa ræddedes han for hans Forfølgelse, og undflyede alt
hvad han kunde; men de Folk, som fulgte med ham,

flygtede hver til sin Side, saa at der tilsidst ikke vare an-
dre hos Jarlen, end hans Træl Kark. Jarlen var paa
sin Flugt til Hest, og kom til en stor Aa, som han satte
over. Han havde en Silkekappe paa, hvilken han tog
af, og kastede i Aaen; derpaa flygtede de til Gaulardal,
og søgte efter et Skjulested. De kom til Gaarden Ri-
mul; der boede en brav og fornem Kvinde, som Jarlen
tyede til; hun modtog ham vel. Jarlen sagde: „Hør,
gode Kone, jeg har maattet flye for mine Fjender, de
sætte hæftig efter mig; siig mig, om du kjender noget
Skjulested, at jeg kan undgaae dem; gjør dette efter dit
bedste Skjønnende og for det Venskabs Skyld, som du
bør vise din Høvding." Hun svarede da: „Hvis jeg
skulde lede efter en mægtig Mand, da vilde jeg vel mindst
vente at finde ham i et Svinehuus." Jarlen sagde: „Det
er et snildt Indfald; befal dine Trælle at indrette os her
et Gjemmested." Hun gjorde saa; hun lod en stor Grav
indrette, og lod den dække til med Ved, og saa godt som
muligt skjule, saa at man ikke kunde see, den var nys
gjort. Derpaa gik Jarlen og Trællen ind i dette samme
Huus, og da de vare komne derind, blev det omhyggelig
tildækket. Derpaa skovlede de Jord derover, dækkede det
med Gjødning, og dreve Svinene ind derpaa, som traadte
Gjødningen ned. Men Olaf Tryggvesøn drog imidlertid
frem forat søge efter Jarlen; han kom nu med en stor
Flok til nys omtalte Aa. De saae nu Kappen, som var
dreven op paa en Øre, den blev tagen op, og kjendt, at
det var Jarlens. Da toge mange til Orde, at Jarlen
maatte have sat til der, og at det ikke kunde nytte at
søge mere efter ham. Men en gammel Mand sagde:
„Nei, saa kjender I ikke Jarlens Kunster, hvis I tænker,

han har mistet Livet i denne Aa; det er et af hans listige Paafund, at kaste sin Kappe her, forat I skulle troe, at han her har sat til." Dette troede de nu ogsaa, vedbleve at søge, og kom omsider til Gaularbalen og til Gaarden Rimul, hvor de gjennemsøgte hvert Huus; de kom ogsaa til Svinehuset, men fandt ham ikke. Og førend de droge bort, sagde Olaf højt: „Hvis nogen Mand bringer mig Jarlens Hoved, da vil jeg give denne Mand en stor Belønning;" og da han havde talt saaledes, hørte han op med Eftersøgningen, og drog bort med alle sine Mænd. Jarlen hørte hans Ord, og ligeledes Trællen, og Jarlen undrede sig meget over denne hans Tale, og sagde: „En anseelig Mand er denne Olaf, og megen Kraft viser han i sine Foretagender, og aldrig før har nogen Mands Tale saaledes bevæget mig eller mit Hjerte, i hvor mange store Farer jeg end har været, og jeg er bleven meget tankefuld og bekymret ved disse Ord." De havde Lys hos sig, samt Mad og Drikke, og spiste begge sammen. Jarlen betragtede Trællen, og saae hvorledes hans Aasyn mørknedes, hvoraf han sluttede sig til hans Tvivlraadighed og at han endnu ikke vidste hvad han vilde gjøre; han fattede nu Mistanke om, at han vilde svige ham, og troede ham ikke, hvis han selv faldt i Søvn. Han gav sig nu til at vaage over sig selv, og vilde blive vaagen den hele Nat; Trællen derimod sov baade fast og længe. Og da han vaagnede, saae han, at Jarlen vaagede endnu. Da sagde Trællen: „Jeg drømte, Herre!" „Hvad drømte du?" sagde Jarlen. Han svarede: „Det skal jeg sige dig, men du maa udtyde min Drøm." Jarlen sagde: „Saa fortæl den da!" „Mig tyktes, at vi sejlede sammen paa eet Skib, og jeg sad ved Roret.” Da sagde Jarlen: „Saa betænk, at du raader for mit Liv, og for begge vores, og vær mig tro, at du siden kan nyde mange gode Dage.” „I en anden Drøm forekom det mig, at der var en stor Mand ved Huset, en sort og slem en; han sagde: Nu er Urke dræbt.” Da sagde Jarlen: „Saa maa min Søn Erlend være dræbt.” Derefter sov Trællen ind, og da han vaagnede, saae han Jarlen var vaagen, og sagde: „Jeg havde endnu en Drøm; mig syntes der var en stor Mand, som gik ned fra Fjeldet, og sagde: Nu ere alle Sunde lukkede.” Jarlen svarede: „Dermed varsler du os kun faa Levedage.” Trællen sagde: „End drømte jeg, at Olaf gav mig en overmaade stor Hest.” Jarlen sagde: „Det betyder, at han vil lade dig hænge i den højeste Galge, naar han faaer dig i sin Magt; vogt dig vel for at begaae nogen Svig imod mig, thi da vil det snart være ude med dit Liv.” Derpaa sov Trællen ind, men Jarlen vaagede. Og da det kom ud paa Natten og var henimod Dag, da kunde Jarlen ikke længer holde sig vaagen, men Trællen var vaagnet op; og da han saae Jarlen sove, tog han en meget hvas Kniv, og bibragde Jarlen et stort Saar i Struben, og skar derpaa Hovedet af ham; løb saa ud af Huset, og drog afsted, indtil han naaede Lade den næste Dag tidlig om Morgenen. Han bragde da Olaf Tryggvesøn Jarlens Hoved. Og da Olaf havde overtydet sig om at det var Jarlens Hoved, blev han meget forbitret paa Trællen, og befalede at man skulde hænge ham, og sagde, han skulde have fortjent Løn for Forræderiet mod sin Herre; „han sveg Hakon Jarl,” sagde han, „og vil svige mig, hvis han kan; saaledes skal man afskrække andre fra Forræderi mod deres Herre.”

Om Landets Deling.

19. Der var fordum en Konge ved Navn Nore, som først bebyggede Norge; søndenfor Norge ligger Danmark, men østenfor det Sverrig; mod Vesten er England, men nordenfor Norge er Finmarken. Norge er skabt som en Trekant; Landets Længde gaaer fra Sydvest mod Nord fra Gøtelven til Vegestaf; men Breden og Vidden fra Øst til Vest fra Eidskov til Englands Hav. Landet er afdeelt og kaldt med følgende Navne: Vigen, Hordeland, Oplandene, Throndhjem, Helgeland, Finmarken. I disse Riger ere mange Herreder og Fylker og utallige Øer. Hele Norges Rige besades af hin berømte Konge Harald Haarfager, der undertvang det med Magt, og beholdt det til sin Død; han er højlagt paa Rogeland, hvor han døde. Efter ham vare mange Konger, der nedstammede fra ham, og vare Konger over Herreder og store Riger og Øer. Men her tale vi kun om dem, som have regjeret over Landet langsmed Kysten, og som vare Overkonger i Landet; thi i Oplandene og Fjeldbygderne vare der Fylkeskonger, som nedstammede fra Harald, og regjerede over Fylkerne, og disse Riger stiltes ved Fjelde og Skove vide om i Landet. Blandt disse Konger vare de anseeligste og berømteste, som nedstammede fra Kong Harald, Kong Tryggve, Fader til nysnævnte Olaf; og saa Olaf Haraldsøn; og Harald Grenske, Fader til Olaf den Hellige, der siden blev Enevoldskonge over hele Norges Rige.

Hvorledes Olaf blev tagen til Konge.

20. Da nu den Tidende spurgtes, at Hakon Jarl var dræbt, men Olaf Tryggvesen kommen i hans Sted,

og Rygtet derom udbredte sig over Landet, saa kom alle
Høvdinger og vise Mænd fra Thrøndelagen, og alle de,
som havde noget Værdighedsnavn, saavel som den hele
Almue, og det hele Folk vilde eenstemmig have ham til
Konge over sig, og bade ham forestaae det hele Folk.
Han tog da allerførst mod Thrøndernes og Gauldølernes
Hjælp, og de indgik den Forening, at han skulde under=
støtte og staae dem bi imod Erik Jarl og Svend, thi
disse havde mange Venner og Frænder, skjønt mange
ogsaa vare deres Uvenner. Kong Olaf havde derimod
ogsaa sin Besværlighed, som var stor nok; hans Fader
var tagen af Dage og havde mistet alt sit Rige, og Olaf
selv havde i sin Barndom været længe i Landflygtig=
hed fra sine Frænder og sin Fosterjord. Dernæst kunde
Bønderne byde Kongen Hjælp og talrigt Mandskab, og
meget befæste Kongemagten; hvorimod Kongen skulde
skaffe dem fortræffelig Anførsel i alle vanskelige Tilfælde
og i Feldtslag. De indgik nu denne Forening med hin=
anden. Toge de da Olaf Tryggvesøn til Konge paa
Ørething, men han tilsvor dem derimod Lov og Landsret,
og de skulde være hinanden forpligtede til alt Godt. Han
styrede nu sit Rige med Berømmelse og Glæde, blev Ene=
voldskonge over hele Norge, og underlagde sig det hele
Land nordenfra Finnebo og sønderpaa til Danmark; han
blev da mægtig og gjæv. Han havde meget Arbejde og
Besværlighed, medens han styrede Landet; han var den
første af Norges Konger, som overholdt den sande Tro,
og formedelst hans Foranstaltning og Magt blev Norges
Rige fuldkommen kristnet, men der forefaldt mange mær=
kelige Begivenheder, førend Kristendommen blev udbredt
over Landet.

Hvorledes Kong Olaf paabød den sande Tro.

21. Man fortæller, at han fremførte dette sit kongelige Bud for hele Folket, og holdt mange Taler med megen Kløgt, at de skulde lade deres gamle Skikke fare, som vare Sjælen til saa megen Meen, i det de troede at finde Hjælp, naar de ofrede til Stokke eller Stene. Han bad dem da med megen Veltalenhed, at give Slip paa hine baarlige og skjændige Skikke, der vare ligesaa bedragerske som farlige, og bad dem heller at dyrke den sande Gud, som regjerer i Himmeriges Herlighed, ham, som er den eneste sande Gud, og som giver Menneskene alt hvad Godt er. Han bad dem da ogsaa at betænke, alle de forstandigste Mænd i Landet, hvorledes Engellænderne handlede, samt Saxerne og de Danske, hvilke da kort før havde antaget Troen. Han bad dem med megen Veltalenhed, at de nu skulde lade de hedenske Offere fare, og handle efter slige Mænds Exempel, og vende sig til den rette Vej, og troe paa den sande Gud i Himlen; han forestillede, hvilken Forskjel der var imellem at tjene den almægtige Gud og Djævelen; og talte adskilligt om dyrebare og rettroende Mænds Herlighed, og hvad der derimod forestod de Onde og om Helvedes forfærdelige Kvaler. Han holdt denne Tale med megen Kraft og guddommelig Vistand. Men Høvdingerne talte derimod, og droge bort fra Thinget, hjem til de Herreder, hvor hver især havde sine Besiddelser. Ikke desmindre beholdt dog Kongen en stor Hob tilbage, og vedblev at tale Guds Ærende; alle skattede de højt hans Veltalenhed, og han aflod ikke, førend alle de, som vare blevne paa Thinget, modtoge den hellige Daab af Biskoppen, og troede fra nu af rettelig paa

deres Skaber, nedbrøde selv deres Afgudsbilleder, forkastede al deres hedenske Overtro, og antoge i dets Sted
den hellige Tro og Guds Bud, saa at Guds Kristendom
nu havde megen Tilvært.

Om Kong Olaf Tryggvesøn.

22. Det findes i Are den Frodes Fortælling, og der
ere flere, som bekræfte det, at Olaf Tryggvesøn var to
og tyve Aar gammel den Gang han kom til Landet, og
overtog Regjeringen, men han regjerede derover i fem Aar.
Men der ere dog nogle kyndige Mænd, som ville sige og
troe saa, at han var to og tredive Aar gammel, da han
tiltraadte Regjeringen; og det skal nu vises, hvorledes de
regne. De sige, at da hans Fader Kong Tryggve blev
slagen, da var Olaf i Moders Liv, og han blev født det
Aar, og var eet Aar i Skjul hos sin Morfader og Moder; og derpaa drog han til Sverrig til Hakon den Gamle
forat undgaae Hakon Jarls og Gunhildes Efterstræbelser,
og drog da igjennem øde Egne og Skove, og var der i
to Aar hos Hakon den Gamle; og da han drog bort
derfra, var han tre Aar gammel. Og da han gik til
Skibs og blev tagen til Fange, da han agtede sig til
Garderige, da toge Hedninger ham og hans Moder, og
havde dem i deres Vold, og i denne Trældom var han i
sex Aar; men øster i Garderige og i de østlige Lande var
han i ni Aar, men i Vindland i tre Aar; og da drog
han til Danmark og til Irland, og modtog der den hellige Daab af Abbeden, som var fuld af den hellig Aand;
og i Vesterlandene var han i ni Aar. Og derefter forlod
han England, og var da to og tredive Aar gammel.
Derefter blev der Svig oplagt for Olaf af Thorer Klakka,

hvorpaa de, som fortalt er, droge til Norge, og da blev
Thorer dræbt, efter Finnens Spaadom, og kort efter
Hakon Jarl; og da tiltraadte Olaf Tryggvesøn Regjerin-
gen, som fortalt er. Hermed stemmer Sæmund Frode og
Are Frode paa den Maade, at begges Mening er rime-
lig, at Hakon Jarl skal have regjeret i tre og tredive Aar
efter Harald Graafelds Fald; hvilket synes at træffe vel
ind med denne Fremstilling.   Man antager, at Olaf
har haft tre mærkelige Tidsrum i sine Dage: det første,
da han var i Slaveri og Trældom og Fornedrelse; det
andet Tidsrum i hans Liv havde skinnende Klarhed og
Lykke; det tredie Hæder og Berømmelse og megen Efter-
tanke til manges Frelse.   Men maaskee at Einar Tham-
beskjælver eller Olafs Søster Astrid, der var gift med
Erling paa Sole, ikke har tænkt paa hans ni Trældoms-
aar, da mange stode i den Formening, at han var død.
Men siden da Frænderne og Venner fandt denne samme
Mand ligesóm opstanden fra de Døde, da modtoge de
ham, som om han var opstanden fra de Døde, og regnede
derfor hans Alder til syv og tyve Aar.   Men begge Vid-
nesbyrd forekomme mig værd at bemærke, til at bedømme
hvad der af saadanne Frasagn synes meest passende.

Om Kong Olaf Tryggvesøn.

23. Der siges, at fra den Tid Harald hin Haar-
fagre allerførst tiltraadte Regjeringen var gaaet et hun-
drede og otte og fyrretyve Aar til den Gang da Olaf
Tryggvesøn nu drog fra Landet med fem Skibe, over til
England, da han i eet Aar havde været Konge i Norge;
han drog da om Høsten igjen tilbage til Norge; med ham
fulgte Biskop Jon og mange Præster, Thangbrand Præst

og Thormod og mange andre Guds Tjenere, som han
satte til at styrke og opføre Guds Kristendom, til at lære
dem, som forhen troede vrangt, at vende sig til den rette
Vej, og som skulde lære dem, at Sandhedens Lys ud-
gaaer fra den almægtige Gud. Da Kong Olaf var fær-
dig, sejlede de til Ørkenøerne. Over disse regjerede Si-
gurd Jarl Lodversøn, som i mange Henseender var en
udmærket, mægtig og vennesæl Mand. Kong Olaf for-
kyndte ham den sande Tro, og søgte at overtale ham
baade tidlig og silde paa alle mulige Maader; han skil-
drede ogsaa hans Mænd Helvedes Pinsler, den evige Ild
og Frost og mange andre gruelige Kvaler; han advarede
ham paa alle Maader, at vogte sig for disse, og sagde,
at de ikke kunde undgaae disse Kvaler, med mindre de
sønderbrøde deres Afgudsbilleder og dyrkede den almægtige
Gud, deres Skaber, som styrer alt; ham burde det dem
at dyrke. Jarlen talte herimod, og sagde, at han ikke
vilde forlade sin og sine Frænders Tro; „jeg kjender in-
gen Tro,” sagde han, „der er bedre, end den mine For-
fædre have haft, eller nogen bedre Gudsdyrkelse, end mine
gjæveste Frænders.” Og da Olaf saae, at han saa
haardnakket vilde holde fast ved sin hedenske Tro, tog han
hans unge Søn, der hed Hvelp, som der nød en omhyg-
gelig Opdragelse. Kong Olaf lagde ham paa Langskibets
Forstavn, trak sit Sværd, og bød Jarlen vælge, om han
nu heller vilde see sin Søn hugget ihjel for sine Øjne, hvis
han afslog den sande Tro, „eller,” sagde han, „om han
vil slutte Fred og Venskab med mig, og da faae sin Søn
tilbage, og antage Kristendommen; men jeg forsikrer dig,
at i andet Fald udsættes dit Rige for Fare og Ødelæg-
gelse.” Nu lovede Jarlen begge Dele, at modtage Kri-

stendømmen og Kongens Venskab. Derpaa blev Jarlen og alle hans Folk døbte. Kong Olaf drog nu med sin Flaade til Norge, og fik god Bør; han sejlede nu med megen Glæde, og man kunde der see en herlig Sejlads og fagre Skibe.

Om Kong Olaf.

24. Da Kong Olaf kom fra Vesterhavet, laae han ved den Ø i Norge, der hedder Moster, og om Natten aabenbarede den hellige Biskop Martinus sig for ham, og sagde til ham: „Det har været Skik i dette Land, at indvie Thor eller Odin eller andre Aser et Bæger ved Gjæstebude, men nu skal du indrette det saaledes, at min Skaal bliver brukket ved Gjæstebudene, og den gamle Skik skal derimod ophøre; derimod lover jeg dig, at jeg skal tale tilligemed dig i Morgen, og staae dig bi i dit Foredrag, thi mange have nu i Sinde at sætte sig derimod.” Dagen efter blev der stævnet talrigt Thing; og der kom en utallig Hob imod Kongen, og de agtede at sætte sig imod hans Tale, hvortil tre af de mest veltalende Mænd paa Thinget valgtes, at de skulde tale imod ham, og disse vare de anseeligste af alle dem, der vare samlede, baade i Kløgt og Veltalenhed, og de havde overlagt med hverandre, at de vilde tale imod ham, hvis han forkyndte Guds Navn. Kong Olaf stod paa en høj Steen, forat han let kunde sees af alle, og at hans Tale kunde høres, og denne Steen staaer der endnu til Amindelse. Da begyndte Olaf at tale til Folket og at forkynde Herrens Navn, og ved fagre Ord at lede alle til at bekjende det og at tilintetgjøre deres forrige Overtro. Og da han havde talt længe og snildelig, da rejste den

sig op, som agtede først at svare ham; han saae sig om
længe, og teede sig stoltelig, og vilde tale med megen
Snille og Kunst. Men denne Mand overkom der en saa=
dan Hoste og Trangbrystighed, at han ikke kunde fremføre
et Ord; og han maatte da sætte sig ned igjen, uden at
kunne sige noget imod Olaf. Da stod den anden op, og
agtede med megen Vrede at tale mod Kongen, men denne
Mand stammede paa een Gang saa meget, at man slet
ikke kunde forstaae hvad han sagde; og han, som havde
rejst sig med Pral og Stolthed, satte sig ned med Latter
og Skam. Og da rejste den tredie sig op, og tænkte, at
han skulde hævne sine Kamerader ved sine Ords Kløgt,
men ham gik det saaledes, at han blev saa hæs og hvæ=
sede, saa at man ikke kunde forstaae hvad han sagde.
Eftersom de nu saa kraftigen vare besejrede, antoge mange
Troen, forlode deres gamle Vildfarelse, og alle fulgte
Kongens Bud. Kongen drog med sine Folk derfra nord
forbi Stad, og sejlede siden nordpaa til Throndhjem.
Han havde da sin Hovedgaard paa Lade, som de forrige
Konger havde haft.

Hvorledes Seljamændene fandtes.

25. Følgende Begivenhed indtraf i Begyndelsen af
Kong Olafs Regiering, at to Mænd vare paa en Rejse;
den ene hed Thord Jorunsøn, den anden Thord Ægileif=
søn; de vare mægtige Mænd og store Høvdinger, havde
Besiddelser i Fjordene, og agtede at begive sig til Hakon
Jarl, thi de havde endnu ikke spurgt noget om Høvdinge=
skiftet. Da de nu droge igjennem Ulvesund og nordpaa
imod Øen Selja, da saae de et fagert Syn og et herligt
Lys skinne ned fra Himlen paa Søen, nærved selve Landet

samt paa Øen Selja. Derover undrede be sig højligen,
og vare nysgjerrige efter at vide, hvad dette monne være
for et Syn, eller hvad det kunde være de havde seet, og
styrede derhen med Skibene. De fandt da et Mandshoved
der, hvor de havde seet Lyset skinne; og mærkede da en
sød Lugt, og de toge nu dette Hoved med Ærbødighed og
dog med Rædsel, førte det med sig, og agtede at bringe
det til Hakon Jarl, og haabede, at han med sin Indsigt
kunde bedømme og forklare hvad dette skulde betyde. De
droge nu deres Vej, men ikke ret langt, førend de spurgte,
at Jarlen var dræbt, og at i hans Sted var kommen den
berømmelige Høvding Kong Olaf Tryggvesøn. Ikke des-
mindre droge de hen forat finde Kongen, hvis Gjævhed
og Gavmildhed alle roste, og de kom til Lade. Strax da
Kongen spurgte, at disse Mænd vilde begive sig til ham,
modtog han dem med megen Mildhed, og anrettede et
Gjæstebud for dem. Og da de nu sade i megen Gam-
men og Glæde, begyndte Kongen at bede disse anseelige
Mænd med Kjærlighed og veltalende Ord, at de skulde
lade deres gamle Skik fare, og troe paa den sande Gud;
„jeg har,‟ sagde Kongen, „hørt meget Godt fortælle om
eders Foretagender, og derfor beder jeg eder at antage
Kristendommen.‟ Og strax i Begyndelsen fandt disse
Mænd saa meget Behag i Kongens Foredrag, at de lo-
vede at følge hans Bud og at give Slip paa deres Vild-
farelse. Derpaa blev Biskop Jon, der med et andet Navn
kaldtes Sigurd, hentet, og de bleve døbte i den hellige
Treenigheds Navn og helligede til den almægtige Gud;
og da de vare døbte, vakte dette almindelig Glæde. Kon-
gen lod dem da sidde ved sit eget Bord med megen Hæder,
thi det syntes ham rimeligt, at de Mænd, som nu efter

hans Overtalelse havde modtaget Himmeriges Arvedeel,
ogsaa deeltoge i hans Højtidsglæde og kongelige Maaltid
og Gunst.   Og da de nu sade og drukke med Glæde og
fornøjede sig, da fortalte de Kongen og Biskoppen og alle
dem, som vare tilstede, hint fagre Syn, som de havde
seet, baade Lyset og hvorledes de fandt Hovedet; de sagde
dette med Betænksomhed og Eftertanke.   Kongen bad dem
vise sig og Biskoppen Hovedet, hvilket de gjorde.   Og da
han havde seet det, sagde han: „Dette er visselig en hellig
Mands Hoved.”   Han viste det derpaa til alle de ypperste
Mænd, og fortalte dem derom med megen Glæde. Der-
efter droge disse Mænd hjem, styrkede i den hellige Tro.
De droge afsted glade og sømmelig, og overholdt siden vel
Kongens Bud.

Om Kong Olaf.

26.   Det hændte sig engang, at en Bonde, mild og
skyldfri, kom til Øen Selja, og begav sig derpaa til Kong
Olaf, og fortalte ham den Begivenhed, som var skeet, at
hans Hoppe blev borte for ham, og han drog længe om
forat opsøge den, og omsider saae han den staae paa
denne Ø kort fra Sundet, paa den ydre og Øens vestlige
Side, hvor der vare store Klipper; „og da gik jeg did,
Herre,” fortalte han, „og jeg saae et stærkt Lys paa den
Dag og paa det Sted, og siden efter ofte.”   Da Kongen
og Biskoppen hørte dette, da skyndte de sig hen til denne
Ø, og ransagede den omhyggelig, og denne Bonde var
deres Vejviser.   De fandt store Klipper vester paa Øen,
og saae, at der fordum havde været store Huler, som for
kort siden vare styrtede ind; de søgte nu omhyggelig om-
kring ved dette Sted, og fandt imellem Stenene adskillige

Been med en sød Lugt, hvilke efter Kongens og Biskoppens Foranstaltning bleve sankede sammen og bevarede omhyggelig der paa Øen. Og efter Biskoppens Begjering og Kongens Beslutning blev der opført en Kirke, og helliget til disse Guds Mænd, som vare der. Og paa dette Sted viser den almægtige Gud megen Naade formedelst disse Mænds Fortjeneste, som der hvile, lige indtil denne Dag. Ogsaa vise der sig mange Tegn paa en anden Ø, som hedder Kinn, hvor der ogsaa ere Helligdomme af samme Skare, som i Selja. Og for begges Skyld viser Gud mange Jærtegn formedelst sin Mildhed og Miskundhed.

Om Sunneva.

27. Man fortæller, at paa Hakon Jarls Tid indtraf den Begivenhed: at der var en Kongedatter paa Irland, som hed Sunneva; hun fik Arv og store Besiddelser efter sin Fader. Og da traf det, at en Viking gav sig til at hærge der, og trængte hende haardt, i det han forelagde hende to Vilkaar, at hun enten skulde stride med ham, eller i andet Fald følge med ham. Men hun vilde paa ingen Maade ægte ham, thi han var en Hedning. Hun holdt da Thing med sine Mænd, og bad dem endelig at vælge det Kaar, heller at forlade sin Fosterjord, end at udgyde saa mange Menneskers Blod for hendes Skyld; „thi jeg vil ikke," sagde hun, „leve, udsat for den Fare at leve med en hedensk Viking." Mange valgte sig nu det Kaar at følge med hende, thi hun var deres Dronning. Paa Rejsen med hende begav sig hendes Broder Albanus og mange Tjenestefolk, Kvinder og Børn. Pro sustentatione racio assumunt. Hun viste nu, at hun havde mere Tillid til Gud end til denne Verdens Hjælp, og hun befalede sig den almægtige Gud i Vold. Nu begyndte de . . . . [her mangler omtrent to Blade] . . . . . og de paakaldte alle Herrens Navn; men Djævelen tyktes nu at lide stort Afbræk altsom Guds Rige tiltog.

Om Kong Erik i Sverrig.

28. Paa den Tid da Hakon Jarl regjerede over Norge var Erik Konge i Sverrig. Og efter hint berømte Slag, som han holdt med Styrbjørn, hvor han vandt Sejer paa den Maade, at Odin gav ham Sejeren, hvorimod han lovede efter ti Aar at tilhøre Odin, efter dette blev han kaldt Erik den Sejersæle. Denne Styrbjørn var en særdeles rask Mand og meget berømt af sine Hærtoge; han havde saa stor en Hær imod Kongen, da han gik i Land i Sverrig, at Kong Erik frygtede meget for hans Magt. Men man fortæller, at Djævelens Kraft virkede saa meget, at Kong Erik fældte de to Parter af hans Hær ved Trolddom, og tilsidst faldt alle hans Folk og saa selve Styrbjørn. Kong Erik var gift med Sigrid hin Storraade, og deres Søn var Olaf den Svenske. Man siger, at Kongen vilde lade sig skille fra Dronning Sigrid, og vilde ikke taale hendes Overmod og Stolthed, og satte hende til at være Dronning over Gøtland. Siden ægtede Kongen Hakon Jarls Datter. Efter ham fulgte hans Søn Olaf i Regjeringen. Da bejlede Vissvald, Konge i Østerleden, og Harald Grenske, Konge i Oplandene, til Sigrid. Men hun tyktes at der vederfores hende Foragt ved Smaakongers Frieri, og at de viste megen Dristighed, i det de attraaede en saadan Dronning;

hun lod dem derfor begge indebrænde paa een Nat, ved hvilken Lejlighed ogsaa en anseelig Mand Thorer, Fader til Thorer Hund, der stred mod Kong Olaf den Hellige paa Stiklestad, tilsatte Livet; og efter denne Gjerning blev hun kaldt Sigrid den Storraade.

Om Olaf Tryggvesøn og Dronning Sigrid.

29. Da Kong Olaf Tryggvesøn hørte, at der gik saa meget Ry af denne Dronning, som regjerede over Gøtland, saa ønskede han at faae dette Rige og hende med; han sendte da nogle anseelige Mænd til Upsal i Sverrig, thi hun var den Gang der, forat bringe hende deres Herres Ærende, og forkynde hende Hensigten af deres Rejse. Da Dronningen hørte dette, holdt hun Samtale og Raadslagning med sine Venner, og om Udfaldet er at fortælle, at hun fæstede sig til Kong Olaf. Sendebudene vendte tilbage, og berettede deres Herre deres Ærende, hvorover han glædede sig. Derpaa sendte han Dronningen en Ring, der efter Udseendet var Guld, og dette kaldtes Fæstensgave. Denne Ring havde været i et Afgudstempel, som Hakon Jarl havde haft. Dronningen tog mod Ringen med Glæde, og priste meget hans Højmodighed, og nu længtes hun meget efter at ægte en saadan Konge. Nu traf det sig engang, at Dronningen holdt Ringen i Haanden og legede med den; da saae hun at den paa et Sted var mørk, hvorpaa hun kaldte en Guldsmed til sig, og befalede ham at undersøge Guldet; han gjorde det, og det befandtes, at Ringen var gjort af Malm og Kobber og var ganske forgyldt. Da blev Dronningen meget vred, og befalede at man skulde bryde Ringen itu og sende den tilbage til Kong Olaf, og

sagde, at han havde handlet haanlig og forat spotte hende, og intet Giftermaal vilde hun indgaae med ham.

Hvorledes Sigvalde fangede Kong Svend.

30. Da Harald Gormsøn var død, tiltraadte hans Søn Svend Tveskjæg Regjeringen. Men Kong Burisleif i Vindland betalte Skat til Danekongen. Kong Burisleif havde tre Døtre: Den ene hed Astrid, den anden Gun= hild, den tredie Thyre. Da var Sigvalde Jarl i Joms= borg; han begav sig hen til Kong Burisleif, og fore= lagde ham to Vilkaar, at han nemlig vilde forlade Bor= gen, med mindre Kongen vilde give ham sin Datter Astrid til Ægte. Kongen svarede: „En fornemmere Mand end dig havde jeg tænkt at give min Datter, men dog vil jeg ikke vise dig bort; du skal bringe Kong Svend fra Dan= mark hid til mig, saaledes at jeg har ham i min Magt.” Dette lovede Sigvalde, og de gjorde fast Aftale derom med hinanden. Den samme Sommer sejlede Sigvalde med tre Skibe og tre hundrede Mand; han kom til Sjælland, og fik Rys om at Kong Svend var der i Nærheden paa Gjæsteri; han lagde sine Skibe ved et Næs, hvor der ikke fandtes nogen andre Skibe. Kong Svend var med hen= ved sex hundrede Mand paa Gjæsteri. Sigvalde vendte Forstavnene fra Land, og lod Skibene fæste Stavn ved Stavn og alle Aarerne lægge i Roertoldene. Derpaa sendte han Mænd til Kongen, og bad dem sige Kongen, at han nødvendig maatte komme til ham; det gjaldt hans Liv og Rige; „men I skulle sige,” befalede han dem, „at jeg er syg og nær ved at døe.” Sendebudene drage nu til Kon= gen, og forebringe deres Ærende. Og da Kongen hørte dette, drog han strax ned til Skibene med en stor Mængde

Folk. Sigvalde laae paa det Skib, som var yderst; han
sagde til sine Mænd: „Saasnart tredive Mand ere komne
over med Kongen paa det Skib, som er nærmest Landet,
skal J trække Bryggen bort fra Landet, og sige at de ikke
maa overlæsse Skibene; men Kongen vil gaae først; og
naar tyve Mand ere komne over paa det midterste Skib,
skal J trække den Brygge ind; men naar Kongen er kom=
men paa det yderste Skib med ti Mand, skal J tage
Bryggen bort imellem Skibene." Kongen kom nu med
Folk, og spurgte, at Sigvalde Jarl laae meget syg paa
det yderste Skib. Kongen gik nu ombord paa det Skib,
som var nærmest Landet, og saa fra det ene til det andet,
indtil han kom ombord paa Sigvaldes Skib. Men Sig=
valdes Mænd bare sig ad saaledes som dem var befalet.
Og da Kongen var kommen over paa Sigvaldes Skib
med ti Mand, spurgte han, om Sigvalde havde sit Mæle;
man sagde ham, at han havde Mælet, men spiste meget
lidet. Kongen gik hen til ham, og bøjede sig ned til
ham, og spurgte, hvorledes han havde det, og hvad han
kunde have at sige ham, som der laae saa megen Magt
paa. Sigvalde svarede: „Bøj dig ned til mig, Herre,
saa kan du forstaae hvad jeg siger." Og da Kongen
bøjede sig ned til ham, greb Sigvalde ham med begge
Arme midt om Livet, og holdt ham fast. Sigvalde raabte
derpaa, og befalede sine Mand at roe stærkt til; de gjorde
saa, og kom snart fra Landet. Men hine sex hundrede
Mand stode paa Landet, og saae paa hvorledes Kongen
blev ført bort. Da sagde Kong Svend til Sigvalde:
„Hvad er din Hensigt med os og hvad har du egentlig i
Sinde?" Jarlen svarede: „Jeg skal sige eder, Herre,
hele Anledningen til denne List; jeg har bejlet til Kong

10 B.   Q

Burisleifs Datter paa eders Vegne; hun er smuk og tæk-
kelig i alle Dele; jeg har gjort det af Venskab for eder,
at J ikke skulde gaae Glip af dette fortrinlige Gifter-
maal." Kong Svend spurgte, hvad Møen hed. Sigvalde
sagde, at hun hed Gunhild, „men jeg," sagde han, „har
faaet Løfte paa Kongens anden Datter. Nu vil jeg
drage til Kong Burisleif, og see at bringe disse Gifter-
maal i Stand paa begges Vegne." Sigvalde drog nu til
Kongen, og tilkjendegav, at han nu var kommen forat
ægte hans Datter, og sagde, at nu var Kong Svend
kommen til Jomsborg og var i deres Vold. „Men jeg
har overlagt," sagde fremdeles Sigvalde Jarl, „at du
skal gifte din Datter Gunhild med Kong Svend, og der-
ved gjøre hans Reise herhid gob og hæderlig, men han
skal derimod til Gjengjæld eftergive alle Afgifter og Skat-
ter." Alt dette gik nu for sig saaledes som Sigvalde havde
sagt, at Kong Svend nemlig eftergav alle Skatterne og
ægtede Gunhild, og Kong Svend førte sig alt det til
Nytte, som kunde tjene til hans Hæder, men ikke desmin-
dre gjennemskuede han hele Sigvaldes Plan og Underfun-
dighed. Kongen drog nu hjem med sin Kone, og havde
tredive store Skibe og mange Folk. Men Sigvalde Jarl
gjorde han landflygtig fra hans Arveland formedelst hans
Svig, og han var borte en Tid lang.

Om Kong Olafs Thing.

31. J Kong Olaf Tryggvesøns andet Regjerings-
aar stævnede han et talrigt Thing ved Stad paa Drags-
eid, og dette Kongens Bud spurgtes vide om i Herre-
derne, saa der strømmede en utallig Mængde Folk did,
baade Kvinder og Mænd, unge og gamle. Og da man

nu havde samlet sig saa vide omkring fra Herrederne,
som Bud var udgaaet, stod Kongen op, og talte til Fol-
ket: „Gud lønne eder," sagde han, „for eders Nærvæ-
relse; men at I kunne vide, hvad der tjener eder til
Bedste, saa vil jeg fortælle eder den almægtige Guds store
Gjerninger, og forkynde eder hans hellige Navn." Men
man siger, at da Kongen forkyndte Herrens Navn, havde
hans Tale en saadan Virkning, at de, som kom did med
et forhærdet Hjerte og med Vrangvillie til at antage
Troen, deres Hjerter bevægede saa herligen hans Ords
Sødhed og Fylden, som de hørte af hans Mund, at de
taknemmelige toge imod hans Andragende; og dette skete
bestandig siden den hellige Biskop Martinus havde aaben-
baret sig for ham og lovet ham, at hver Gang han for-
kyndte Guds Ærende, vilde han tale af hans Mund og
styrke hans Ord. Og derfor tyktes det ønskeligt for alle
at tage med Glæde imod det han talte. Men skjøndt vi
formedelst vor ringe Dulighed tale lidet herom, saa tyktes
det dog alle lysteligt at lytte til hans Ord. En stor
Mængde Mennesker, som antoge den sande Tro, bleve
nu døbte, og de vare nogle Dage hos Kongen og Biskop-
pen, der styrkede dem i den hellige Tro, og underviste
dem i Kristendommens Bud, og befalede dem at rejse
Kirker i hvert Herred.

Om Seidmændene.

32. Kong Olaf befalede, at alle Troldmænd og de,
som gave sig af med hedensk Overtro, men fornemmelig
alle de, hvad enten det var Kvinder eller Mænd, som
Nordmændene kalde Seidmænd, skulde være landflygtige,
og han befalede at dræbe dem som Mordere og Mand-

drabere, naar de bleve overbeviste derom. Dette Thing omtaler Sæmund Præst hin Frode, en udmærket kyndig Mand, i det han siger: I Olaf Tryggvesøns andet Regjeringsaar samlede han en stor Deel af Folket, og holdt Thing paa Stad paa Dragseid, og hørte ikke op med at forkynde Mændene den sande Tro, førend de modtoge Daaben. Kong Olaf hemmede meget Ran, Tyveri. og Mandbrab; han gav ogsaa Folket gode Love og god Skik. Saaledes har Sæmund skrevet om Kong Olaf i sin Bog: Han samlede alle de Mænd, som gave sig af med Djævelens Kunster, paa Nidenæs, hvor der blev gjort Skibe færdige, og forkyndte, at alle disse Folk skulde drage bort fra Landet. I denne Skare var en Mand, der hed Eivind; han var af anseelig Slægt, den tredie eller fjerde Mand fra Harald Haarfager. Kongen gik hen til dem, og sagde: „Megen Skade lider jeg og mit Rige ved eders Bortgang; og ved eders Skilsmisse vil jeg føle mere Savn end Hjælp, naar I drage fra mig med saa megen Dulighed og Styrke, hvori I overgaae andre. Men eftersom vort Bud og vore Bestræbelser for, at Kristendommen maa udbrede sig i Landet, have haft saa god Fremgang, saa finde vi det nødvendigt, at I og den Slags Mænd forlade Landet; men gjerne saae jeg, at I ikke fattede noget Fjendskab til mig, og at eders Kraft ikke anvendtes til at angribe min Værdighed; jeg vil nu indbyde eder til Gjæstebud, som jeg har ladet anrette paa bedste Maade, førend I gaae ombord.” De takkede Kongen for hans Indbydelse, og toge med Glæde derimod, og bade ham vise det i Gjerningen, som han lovede med Ord. Da befalede Kongen sine Mænd, at indrette et stort Huus, hvori de glade kunde nyde Gjæstebudet. Og da Huset var færdigt, befalede han at bringe did alskens lækker Spise og Drikke, baade Mjød og Mundgaat; og de drukke nu stærkt, og nøde begge Dele med Umaadelighed. Og om Natten traf den uventede Hændelse, at de vaagnede ved, at Salen stod i Lue over dem, og omkring hele Huset fløj flammende Brande med meget og frygteligt Gny, saa der blev megen Graad og Jammerklage baade af Kvinder og Mænd. Men Eivind, som var den kyndigste Troldmand af alle dem, som vare derinde, kom ud af Ilden derved at han løb som den hurtigste Hjort og ved djævelsk List og Paafund; han løb op paa Tværtræet i Huset, derfra paa Stolpen, og fra Stolpen i Gluggen, og undkom saaledes allene af alle dem, som vare derinde. Han flygtede derpaa bort. Og da han om Dagen gik sin Vej, traf han nogle af Kong Olafs Mænd, og sagde, at de skulde bringe Kongen hans venlige Hilsen; „siger ham," sagde han, „at jeg er undsluppen af Ilden, og aldrig har jeg været gladere end nu."

Om Roald.

33. Man fortæller, at der var en Afgudsdyrker ved Navn Roald, der boede paa Gods, han var mægtig og og stolt; han paakaldte ofte Guderne, og ofrede hver Dag til dem, og bad dem ydmygelig, at de skulde bevare ham, at han ikke blev tvungen til at antage en anden Tro og ikke af Kong Olaf blev jaget bort fra sin Fosterjord. Og saa befangen blev denne Mand af Djævelens Tillokkelser, at Guderne gave ham Svar for hans Offer. Kong Olaf fik nu Efterretning om denne Mand, og gjorde sig færdig til at rejse derhen, men hver Gang han lavede sig til Rejseu, blev det Modvind, saa han

kunde ikke sejle hen til denne Ø, og saaledes gik det nogle Gange, at hver Gang standsedes hans Færd, og Kongen laae længe paa denne Rejse. Roald paakaldte uaflabelig Guderne, at de skulde modstaae Olafs Gud, og bragde dem Offere. Da Kong Olaf, der med Rette kan kaldes Nordmændenes Hæder, længe havde været uvis hvad han skulde gjøre, tog han den Beslutning, som den almægtige Gud lærte ham, og bad dem søge Hjælp hos Gud og bringe ham Offer, at han vilde give dem gunstig Bør imod den Vind, som han saae blev frembragt ved Djævelens Kraft. Kongen og Biskoppen paakaldte nu den sande Gud, og strax blev det Bør, og de takkede Gud; de sejlede nu med god Vind, og da blæste der to Vinde paa Søen, ligesom om de strede med hinanden; da tog Biskoppen et stort Kar, kom Vand deri, og velsignede det, og kastede det derpaa ud i Søen imod Vinden og Bølgerne, som vare dem imod, og de lagde sig, men Skibet gik stærkt. Og ved den almægtige Guds Bistand kom de til Øen, lagde Skibet i Leje, gik paa Land, og grebe denne Guds og deres store Fjende, og forelagde ham to Vilkaar, om han vilde lade sin hedenske Tro fare og beholde sit Liv og deres Venskab, eller døe. Kongen søgte at bevæge ham snart med blide Ord, snart med haarde, og truede ham med svare Pinsler. Men han forandrede ikke sin Trods, og rørtes hverken ved venlig Tiltale eller alvorlige Trusler. Og da Kongen truede ham med Døden, sagde han: „Det sømmer sig ogsaa bedre for mig, heller at lide Døden, end at forlade vore Guders Tjeneste." Og da Kongen saae, hvor haardnakket han blev ved sit Forsæt, befalede han, at man skulde hænge ham i en høj Galge, og dette blev hans Død.

Om Helgelænderne.

34. Nord paa Helgeland vare der tre fornemme og rige Mænd; den ene hed Thorer, med Tilnavnet Hjort, den anden hed Harek, den tredie Eivind Kinnrifa; disse vare store Afgudsdyrkere, og vilde ikke forlade deres Frænders Tro. Og da de fik at vide, at Kong Olaf kunde ventes did, samlede de en stor Hær og mange Skibe imod ham, og agtede at forhindre ham fra at komme til deres Besiddelser, og at stride imod ham, hvis han forkyndte dem anden Tro, end den de havde. Da Kong Olaf hørte dette, indstillede han for denne Gang sin Rejse til dem, og drog først øster til Elven, hvor det er Skik at Kongerne samles fra Danmark og Norge eller England og Sarland. Her traf nu Kong Olaf Dronning Sigrid fra Gøtland; og de talte sammen, og alt gik meget fredelig til, og han drejede endelig Samtalen hen paa sit Frieri til hende, og de bleve enige om alt paa det ene nær, at hun ikke vilde lade sig kristne. Kongen søgte længe at overtale hende dertil, men hun vilde ikke give sit Samtykke. Da blev Kongen vred, og slog hende med sin Handske i Ansigtet, og sagde: „Hvad tænker du, din gamle rynkede Kjerling, at jeg vil tage dig til min Kone, naar du ikke troer paa Guds Navn." Og herover blev Dronningen meget forbitret, saa at hun mangen Dag siden oplagde Raad imod Olaf, og søgte at skille ham ved Livet. Og siden giftede Sigrid sig med Danekongen Svend.

Om Kong Olaf.

35. Denne Sommer lod Olaf bygge et stort og smukt Skib, som kaldtes Tranen; det overgik alle Skibe i Størrelse, Skjønhed og Hurtighed. I de Dage kom der mange Mænd til Kong Olaf, som vare berømte for deres Styrke og alskens Færdigheder, og han antog dem til sine Hirdmænd; og hvor han spurgte at der vare stærke eller vise Mænd eller nogen, som i een og anden Henseende udmærkede sig, saa søgte han at faae dem til sig og at vinde dem for sig. Og ligesom han selv overgik andre Konger i alle Dele, saa valgte han sig ogsaa Mænd, der i alle Dele udmærkede sig fremfor andre; han holdt dem ogsaa meget bedre og prægtigere, end andre Høvdinger. En af hans vildeste Mænd hed Ake den Danske, der ogsaa var dansk af Æt; han fortalte Kongen, at Kong Svends Søster hed Thyre, og at hun var en særdeles smuk og mægtig Kvinde; „jeg har ogsaa," sagde han, „en Tid lang været hendes Formynder, og fandt, at hun var en meget mandig Kvinde; hun ejer store Besiddelser paa Falster." Og da Ake saaledes roste hende meget, syntes Kongen vel om hende. Der ere nogle, som sige, at hun blev gift med en Mand, ved Navn Bjørn, og at hun opholdt sig i nogen Tid i Norge, paa det Sted, som kaldes Thyreleif; og er det sandt, da er det klart, at hun ikke var nogen Mø, men en gjæv Enke.

Fortælling om Islænderne.

36. Der fortælles, at en Høst kom nogle Skibe fra Island til Norge, og de styrede ind forbi Agdenæs og hen til Nideros; der var anlagt et Torp og Kjøbsted, hvor Kong Olaf ogsaa den Gang opholdt sig. Der fulgte nogle Islændere med, der havde baade Vadmel og Skibs= kapper at sælge. Blandt andre vare der Thoraren Ne= fulfsen, Kjartan Olafsen og Halfred. Der laae tre Skibe

veb Bryggen; bet ene tilhørte Halfreb, bet anbet Branb
Vemünbsøn ben Raste og Thorleif Branbsøn, ber vare
Fættere; bet trebie tilhørte Kjartan og Thoraren. Tre
Gange forsøgte be paa at sejle bort, men kunbe albrig
faae Bør, og be laae nu ber veb Bryggen. En Dag ba
bet var gobt Vejr saae be, at Folk gik ub at svømme for
Fornøjelses Skylb, og een Manb ubmærkebe sig blanbt be
anbre. Da talte Kjartan til Halfreb om, at han skulbe
prøve sine Svømmekunster meb benne bebste Svømmer.
„Nej," svarebe ben anben, „bet er en Manb, som jeg ikke
kan give mig i Lav meb." „Hvem vil bu ba give big i
Lav meb?" sagbe Kjartan. „Det kommer an paa Om-
stænbighederne," svarebe Halfreb. „Saa vil jeg vove mig
i Kast meb ham," sagbe Kjartan, klæbte sig af, og sprang
ub i Aaen, og hen til ben bebste Svømmer, og greb ham
i Foben, og trak ham unber Vanbet; be vare nebe en
Stunb, kom berpaa op, talte ikke meb hinanben, fare
anben Gang neb, og ere ba længer nebe, komme atter
op, bykke atter neb trebie Gang, og ere ba særbeles-længe
unber Vanbet; Kjartan tykkebes enbelig bet var Tib at
komme op, men ber var ingen Muligheb i, og han mær-
kebe ba Forskjellen paa beres Styrke; be vare længer
unber Vanbet enb ham tyktes bet var til at ubholbe, kom
berpaa op, og gik i Lanb. Da spurgte Manben fra Byen,
hvab ben anben heb; han navngav sig Kjartan. „Du
er en bygtig Svømmer, er bu ligesaa færbig i anbre
Ibrætter?" Han svarebe, at ber gaves enbnu abskillige,
men saabant var bog kun liben Kunst. „Men hvorfor
spørger bu ikke om, hvem jeg er?" sagbe Manben fra
Byen. „Jeg mener, bet kan være mig bet samme, hvem
bu er," svarebe Kjartan. „Jeg vil bog sige big bet,"

svarede hiin, „det er Kongen du har prøvet Styrke med
i Svømning." Kongen spurgte derpaa efter hans Slægt,
og han anførte den. Derpaa vendte Kjartan sig forat
gaae; han havde ingen Kappe paa; Kongen bad ham
modtage en Kappe; „thi jeg vil give dig den," sagde han.
Han takkede høflig Kongen, og gik nu ned til Skibene,
og fortalte sine Kamerader hvad der var hændtes ham.
De tyktes meget ilde derom, og meente, at Kjartan havde
givet sig i Kongens Vold. Det blev saa slet Vejr, at
man næppe kunde huske Magen, og dette tilskrev de for=
nemmelig den Omstændighed, at Kjartan havde modtaget
Kappen af Kongen, hvorover Guderne maatte være blevne
vrede. Det viste sig, at Kongen havde syntes godt om
Kjartan, thi han forekom ham som en mærkelig Mand.
Islænderne bleve alle sammen om Vinteren i Byen. Vej=
ret blev bedre, og der kom mange Folk til Byen, og det
lakkede mod Juul. Man vidste, at Kongen om Julen
vilde vise sin ny Tros Skikke i al sin Pragt, hvilket
mange vare nysgjerrige efter at see. Kong Olaf lod en
Kirke indrette i Byen, og Julenat holdtes Kongens og
alle de kristne Mænds Gudstjeneste med megen Højtide=
lighed, og de hørte paa Messen med Opmærksomhed,
hvorpaa man gik hjem. Kong Olaf sendte nogle Mænd
forat efterforske, hvad Islænderne sagde om deres Ad=
færd og hvorledes den hugede dem; og Kongens Mænd
hørte nu paa deres Samtale: den ene spurgte da den an=
den, men de havde forskjellige Meninger derom. De
spurgte Kjartan, hvad ham tyktes derom; han svarede:
„det kan jeg næppe beskrive, hvor godt jeg syntes om de=
res Adfærd; jeg har ofte før syntes godt om Kongen,
men aldrig bedre end nu, og det var noget overordentligt;

og den tænker jeg er lykkelig som tjener ham, og allerhelst
den, som han forkynder Troen." Derpaa hørte de op med
denne Samtale, hvorpaa Kongens Mænd gik bort, og
fortalte ham den. Anden Juledag lod Kongen sende Bud
efter Kjartan, og han begav sig til Kongen, og hilste
ham; Kongen tog vel imod ham. Derpaa begyndte de
at tale sammen, og Kongen forkyndte ham den sande Tro,
hvilket Kjartan alt godt fattede, og han modtog Daaben
anden Juledag tilligemed alle hans Skibsfolk. Ogsaa
Halfred og alle hans Skibsfolk antoge Troen, og man
siger, at han foreskrev Kongen det Vilkaar, at han selv
skulde holde ham under Daaben, ellers afslog han det.
Men Kongen vilde dog langt heller det, og deraf blev
han kaldt Halfred Vanraadeskjald. Kjartan saavelsom
nogle andre fornemme Mænd gik Kongen tilhaande. Og
Skibsfolket forkyndte Kongen Guds Ærende, og tolkede
dem ofte Troen, men mange vægrede sig ved at antage
den. Da forbød Kongen dem al Handel, og befalede
sine Mænd ikke at sælge dem noget. Og da de paa den
Maade længe havde været tvivlraadige, toge de en god
og fornuftig Beslutning, og antoge tilsidst Troen. Men
Kjartan blev hos Kong Olaf.

Om Kong Olaf og Præsten Thangbrand.

37. Noget før havde Kong Olaf sendt Bud til Is-
land, nemlig Præsten Thangbrand, som var af sarisk
Slægt; han underviste Folk paa Island i Troen, og
døbte alle dem, som antoge den. Men Hall Thorsteensøn
paa Sida, en Sønnesøn af Bødvar den Hvide fra Vors,
der havde taget Land i den søndre Alftefjord, lod sig tid-
lig døbe, samt Hjalte Skeggesøn fra Thjorsaadal og

Gissur Teitsen den Hvide og mange andre Høvdinger.
Men de fleste modsatte sig dog. Thangbrand kom med
sit Skib ind i Alftefjord, og var om Vinteren paa Gaar-
den Tværaa; og da han havde været der et eller to Aar,
drog han derfra, og havde da dræbt to eller tre Mænd,
som havde modsat sig ham. Paa denne Tid kom Thang-
brand tilbage fra Island, og berettede Kongen, hvorledes
han kun havde udrettet lidet, da man havde viist meget
Fjendskab imod ham; han ytrede, at han havde forkyndt
Kristendommen for Folket paa Island, men de havde
budet ham Hug og Slag isteden. Derover blev Kongen
meget vred, lod Islænderne gribe, og nogle plyndre, an-
dre dræbe, andre lemlæste. Og den samme Sommer kom
ogsaa Hjalte Skeggesøn og Gissur Hvide, begave sig til
Kongen, og forsvarede Islænderne, og sagde, at man
vilde nok antage Kristendommen paa Island, naar der
brugtes den rette Fremfærd, men Thangbrand, sagde de,
havde kun gjort sig yndet af faa Mænd paa Island.
Kong Olaf sagde da: „Hvis I ville have disse Mænd
frie, saa skal I fare til Island, og der forkynde den hel-
lige Tro.” Dette lovede de. Og nu lod Kongen for
deres Skyld alle Islænderne fare i Fred, paa fire nær,
Kjartan Olafsen og Sverting Runolf Godes Søn og to
andre; om disse sagde Kongen, at det vilde beroe paa
deres Frænder, hvorledes det skulde gaae dem, thi de skulde
blive der som Gisler, indtil han fik Efterretning fra Is-
land. Hjalte og Gissur vare hos Kongen om Vinteren,
men om Sommeren gjorde de sig rejsefærdige til Island i
Kongens Ærende; han gav dem mange Penge med forat
vinde Høvdingerne; med dem fulgte Præsten Thormod;
de kom til Vestmannaøerne ti Uger efter Sommerens Be-

gyndelse.   Sommeren før var det blevet vedtaget, at man
dq skulde komme til Things, men did var man kommen
en Uge før.   De droge strax fra Øerne ind til Landet,
og derpaa til Thinget.   Men Hjalte blev med tolv Mand
tilbage i Laugedal, thi han var Sommeren før bleven
dømt til Landsforviisning formedelst Gudsbespottelse; og
det fordi han paa Lovbjerget havde kvædet følgende
Kvædling:

> Ei vil jeg Guder spotte!
> Mig tykkes Freya en Tæve,
> Een af to er det altid,
> Odin eller Freya.

Gissur drog nu med sit Følge indtil de kom til det Sted
ved Ølvusvatn, som hedder Vællankatla; derfra sendte de
Bud til Thingvolden til deres Venner, at de skulde komme
dem imøde, thi de havde spurgt, at deres Fjender med
Magt vilde sperre dem Thingvolden.   Men førend de
rede derfra, kom Hjalte did med de Mænd, som vare
hos ham.   Han havde bragt to store Kors med sig, af
hvilke det ene var Kong Olafs Højde, og han førte dem
med sig til Thinget.   De rede nu til Thingvolden, efterat
deres Frænder og Venner vare komne dem imøde.   Nu
samlede Hedningerne sig i fuld Vaabenrustning, og det var
nær kommet til Slag.   Næste Dag gik man til Lovbjer-
get, ogsaa Gissur og Hjalte med deres Følge, og Hjalte
lod da Korsene bære til Lovbjerget, hvorpaa de forkyndte
deres Ærende; og alle forundrede sig højligen, hvor vel
de talede.   Nu samlede de sig, som havde antaget Kri-
stendommen, og paa et andet Sted Hedningerne; og da
krævede hvert Parti, Hedningerne og de Kristne, til Vidne
og lyste hinanden udenfor Loven; hvorpaa Hedningerne

forlode Lovbjerget. Derpaa bade de Kristne Hall fra Sida, at han skulde forkynde den Lov, der skulde gjælde for Kristendommen. Men han unddrog sig derfra derved, at han gav Lavmanden Thorgeir en halv Mark Sølv for at forkynde den; og han forkyndte den, og han var den Gang en Hedning. Derpaa gik man hjem til Boderne. Da lagde Thorgeir sig ned, bredte sin Kappe over sit Hoved, og blev liggende den hele Dag og næste Nat uden at mæle et Ord. Om Morgenen efter sendte han Bud om i Boderne, at man skulde samles paa Lovbjerget, og da Folket der var samlet, sagde han: at ham tyktes det almindelige Bedste vilde staae i Fare, dersom man ikke skulde have een Lov der i Landet; hvorpaa han betragtede Sagen fra flere Sider, og viste, at deraf vilde opstaae en saaban Ufred, at Landets Undergang var at befrygte. Han talte ogsaa om, hvorledes Kongerne af Norge og Danmark i en lang Række af Aar havde ført Krig med hinanden, lige indtil begges Undersaatter stiftede Fred imellem dem imod deres Villie. Men derpaa sendte de hinanden Gaver, og Freden blev holdt saalænge de levede. „Og saaledes,” vedblev han, „tykkes det mig ogsaa raadeligt, at vi ikke lade dem raade, som især ville afstedkomme Ufred, men mægle vor Sag saaledes, at hvert Parti erholder noget af sin Paastand, men vi alle have een Lov og een Skik.” Og han sluttede sin Tale saaledes, at alle samtykte i, at de skulde have een Lov, den som han vilde forkynde, thi Hedningerne haabede, at det vilde gaae efter deres Ønske, eftersom han var en Hedning, der skulde forkynde den, men de Kristne tænkte, at han vilde rette sig efter den imellem ham og Hall indgangne Handel. Da sagde Thorgeir: „Det vil jeg for det første, at alle skulle være Kristne, og de, som ikke hidtil ere døbte, antage den rette Tro, men angaaende Børns Udsættelse og Hestekjødspise skulle de gamle Love staae ved Magt; ofre til Afguderne kan i Løn hvo der vil, men hver, som ved Vidner overbevises derom, skal være skyldig til Landsforviisning." Faa Aar efter bleve ogsaa disse hedenske Skikke afskaffede. Paa denne Maade berettede Teit Isleifsøn at Kristendommen blev indført paa Island, og den Sommer blev Landet fuldkommen kristnet efter Kong Olaf Tryggvesøns Foranstaltning; og man besidder flere af ham givne Kostbarheder paa Island til Erindring om at han har kristnet Landet.

Om Kong Olaf.

38. Engang kom der to Nordmænd til Kong Olaf ovre fra England; den ene hed Hauk, den anden Sigurd. Kongen bød dem at antage den rette Tro og kristne Sæder, og søgte jævnlig at overtale dem; men de vare haardnakkede, og brøde sig ikke om Kongens Forestillinger. Da befalede Kongen at man skulde fængsle dem, men bad dem dog med gode Ord at de skulde lade sig vise til Rette. Desuagtet bleve de faste i deres Overtro, og vilde ikke lade sig bevæge til at vige af fra deres Vildfarelse. Da hændte det sig saa, at tre Nætter efter vare de borte, saa ingen vidste hvor de vare blevne af; og man søgte efter dem, men fandt dem ikke. Nu blev dette imidlertid glemt, og Tiden led. Og da saa Maaneder vare forløbne, blev det sagt, at man havde seet dem i Helgeland hos Harek, hvor de holdtes i stor Ære, og dette spurgte Kong Olaf.

Om Kong Olaf.

39. Og nu saae al Menneskeslægtens Fjende, Djæ-velen selv, hvorledes hans Rige begyndte at øbelægges, han, som altid efterstræber den menneskelige Natur, og han saae, hvor meget derimod Guds Rige tiltog og vorte; derover fattede han nu megen Avind, og ifører sig men-neskelig Skikkelse, fordi han saa meget lettere kunde be-drage Menneskene, naar han saae ud som et Menneske. Det hændte sig, da Kong Olaf var til Gjæsteri paa Øg-valdsnæs, det var paa vor Herres Jesu Kristi Fødselstid, og da man var ordnet til Sæde om Aftenen, og der var lavet til Drikkelag, og man biede endnu efter at Konge-bordet skulde dækkes, da kom der en gammel, eenøjet Mand ind i Hallen med en sid Hat paa Hovedet; han var meget snaksom, og kunde fortælle mangehaande Ting; han blev ført frem for Kongen, der spurgte ham om Ti-dender, hvortil han svarede, at han kunde fortælle adskil-ligt om de gamle Konger og deres Feltslage. Kongen spurgte, om han vidste, hvem Øgvald var, han, som Næsset var opkaldt efter. Han svarede: „Han boede her paa Næsset, og elskede meget en Ko, saa at den maatte følge ham, hvor han end drog hen, og han vilde drikke dens Melk. Og derfor sige de Mænd, som elske Kvæget, at sammen skal fare Karl og Ko. Denne Konge holdt mange Slag; og engang, stred han med Kongen over Skorestrand, der hed Varin; i dette Slag faldt mange Mennesker, og der faldt ogsaa Kong Øgvald, og blev siden højlagt her paa Næsset, og man vil finde hans Høj her kort fra Gaarden; i den anden Høj ligger Koen." Nu holdtes Drikkelaget efter Sædvane og alle

de Forlystelser man havde bestemt. Derefter gik mange
hen at sove. Da lod Kongen hiin gamle Mand kalde
til sig, og han sad paa Fodtrinnet ved Kongens Seng,
og Kongen spurgte ham om mange Begivenheder, hvilke
han forklarede vel og som en kyndig Mand. Og da han
havde fortalt meget og vel forklaret mange Ting, blev
Kongen bestandig begjerligere efter at høre ham, han
vaagede derfor langt ud paa Natten, og blev ved at ud-
spørge ham om mange Ting. Omsider erindrede Biskop-
pen ham med nogle Ord om, at Kongen skulde høre op
at tale med Manden; men Kongen tyktes, han havde
fortalt en Deel, dog manglede der endnu andet. Ud paa
Natten sov Kongen endelig ind, vaagnede atter kort efter,
og spurgte om den Fremmede var vaagen; han svarede
ikke. Kongen sagde da til Vagten, at de skulde lede ham
op, men han fandtes ikke. Kongen stod da op, lod sin
Mundskjænk og Kok kalde til sig, og spurgte, om der var
kommen nogen ubekjendt Mand til dem, da de tillavede
Gjæstebudet. Overkokken sagde: „Der kom for kort siden,
Herre, en Mand til os, og sagde til mig, da jeg lavede
Kjødet til en lækker Ret for eder: Hvorfor lave J saa-
dant Kjød til Kongens Bord til kostelig Spise for ham,
som er saa magert? Jeg bad ham da skaffe mig noget
federe og bedre Kjød, hvis han havde noget saadant.
Han sagde: Gak med mig, og jeg skal vise dig noget
fedt og godt Kjød, som passer sig for Kongens Bord.
Og han førte mig hen til et Huus, og viste mig to Sider
af et Nød meget fede; og dem har jeg lavet til for eder,
Herre!" Nu indsaae Kongen, at dette var Djævelens
Svig, og sagde til Kokken: „Tag nu dette Kjød, og kast
det ud i Havet, at ingen spiser deraf; og hvis nogen

smager deraf, da vil han snart dø; men hvem mene J
vel, at denne Djævel har været, den fremmede Gjæst?"
„Vi vide ikke," svarede de, „hvem det er." Kongen
sagde: „Jeg troer, at denne Djævel har paataget sig
Odins Skikkelse." Efter Kongens Bud blev Kjødet baaret
bort, og kastet i Havet; men den Fremmede fandtes in-
gensteds, og man søgte rundt om Næsset efter ham efter
Kongens Befaling.

Om Kong Olaf og Eivind Kelda.

40. Der indtraf den Begivenhed, at samme Nat,
som Kongen og Biskoppen vare til Gudstjeneste og Messen
holdtes, da kom der til Næsset den Mand, som forhen er
nævnt og hed Eivind Kelda, den samme som var und-
kommen af Ilden da Seidmændene bleve brændte. Han
havde nu fem Skibe, var kommen fra Havet, og lagde
nu til Leje nærved Gaarden paa Øgvaldsnæs; han sto-
lede nu paa de mange Folk han havde med sig, dog især
paa Troldmændene, thi der vare mange af dem i Følge
med ham, skjøndt han selv var den dygtigste af dem.
Han agtede nu at gaae mod Kong Olaf, og at dræbe
ham med alle hans Folk. Men nu skete det, som Psal-
misten siger, at hans Ondskab rammede hans eget Hoved,
og den Snare, han selv havde udspændt, den blev han og
selv fangen i. De gik nu ud af Skibene og op paa Øen,
hen til den Kirke, hvor Kongen og Biskoppen og alle de
Kristne vare inde. Og da Eivind saae den hellige Kirke,
da blev han blind tilligemed alle hans Mænd. De gik
da tilbage og frem over Øen. Da Kongen havde hørt
tre Messer, gik han ud af Kirken, og saae Mændene,
hvor underlig de fore afsted, hvorpaa han sendte nogle

Mænd hen, forat see efter hvem det var og hvad Grun-
den var til deres Færd.   Sendebudene droge nu hen til
dem, og spurgte, hvem de vare og hvorfor de droge saa-
ledes afsted.   De andre fortalte med Rædsel, hvem de
vare, hvad de vilde, og hvilket Under der havde veder-
farets dem.   Det blev nu sagt Kongen, der befalede, at
man skulde samle dem, og sætte dem i Forvaring.   Næste
Dag lod Kongen dem alle bundne føre fra deres Skibe
hen til det Skjær, som ligger nord fra Næsset, der hvor
Karmsund ender;   og der lod han dem alle halshugge;
der blev Eivind dræbt med alle hans Mænd;   og Stedet
kaldes siden den Tid Skratteskjær lige indtil denne Dag.
Men fjerde Dag derefter lod Kongen begge Høje opbryde,
og der fandtes i den største Menneskebeen,   men i den
mindste en Ko,   og det syntes nu aabenbart for alle, at
hiin gamle Mand havde i visse Dele sagt sandt; og der-
af indsaae de,   at han vilde bedrage baade Kongen og
andre med djævelsk Slughed,   da han berøvede Kongen
Søvnen i Begyndelsen af Natten   og paa den Tid da
Guds Tjeneste skulde skee;   siden maatte de vaage, da de
havde maattet undvære Søvnen forud;   han havde ind-
rettet sin List saaledes,   at Bispoppen ikke skulde kunne
højtideligholde hiin dyrebare Højtid saa tækkelig som Skik
var;   og al Menneskeslægtens Fjende havde saaledes ud-
kastet sine listige Snarer,   at først forførte han Sjælene,
siden Legemerne;   men alt dette vendtes, som billigt var,
til Spot og Skam for ham selv;   og jo mere hans
Snuhed viste sig,   desto mere nedtraadt og foragtet blev
han af hele Kristenheden.

Om Kong Olaf.

41. I Kong Olafs tredie Regjeringsaar lod han bygge et stort og herligt Skib, lig det forrige og med samme Kunst. Dette Skib kaldtes Ormen den korte. Man siger, at det er Skik i Helgeland at lægge megen Vind paa Jagt og Fiskeri, baade efter Dyr og Fisk og Hvaler, hvilket er en stor Hjælp for mange, og hvorved baade fattige Folks og Bøndernes Velfærd beforbres. En Dag, fortælles der, da det var godt Vejr, sagde Hauk og Sigurd til Harek, at det vilde være en Fornøjelse at roe ud forat fiske i det fagre stille Vejr. Harek syntes godt derom, og de satte en stor Roerskude ud, og gik om- bord paa den med nogle Mænd, for størfte Delen Hauks og Sigurds Medfølgere; da de vare komne langt fra Landet, toge Hauk og Sigurd med deres Mænd alvorlig fat paa Aarerne, stævnede sønderpaa langsmed Landet, og standsede ikke, førend de kom til Throndhjem, hvor Kongen modtog dem vel; han gav sig strax til at for- kynde den hellige Tro for Harek, og vedblev dermed i mange Dage, thi han saae, hvor vigtigt det var at faae en saa mægtig Mand omvendt; men denne var ubevæge- lig. Kongen tilbød ham da en stor Forlening og sit Ven- skab, og sagde, at dette var dog for intet at regne imod den evige Vinding han vilde faae; han tilbød ham Be- styrelsen af to Fylker, hvis han vilde fornægte sine Gu- der, men troe paa Krist og lade sig døbe. Hos Nord- mændene kaldes det et Fylke, hvoraf kan udredes tolv Skibe, fuldt udrustede med Mænd og Vaaben, og paa hvert Skib tresindstyve eller halvfjerdsindstyve Mand, som da var Skik. Harek afslog det strax. Da spurgte

Kongen, om han vilde have Befalingen over tre Fylker, men det afflog han; Kongen spurgte, om han vilde have fire Fylker, og det sagde Harek Ja til. Derover blev Kongen glad, og bad ham modtage Daaben, saavel som Hauk og Sigurd og alle deres Medfølgere; de satte sig heller ikke derimod; og dette skete i Kong Olafs tredie Regjeringsaar. Harek drog derefter hjem. Kongen bad ham ikke at sige nogen der nordpaa hvad der var forefaldet, hvilket han lovede; han kom vel hjem. Og kort efter fangede Harek Eivind Kinnriva med List, og bragde ham ned til Kong Olaf. Og han begyndte strax uaflladelig at forkynde ham Guds Ærende, og gjorde sig al Umage for at faae ham til at forlade Hedenskabet, men han afflog det med megen Trodsighed. Kongen talte nu venlig til ham, og tilbød ham verdslig Værdighed og megen Hæder, naar han vilde lade sin Vildfarelse fare. Omsider bød Kongen ham endog Herredømmet over fem Fylker, naar han vilde lade sig kristne; men han afflog det trodsig. Da befalede Kongen at man skulde sætte et Kar med Ild paa hans Bug. Og da han mærkede Heden, spurgte Kongen ham, om han vilde antage Kristendommen. „Nej,” sagde han; „men jeg beder eder høre efter hvad jeg siger, og vel betænke det!” Kongen sagde: „Siig frem, hvad du vil, vi skulle høre efter.” Eivind sagde: „Min Fader og Moder levede længe sammen i lovligt Ægteskab, og fik ingen Børn; og da de begyndte at ældes, gik det dem meget nær, om de skulde døe uden Arvinger. De droge derpaa med mange Penge til Finnerne, og bade dem ved Trolddoms Færd at forskaffe dem en Arving. Finnerne paakaldte da Fyrsten over de Aander, som boe i Luften, thi Luften er ligesaa fuld af urene

Aander som Jorden. Og denne Aand sendte en ureen Aand hen til det mørke Fængsel, som min Moders Liv med Rette kan kaldes; og denne Aand er jeg, saaledes undfangedes jeg og erholdt menneskelig Skikkelse og blev født til Verden; jeg tog ogsaa Arv efter min Faber og Moder og store Besiddelser; derfor kan jeg ikke lade mig døbe, thi jeg er ikke et Menneske." Og da han havde sagt dette, døbe han. Derefter udrustede Kong Olaf en stor Flaade, og vilde til Helgeland; Biskop Jon og Harek fulgte med ham. Da Thorer fik tilforladelig Efterretning derom, saa samlede han en Hær imod Kongen, og agtede at stride med ham; de mødtes, det kom til et skarpt Slag, i hvilket mange af Thorers Folk faldt, og hans Skibe bleve ryddede. Da Thorer saae mange af sine Mænd falde og andre flye, saa lagde han til Land, og flygtede; Kongen satte efter ham. Strax da Thorer kom til Land, forlod han Skibene og løb paa Land; dette saae en af Kongens Mænd, og skjød en Piil efter ham, der traf Thorer imellem Skuldrene og gik ind i Livet, saa at han faldt; og i det samme sprang en stor Hjort i hæftigt Løb frem af hans Legeme; da Kongens Hund Vige saae dette, løb den efter Hjorten, og anfaldt den hidsig. Men da Kong Olaf saae denne Tildragelse, løb han langt op paa Landet efter dem foran sine Mænd; og han saae, at Hunden og Hjorten kom sammen og der blev en haard Kamp; Hunden bed Hjorten, og Hjorten stangede Hunden, til de endelig begge faldt; Kongen gik da derhen, og fandt Hjorten død med mange Saar; Hunden var ogsaa stærkt saaret i Livet. Da kom Kongens Mænd til, og han viste dem Liget af Hjorten, det var tørt og overordentlig let, som en oppustet Bælg. Men Hunden toge

de med ned til Skibene, og svøbte den i en Dug; og
Kongen lod den siden sende hen til den Finn, som de før
havde fundet, og Kongen bad ham helbrede Hunden.
Finnen lægede ogsaa Hunden i nogle faa Maaneder, og
sendte den saa tilbage til Kongen. Kong Olaf forkyndte
nu Helgelænderne den sande Tro, og mange bleve døbte,
i det han drog igiennem Helgeland; alle disse Herreder
overgav han til Harek. Men Kong Olaf vendte tilbage
til Throndhjem med megen Ære. Skjøndt der nu for=
tælles saadanne Ting om Skræmsler og Under, som her
er fortalt, saa maa sligt vist tykkes utroligt; men alle
vide, at Djævelen altid er imod den almægtige Gud,
saavel som hine ulykkelige Mennesker, der vende sig fra
Gud; Djævelen øver Svig med allehaande List og Be=
drag, og opvækker sin urene Aand paa det værste imod
dem, som tjene Gud, forblinder deres Syn og naturlige
Vid, og skuffer og bedrager paa mangehaande Maader.
Men hvad vi fortælle om saadanne Ting og Hændelser,
det paastaae vi ikke er Sandhed, at saaledes er skeet, men
tænke snarere, at det saaledes har syntes, thi Djævelen
er fuld af Argelist og Ondskab.

Kong Burisleifs Giftermaal.

42. Man siger, at Kong Burisleif af Vindland
bejlede til Thyre, Kong Svends Søster af Danmark, og
dette erholdt han let af Kongen formedelst det Svogerskab
og Venskab, som allerede fandt Sted imellem dem, saa at
han fik Løfte om hende. Men Kong Burisleif var en
Hedning og gammel; og Thyre gav ikke sit Samtykke
dertil. Burisleif drog nu hjem til Vindland med Thyres
Midler, men Kong Svend skulde noget efter sende hende

did. Thyre erfarede nu dette, og sagde, at hun heller vilde døe, end tilbringe sine Dage hos en hedensk Konge, og saaledes forspilde sin Kristendom; hun blev derfor i mange Aar siddende paa sine Godser. Men da dette ved= blev, saa mishagede det Kong Burisleifs Datter Gunhild, at Thyre sad paa de Gaarde, som Svend havde givet hende, da han giftede sig med hende, og hun beklagede sig ofte derover for Kongen. Kong Burisleif blev ogsaa misfornøjet med sin Skjæbne, og sendte ofte Bud til sin Datter Gunhild, at hun skulde faae Kong Svend til at sende sin Søster Thyre til Vindland, som han havde lovet. Og formedelst Gunhilds Bøn gjorde Kong Svend det, han sendte Bud til Thyre, og lod sige, at han vilde tale med hende; hun kom; hvorpaa han lod Skibe udruste og bemande, og sendte Thyre til Vindland. Og da hun kom til Kong Burisleif, lod denne anrette et stort Gilde, og holdt Bryllup med hende. Men der fortælles, at saalænge hun var i Kong Burisleifs Vold, vilde hun hverken spise eller drikke, og det varede i elleve Dage; men paa den tolvte Dag lod Kongen hende rejse bort. Og dette for= tæller Præsten Ruphus, hvorledes Kongen fulgte hende paa Vej, og førend han vendte tilbage, sagde han: „Jeg seer nu, at eders Herlighed heller vil foretrække at døe, end at dele Herredømmet med mig; jeg vil nu lade dig drage bort, og skaffe dig Mænd og Skibe." Hun drog da hjem til Falster, og var der en Stund. Hun sendte derpaa Mænd til Norge til hendes Fosterfader Aage, at han skulde underhandle for hende med Kong Olaf Trygg= vesøn, at denne vilde være hende til Beskjermelse imod hendes Fjender; „thi jeg trøster mig ikke til," sagde hun, „at blive siddende her for min Broder Kong Svend, der

agter at sende mig anden Gang til Vindland." Nu kom
Sendebudene til Aage, og sagde ham deres Ærende; han
gik da strax til Kongen, skildrede ham hendes vanskelige
Stilling, og bad ham hjælpe hende paa een eller anden
Maade, at hun ikke skulde komme oftere i en saaban Fare;
„jeg veed," sagde han, „at hun helst vil giftes med en
kristen Mand." Kongen optog disse Forestillinger vel, og
sagde, han skulde tænke paa hendes Bedste. Aage sagde,
at hun behøvede hans Hjælp, for ikke at blive nødt til at
være hos en hedensk Konge. Kongen lovede nu at komme
hen og høre hendes Ord, og at formærke med hvilket
Venskab de vilde komme hinanden imøde. Og strax paa
Stedet lod Kongen et Skib udruste og alt omhyggelig til-
lave til denne Rejse; ligeledes valgte han til den de ga-
lanteste Mænd han kunde faae. Og han rejste nu, da
han var færdig; og da han kom did, gik han op i Land
med sit Følge. Han blev vel modtaget, og Dronningen
selv gik ham imøde, og anviste ham Plads i Højsædet;
men hun selv satte sig ned for at tale med ham, og kla-
gede sin Sag for ham. Da spurgte Kongen, om hun
vilde have ham til sin Formynder og Forsvarer i alle
Dele, og om hun vilde samtykke i at dele Herredømmet
med ham, eller hun vilde see sig om efter en anden Værge.
Hun svarede: „Jeg vil ikke sige Nej til en saa berømt og
herlig Konge, som du er." De vedbleve nu at tale om
denne Sag, indtil Thyre fæstede sig selv til Kong Olaf
efter sin Fosterfader Aages Raad. Gjæstebudet blev da
endnu mere forstørret, og deres Bryllup holdt med megen
Pragt. Og den Dag da Gildet stod, og Kongen sad i
Højsædet og ved Siden af ham Høvdingerne og de Mæg-
tige, og de vare glade ved Mjød og Viin og mange andre

gode Ting, da sendte Kongen Thoraren Nefulfsøn, en
forstandig Mand, derhen hvor Kvinderne holdt Gilde; og
da han var kommen hen for hendes Sæde, bukkede han
for hende, og sagde: „En god Dag, Frue! Min Herre
sendte mig hid til eder, og ønskede at vide, hvad han
skal vælge eders Højhed, som kan være eder sømmeligt til
Brudeskjænk eller Brudegave.” Dronningen svarede: „Min
Herre maa selv bestemme, hvad der sømmer sig bedst for
mig og hvad han vil vælge mig; men sige vil jeg ham,
at ni Nætter var jeg i kongelig Seng hos Konge; nu
veed Kongen, hvis ni Nætter ere mig bestemte hos ham
i kongelig Seng, hvad han vil gjøre.” Og da Thoraren
hørte hendes Svar, sagde han Farvel til Dronningen, og
bukkede for hende. Han kom nu til Kongen, og sagde
ham hendes Svar. Og det behagede Kongen vel, og han
sendte hende strax en herlig Kappe med god Besætning.
Efter dette Gilde rejste Kongen hjem til sit Rige med me-
gen Glæde, og Dronning Thyre fulgte med ham.

Om Afgudsbilledernes Ødelæggelse.

43. Kong Olaf havde fundet, at Thrønderne, som
havde været med ham, havde endnu megen Tiltro til Af-
guderne, fornemmelig Frej. Kongen dadlede meget deres
Tro, men de modsagde ham, og der herskede ligesom no-
gen Trætte imellem dem; de havde to Skibe, og det skor-
tede ikke paa at de roede stærkt til. Kongen kom først
til Lands, og begav sig strax hen til Templet, og brød
alle Afgudsbillederne isønder, vendte derpaa tilbage imod
sine Mænd, og havde Frejs Billede med sig. Og da
Thrønderne kom imod Kongen, brød denne Frejs Billede
istykker ligefor deres Øjne. De gik da i sig selv, for-

lode deres gamle Overtro, og gjorde efter Kongens Bud, og forligede sig med ham.

Den danske Konge Svends Giftermaal.

44. Men da Kong Svend erfarede dette, mishagede det ham meget, at det var skeet uden hans Tilladelse; og kort efter døde Dronning Gunhild, som var gift med Kong Svend; de havde to Sønner, af hvilke den ene hed Harald, den anden Knud. Derefter ægtede Kong Svend Sigrid Storraade, som forhen havde været gift med Erik Sejersæl; hun var Moder til Olaf Svenske; hende havde Kong Olaf Tryggvesen forhen fæstet sig, men ophævede Fæstemaalet, da hun var hedensk og vilde ikke antage Kristendommen. Men Kong Olaf vilde heller ikke for hendes Skyld blive en Hedning, og han slog hende da med sin Handske.

Om Kong Olaf.

45. Man finder det værd at erindre og fortælle, at paa Øen Brimanger er der et højt Fjeld, som er meget vanskeligt at bestige; Nordmændene kalde det Smalsarhorn; dette Fjeld har Kong Olaf gaaet op i, og fæstet sit Skjold deroppe paa Toppen af Fjeldet. Fjeldet synes at rage langt frem over de andre Fjelde, og næsten at hænge frem over Søen. Der fortælles ogsaa, at to af Kongens Hirdmænd havde en stor Trætte med hinanden, om hvem der bedst kunde gaae op i Bjerget og komme længst op i Fjeldet, og omsider væddede de om mange Penge, indgik en fast Aftale derom, lavede sig derpaa til, og den ene gik langt op i Fjeldet, saa langt, at han tilsidst hverken torde gaae op eller ned, og torde ikke see

til nogen af Siderne; han stod nu med skjælvende Been, med Frygt og Rædsel, at han skulde falde ned og bryde Arme og Been eller døe paa Stedet, biede saaledes jammerlig paa sin Død, og raabte paa Kongen og hans Mænd, at de skulde hjælpe ham. Men den anden stod noget længer nede, og havde ikke Kraft til at komme højere, skjælvende paa hele sit Legeme, men frelste sig dog med Nød og næppe. Men da Kongen saae, at ingen vilde hjælpe hiin, og han var lige ved at falde, saa kastede han sin Silkekappe, og bandt et Linklæde om sig; steg derpaa op af Skibet, gik op i Klippen, greb hin elendige Mand og hjalp ham; og tog ham under sin Arm som et Barn, og bar ham til Skibet.

Om Kong Olaf.

46. Det er ogsaa værd at fortælle den mærkelige Ting, at Kong Olaf plejede ofte at svømme i sin Brynje, og at drage den af under Vandet; men naar han stred i et Slag, greb han i Luften de flyvende Spyd og Pile, saavel med den venstre, som med den højre Haand, og kastede dem tilbage lige godt med begge Hænder. Han var behændigere og hurtigere end nogen anden, og i Slagene raskere og hastigere, og om man end leder Verden rundt, saa vil man ikke finde hans Lige i alle Slægs Færdigheder og krigerske Øvelser i alle de nordiske Lande. Naar han sejlede, havde han god Lykke med Bør; man siger, at han ofte sejlede det paa een Dag, hvortil andre brugte to eller tre, og i mange Henseender var hans Lykke større, end andres.

Om Kong Olaf.

47. Det tjener heller ikke at forbigaae det, at den almægtige Gud undte Kong Olaf megen Ære og Priis her i Verden formedelst hans Arbejde og hans hellige Bønners flittige Anbefalinger, og Gud stod ham bi med megen Kraft. Det hændte sig stundum, naar Kong Olaf var ombord paa sine Skibe, og mange Vagtmænd holdt Vagt over ham, da kom han stundum naar man mindst tænkte derpaa ned fra Landet til dem, og gik hemmelig ud paa sine Skibe, imedens Vagtmændene troede han sov i sin Seng i Løftingen, og de undrede sig, da de ikke havde lagt Mærke til at han gik bort, skjøndt de meente de holdt omhyggelig Vagt; ikke desmindre saae de ham komme ned fra Landet; og skjøndt der var Dug paa Jorden, bleve hans Spor dog aldrig fundne eller seete, men han steg ombord med tørre Fødder. Det hændte sig engang, at to anseelige Mænd, Gudbrand fra Dalene og Thorkel Dydril, vare nysgjertige efter at kjende Kongens Færd, og overlagde med hinanden, at passe paa hans Gang. Og en Morgen tidlig sad Thorkel paa Enden af Broen forat holde Øje med Kongens Gang, men da han mindst tænkte derpaa, kom Kongen listelig til ham, og kastede ham fra Bryggen ud i Søen, og sagde, at det skulde han have for sin Nysgjerrighed; derpaa rakte han efter ham, og hjalp ham op af Vandet, og satte ham paa Bryggen. „Saae du nu,” sagde han, „at Dydrillen blev vaad.” Derpaa gik de begge ud paa Skibet. Men formedelst det Venskab og den Kjærlighed Kongen bar til Thorkel, og for hans indstændige Bøns Skyld, at han dog skulde sige ham, hvorfor han saa ofte gik bort fra

Skibene saa hemmelig og ene, saa tog Kongen en Nat
Thorkel ved Foden, og bad ham gaae med sig uden at
gjøre nogen Støj; de gik op paa Land, og hen til en
Skov i Nærheden af Skibene; og da de kom til Skoven,
sagde Kongen: „Staa du nu her ved dette Træ og bi
efter mig, jeg gaaer et kort Stykke Vej og kommer strax
tilbage; men vogt dig vel for at gaae længer frem!"
Kongen gik nu ind i Skoven hen til et aabent Sted. Da
saae Thorkel det Syn, som han vidnede mange Aar efter,
da han fortalte Harald Sigurdsen det, og forsikrede, at
det var Sandhed, at Kong Olaf bad til Gud, og rakte
sine Arme imod Himlen; da kom der et stærkt Lys over
ham, saa at han, som han fortalte, næppe kunde see imod
det; og da, sagde han, saae han to Mænd i kostelige
Klæder, som lagde deres Hænder over Kongens Hoved,
og han fortalte, at han takkede Gud, at det skulde for=
undes ham at see et saadant Syn; han hørte en fager
Sang og mærkede en behagelig Lugt, som fulgte med
dette Lys; og da to eller tre Timer af Natten vare ledne,
da forsvandt Lyset, Kongen kom da tilbage til Thorkel,
og bad ham følge med til Skibene. Kongen forbød ham
at sige denne Tildragelse til noget Menneske, saalænge
han levede, og truede ham med Døden, hvis han gjorde
det; og det holdt han, thi han var en stor Ven af Kon=
gen. Men mange Aar efter Kong Olafs Død, da Thorkel
var en gammel Mand, fortalte han Kong Harald denne
Tildragelse, og denne ansaae Thorkel for en meget sand=
dru Mand.

Om Kong Olaf.

48. Man fortæller, at det hændte sig engang da
Kong Olaf gik fra Messen, og satte sig i sit Højsæde,

og hans Mænd. vare komne til Sæde, at han pludselig
forsvandt for deres Øine, og de spurgte hverandre, hvor
han var; men de vidste, at han ikke var gaaet ud af Hallen,
og derom vare de alle enige.   Da Bispen hørte deres
Tale, sagde han: „Jeg kan sige eder, hvor jeg seer ham
staae; han staaer midt i Hallen, og taler med en Mand,
som I ikke kan see."   Og kort efter saae de Kongen i sit
Sæde.   Og da de erfarede saadant, troede de, at han
var en Guds Engel, sendt fra Himmelen, og lignede
mere dem end Menneskene.   En anseelig Mand, Gud-
brand fra Dalene, sagde om ham, at det var tvivlsomt,
om det var en Konge de saae, eller hvad de helst skulde
ligne ham med, om han var som andre jordiske Konger
paa Jorderige, eller han var en Engel, sendt fra Gud
og iført menneskelig Skikkelse for Menneskene, forat han
hos mange Folk kunde udbrede vor Herres Jesu Kristi
Navn.   Man siger, at Kong Olaf Tryggveson kristnede
fem Lande med deres Indbyggere.   Men det var ikke at
vente, at Folket skulde fuldkommen forbedres i Sæder og
Tro paa Gud, thi Tiden var kort, og Folket haardt og
styrket i Vantro, og vilde ikke gjerne give Slip paa deres
Frænders Sæder; Mangelen paa Lærere var ogsaa stor,
og de, som vare, formedelst Uvidenhed og Ukyndighed ikke
synderlig dristige til at bruge den danske Tunge, thi de
bleve meget foragtede.   Følgende ere Navnene paa de
Lande, han kristnede: Norge, Hjaltland, Orkenøerne,
Færøerne, Island, Grønland.   Dog herskede paa mange
Steder Kristendommen kun af Navn, og saa vilde det
have blevet, hvis der ikke var kommen en anden til at
styrke den og tvinge Folket; nemlig hiin Konge med
samme Navn, Olaf Haraldsen, der ikke besad mindre

Kraft til at befordre Kristendommen, men langt længere
Tid. Men eftersom Arbejdet var stort og Tiden kort til
at samle Faar i den almægtige Guds Faarehuus, da
syntes det, som det ikke gik frem med Guds Gjerning;
thi Fjeldbygderne laae ikke under Norges Konger, som
beherskede Strækningerne langs med Havet, saasom Kon-
gerne i Oplandene, som regjerede over Fylkerne, tjente
under de svenske Konger; faa af dem antoge Kristen-
dommen; og overalt i fjerntliggende Bygder og vide Fjeld-
egne over hele Norge, i afsides Dale og paa Udnæs, der
ofrede mange hemmelig til Afguderne, skjøndt de ikke vo-
vede at have dem hjemme i deres Huse, og de troede paa
Skove, Bjerge og Kjær. Efter Kong Olaf Tryggvesøns
Afgang hændte det sig, femten Aar efter, at Kong Olaf
Haraldsøn kom til Oplandene, fangede i eet Efteraar fem
Konger, kristnede Oplandene, og lod en stor Mængde Af-
gudsbilleder ødelægge. Man kan saaledes antage, at Kong
Olaf den ældre samlede Materialier og lagde Grundvol-
den til Kristendommen ved sine Bestræbelser, men den
yngre Olaf rejste Væggene; Olaf Tryggvesøn satte Hegnet
omkring den, men Olaf den Hellige prydede det og byg-
gede det højere. Og ikke allene drog Olaf den Hellige
Omsorg for sit Bedste, men for alles, som han sørgede
for; og dertil udgjød han siden sit Blod til Hjælp for hele
sit Folk i sin hellige Død; og nu bære hans mange Jær-
tegn Vidne om, at han er i Himmeriges Herlighed hos
den almægtige Gud, og alle Nordmænd have ham til de-
res Fører og Talsmand baade hos Gud og hos Menne-
skene, til Hjælp og Miskundhed. Men Olaf Tryggvesøn
derimod, siden han mistede Riget i hiint store Slag, da
han stred paa Ormen den lange, han er os berøvet, uden

at jordiske Mennesker ret kunne vide, hvilken Hellighed han besidder; og denne er ikke beviist ved underlige Gjerninger og Jærtegn, men ingen tvivler paa, at han blev sendt af Gud. Gud gjorde ham ogsaa mægtigere end andre Konger, og underfuldere i alle farlige Foretagender; derfor maae vi alle prise den Herres Jesu Kristi Navn for denne Mand, som han gav saa megen Magt og Dygtighed, paa samme Maade som vi prise Gud for den hellige Kong Olaf.

Om Ormen den lange.

49. I Kong Olafs fjerde Regjeringsaar lod han bygge det Skib, som er blevet særdeles omtalt og berømt; det blev tømret i Vigen ved Lade, indenfor Ladeklipperne ved selve Fjorden; der er en Dal og flad Slette, hvor ingen stærke Vinde komme, da den ligger i Læ baade inden- og udenfra Fjorden; den Deel af Kjølen, som laae paa Jorden, var fire og halvfjerdsindstyve Alen, men Rummet imellem Stavnene er ikke angivet. Da Skibet var tømret, befalede Kongen, at mange Folk skulde komme did forat see det. Og da man betragtede det, roste alle, som kom derhen, det for dets Størrelse og Skjønhed; saa der aldrig har været bygget et lignende Skib i Norge. Og da Kongen hørte, at alle roste det overordentlig, tykkedes han vel derom. Men nogle Dage efter fandtes paa Skibet tre store Hug; det var hugget paa Bordet med en stor Buløre; da Kongen erfarede dette, blev han meget vred, og anstillede nøje Undersøgelse efter, hvem der havde gjort det, men ingen vilde vedgaae det. Da gik Kongen hen forat betragte Huggene paa Skibsbordet, og sagde meget forbitret: „Den Mand vil jeg give en Mark Guld,

som dræber den, der saaledes har skamskjændet Skibet, og tilføjet mig Skade og Foragt." Kort efter kom Over=bygmesteren, der havde bygget Skibet og var en særdeles dulig Mand, til Kongen; han bad Kongen om en Sam=tale i Eenrum, og sagde: „Herre! Vogt dig for at dømme andre saa haardt og farligt for denne Sags Skyld; thi jeg er Skyld i, at Skibet er hugget, og tilkjend mig der=for den Straf du vil." Kongen sagde: „Hvorfor gjorde du det og af hvad Grund?" Den anden svarede: „Forbi det syntes mig ikke vel dannet, og jeg haabede det skulde blive bedre, naar der blev taget af Bordene, thi Skibets Bord tyktes mig vel høje, og jeg troer det vil see bedre ud, naar de blive gjort lavere; og hvis du vil lade mig gjøre det ved, skal jeg gjøre det til det fagreste og for=trinligste Skib i alle Henseender." Kongen gav hertil sit Samtykke. Bygmesteren gik da hen, og gjorde det ved, saaledes som han havde lovet Kongen, og anvendte al sin Dulighed paa at forskjønne det; og da det var fær=digt, sagde han til Kongen, at han havde gjort det saa godt han kunde; „kom nu selv, og see, Herre!" sagde han. Og efter hans Begjering gik Kongen hen og saae det, og blev glad derover, roste det meget, og gav ham en stor Belønning. Siden lod Kongen Skibet male med forskjellige Farver, og forgylde og pryde med Sølv; paa Skibets Forstavn var et Dragehoved, og det førte ikke færre Aarer paa hvert Bord end otte og halvtreds. Der=paa fik Skibet Navn paa Norsk, og kaldtes Ormen den lange, hvilket paa Latin hedder longus draco eller ser=pens. Kongen selv førte Befalingen paa dette Skib, og udnævnte Tropper til at være der ombord, og dertil valgte han de stærkeste og vaabenduligste Mænd i hele Norge.

Saaledes vandt Kongen megen Berømmelse, fordi han lod
et saadant Skib bygge; alle skjønnede nu ogsaa, at Ski=
bet nu var langt smukkere og anseeligere; saa snildt havde
Bygmesteren baaret sig ad, at der hverken var hugget for
dybt eller for lidet; med saa stor Behændighed havde han
hugget det. Ingen Mand skulde tjene paa dette Skib,
der var yngre end tyve Aar, og ingen ældre end tresinds=
tyve. Ingen feig Mand eller fattig Stakkel maatte komme
paa dette Skib, og det var næsten forbudet enhver, som
ikke i een eller anden Henseende havde udmærket sig ved
nogen Daad, saaledes som der fortælles om Kong Olaf
og hans Mænd.

Om Kong Olafs Udseende.

50. Kong Olaf Tryggvesøn var høj af Vært og
særdeles dannet, han havde uldhvidt, langt Haar, var
hvidbrun og lys af Ansigtsfarve; han var særdeles smuk,
og havde skjønne Øine. Det have ogsaa Mænd, som
vidste god Besked derom, bemærket, at to Mennesker al=
drig have lignet hinanden mere i alle Slags Færdigheder
og rask Væsen, end Kong Olaf Tryggvesøn og Hakon
Adelsteensfostre; dog var Hakon endnu stærkere af Kræf=
ter, skjøndt ingen var Olafs Lige i hans Dage. Kong
Olaf var den første i Norge, som bevarede den sande
Tro; det gik ham godt, førend han antog Troen, men
langt bedre siden, thi han øvede da mange Handlinger,
om hvilke man ikke kunde afgjøre, enten de mere vare en
Følge af Guds Kraft, eller af jordisk Værdighed. Og
hvor i Landet han stævnede Thing, og mægtige Mænd
samlede sig, og agtede at tale imod ham, hvorved man
hørte mangen herlig Tale, saa havde det dog, om end

Bønderne talede nok saa snildt, intet at sige saasnart
Kongen talte, thi han havde Sandheden at forkynde;
imidlertid maatte han dog bruge mange Overtalelser og
anvende meget Arbejde, førend Troen vandt Sejer. Kong
Olaf havde Jernskegge paa Yrjes Datter med sig. I
Kong Olafs fjerde Regjeringsaar holdt han Thing i
Throndhjem inde paa Froste, nemlig otte Fylkers Thing,
hvortil der indfandt sig en stor Mængde Folk og mægtige
Høvdinger; blandt andre Jernskegge fra Yrje, Styrkar
Endridesøn fra Gimse, Orm Lygra fra Bynæs i Gaul-
dal, og deres mange Frænder. Denne Orm var gift
med Gudrun, en Datter af Bergthor og Søster til As-
gaut fra Selvaag; deres Moder var Thurid, en Søster
til Thorodd fra Olfos. De stode alle sammen paa Thin-
get; men Kong Olaf anbefalede dem den rette Tro; og
da han havde holdt en skjøn Tale, svarede Jernskegge,
og sagde: „Hvis du ikke ophører med saadanne Bud, saa
vil det gaae dig som Hakon Jarl.” Kongen saae, at
han ikke havde Folk nok imod dem, han lod derfor, som
han vilde give efter for dem, og sagde: „Det nytter ikke
at jeg udsætter mig for eders Overmagt, og det synes
mig kongeligere, heller at forøge Ofringerne, end at for-
mindske dem, hvilket vi altsaa ville gjøre.” Kongen var
da mild i sin Tale, men vred i Hu. Thinget blev nu
oplæst, og Leensmændene og de mægtige Bønder droge ind
i Throndhjem til Møre; de vare tre hundrede Mand;
der var et Hovedtempel, hvor Ofringerne skulde skee; der
ventede man ogsaa Kongen, men han drog først hjem fra
Thinget; og siden atter derhen, og havde da ingen andre
Skibe, end Ormen den lange; han var nu ganske færdig.
Da Kongen kom til dem, havde de gjort Anstalter til et

Menneskeoffer, og vilde nøde Kongen til at deeltage deri.
Der vare mange Folk samlede. Da Kongen kom, for-
langte han at gaae ind forat see deres Gudstjeneste; han
gik da ind, og havde en stor Bredøre i Haanden; deres
Offerbiskop fulgte med ham. Da de vare komne ind, sagde
Biskoppen Kongen, hvor hver af Guderne stod; Thor var
i Midten af Huset, og havde de fleste Prydelser. Kong
Olaf gik hen til Thor der hvor han sad; Kongen hævede
Øren, og gav Thor et Slag i Hovedet, saa han styrtede
frem paa Gulvet. Derpaa gik Kongen ud; og ved hans
Udgang blev Jernskegge dræbt ude ved Templet imellem
Kongens Mænd. Olaf sagde da: „Lad os nu tænke
paa, Mænd, at forstørre Ofringerne, lad os ikke ofre
Trælle eller gamle Folk, som intet ere værd, men griber
nu eders Kvinder eller Mænd af fornem Slægt, og giver
Guderne dem!" Da Jernskegge var dræbt, tabte Bøn-
derne Modet, og saae nok, at de hverken havde Lykke
eller Magt til at modstaae ham. Kong Olaf sagde da
til dem: „Forener eder nu med mig, og tager mod Fred
og mit Venskab; troer nu paa den Gud, som lader So-
len skinne paa de Retfærdige og Uretfærdige, og lader det
regne over Gode og Onde; troer paa een Gud, Fader
og Søn og den hellig Aand." Og da Kongen havde
talt saa, saae han saa forskrækkelig ud, at ingen vovede
at tale imod ham; de havde allerede liidt nok for deres
slette Foretagende, og frygtede for at flere vilde gaae
samme Vej, hvis de ikke adlød Kongen. De valgte der-
for en god Beslutning, og lovede Gud og Kongen Lydig-
hed. Derpaa døbte Biskoppen og Præsterne sex hundrede
Mand, og desforuden Kvinder og Børn; saa at den
Skjændsel, de vilde tilføie Kongen, blev dem til meget

Held. Alle droge nu bort i Fred, og lovede den eneste sande Gud. Men efter Jernskegges-Drab, og siden Kongen havde gjort det anseelige Giftermaal med Dronning Thyre, saa lod han Jernskegges Datter Gudrun fare; hun tyktes ogsaa ved sin Faders Død at have liidt Fornærmelse nok.

Om Kong Olaf og Roald.

51. Roald hed en Mand, som boede i Moldefjord, en stor og mægtig Afgudsdyrker; han vilde ikke antage Kristendommen, heller ikke forlade sine fædrene Besiddelser; han var en stor Troldmand, og brugte djævelske Kunster. I hele tre Aar vedblev denne troldbomskyndige Mand at frembringe tvende Vandhvirvler imod Kongen udenfor hans Besiddelser, og det med en saadan Hæftighed, at Kongen og hans Mænd ikke kunde komme til ham, og ingen kom uden hans Tilladelse til det Torp han beboede. Olaf rejste atter til ham; og da han kom der, hvor Bølgerne brødes, befalede han hurtig at sejle mod dem og over hine skrækkelige Vandhvirvler; og saasnart Skibene kom i dem, lagde de sig og faldt ned. Roald blev greben, og Kongen befalede ham at antage den rette Tro, men han nægtede Guds Navn; derimod paakaldte han sine Guder, hvorpaa Kongen, som billigt var, befalede at dræbe ham, og han mistede saaledes med Rette Livet.

Om Kong Olaf.

52. Det hændte sig paa et Thing og i samme Herred, at Kongen forkyndte Troen, og en mægtig og veltalende Mand talte imod ham. Da lod Kongen ham gribe, og befalede, at de skulde lade en Orm krybe ind i

Munden paa ham, hvilket de ogsaa forsøgte; de toge Or-
men, og lukkede Munden op paa Manden, men han blæste
imod Ormen, saa at denne vendte sig bort fra hans
Mund og vilde paa ingen Maade krybe derind.   Da lod
Kongen tage et hedt Jern og binde ved Ormen, og da
den følte Heden, krøb den ind i Munden paa ham og ned
i hans Bug, og der ud, og da havde den Mandens Hjerte
i sin Mund.   Da man saae dette, da overfaldt en stor
Skræk og Rædsel alle Hedningene.

Om Kong Olaf, hvorledes han lod en Mand jage ved Hunde.

53.   En Sommer kom en Mand til Island, ved
Navn Grim, en stor og stærk Mand, der i nogen Tid
havde været Kong Olafs Stavngjemmer.   I Borgefjord
levede en Mand ved Navn Thorkel Trefil, en stor Høv-
ding.   Det hændte sig, at Thorkel under en stor Trængsel
paa Thinget blev traadt under Fødder, hvilket han be-
skyldte Grim for, og derover blev Thorkel meget forbitret
paa Grim, og kaldte en Mand til sig ved Navn Sigurd,
der var stor og stærk;   Thorkel lokkede ham til at over-
falde Grim, forat hævne den ham vederfarne Foragt.
Og om Aftenen, da Grim gik til Sengs, gik Sigurd be-
væbnet imod ham, og hug til ham, men han forsvarede
sig tappert;   tilsidst faldt dog Grim.   Formedelst denne
Tildragelse anklagede Grims Frænder Sigurd til at blive
landflygtig efter Landets Love.   Og da han blev kjendt
skyldig, drog han udenlands den Sommer, og kom til
Norge om Efteraaret, og gav sig og sine Medfølgere an-
dre Navne.   Kong Olaf erfarede af Kjøbmændene, at
hans Stavngjemmer var bleven dræbt paa Island; han

blev da meget vred, og vilde grummelig hævne ham; alle
vare heller ikke saa tavse, at Kongen jo fik Sandheden at
vide; Kongen gik da ombord, og søgte, og kjendte snart
den Skyldige, og lod ham sætte i Fjedder. Kort efter
stævnede han Thing, og befalede, at han skulde rives ihjel
af Hunde; og da der var kommen en stor Mængde til
Things, lod Kongen Klæderne trække af ham, og han
blev afklædt sat i Mandekredsen for Hundene. Da gik
en af Hirdmændene hen til Kongen, og sagde: „Hør,
min Herre! Det tjener ikke, at denne Mand skal lide en
saadan Død, og det sømmer sig bedre, at du sætter ham
i den Dræbtes Sted, thi jeg troer han vil være en lige=
saa rask Mand som den anden." Kongen svarede: „Her=
ved skal andre afskrækkes fra at dræbe mine Hirdmænd."
Og da Manden mærkede, at hans Ord ikke udrettede no=
get hos Kongen, saa begav han sig til Biskoppen, og
sagde ham det. Biskoppen sendte ham strar tilbage til
Kongen, og bad denne eftergive den Skyldige Sagen.
Kongen svarede: „Biskoppen kan ikke bedre bedømme en
Mand paa Marken, end jeg; klæder ham nu strar af!"
Folket dannede en Kreds omkring ham; Hundene bleve
slagne løse; men Manden havde saa fagre og skarpe Øjne,
at da han saae paa dem, torde de ikke anfalde ham. Da
kaldte Kongen den stærkeste af sine Hunde, Vige, til sig,
to eller tre Gange, klappede den, og hidsede den paa Man=
den; og formedelst Kongens Tirren, ved det han hidsede
den saa stærkt, løb den een Gang frem, bed Manden i
Livet, og vendte strar tilbage til Kongen. Da Manden
fik Saaret, sprang han op, og løb over Kredsen, men
faldt da død ned. Da Biskoppen hørte dette, irettesatte han
skarpt Kongen, saa at denne tilsidst faldt Biskoppen til

Fode, bekjendte sin Fejl for Gud, og indsaae, at han havde syndet ved denne grumme Gjerning, og Kongen viste megen Anger derover.

Om Kong Gudrød og Brødrene.

54. Paa denne Tid kom Erik Bloderes Søn Gudrød til Landet; han kom fra Hærtoge østenfra til Vigen; denne samme Gudrød dræbte Kong Tryggve ved Svig, efter sin Broder Kong Haralds Tilskyndelse og deres onde Moders listige Anslag. Han havde mange Folk og tresindstyve Skibe; han vilde prøve paa, om Høvdingerne i Vigen vilde tage ham til deres Konge, eller om de vilde foretrække at stride med ham. Men der regjerede den Gang to Brødre, som før er omtalt, Hyrning og Thorgeir; de svarede klogt, og sagde, at de helst vilde tage ham til Konge, men dette var dog saa vigtig en Sag, at det var bedst, der tre Dage efter stævnedes Thing, og at der paa et talrig besøgt Thing gaves ham Kongenavn. Gudrød samtykkede deri, og kom til Thinget, som var meget talrigt. Hyrning stod i Spidsen for Bønderne; men da han red til Thinget, hændtes det pludselig, at han faldt af Hesten og døde strax; der blev da med megen Bedrøvelse draget Omsorg for hans Lig, og dette ført hjem. Hans Broder blev ogsaa saa bedrøvet, at han næppe kunde raadslaae om noget; han sagde da til Gudrød paa Thinget: „J har vel hørt, Herre, den pludselige Ulykke her er skeet, hvorledes jeg har mistet min Broder; baade jeg og alle vore Mænd ere nu meget sorrigfulde; jeg beder eder, Herre, at J tillader os at jorde ham hæderlig; men hvad den Ære angaaer, som vi agtede at vise eder, saa tag til Takke med et Gjæstebud hos os med Glæde

og Gavn, og bi til vi kunne faae stævnet et andet Thing,
hvor vi ville stræbe at beforbre eders Hæder." Gudrød
samtykkede heri, og syntes vel om Thorgeirs Ord; han
drog nu til Gjæstebudet, og de holdt Drikkelag med Glæde.
Men det hændte sig, at Hyrning en Nat kom med mange
Folk, som om han igjen var kommen til Live; han satte
Ild paa Salen, og indebrændte Gudrød med alle hans
Folk, men de, som søgte at komme ud, bleve strax dræbte.
Da Kong Olaf hørte dette, roste han meget deres Gjer=
ning, og takkede dem højlig derfor.

Om Kong Olaf og Thor.

55. Det hændte sig engang, at Kong Olaf sejlede
langs med Landet paa Ormen den lange, og sad selv ved
Roret; da raabte en Mand, der stod paa en Klippe, ud
til Skibet, og bad Kongen have den Godhed at tage ham
med. Da Kongen hørte dette, lod han strax Skibet løbe
did, hvor Manden stod, og denne steg ombord paa Skibet.
Han slog stort paa, talte mangt spottende Ord til Kon=
gens Mænd, og gjorde sig meget lystig. Manden havde
et smukt Udseende og rødt Skjæg; han lo af de andre,
og de andre af ham, og førte store Ord i Munden paa
forskjellige Maader. De spurgte ham, om han kunde for=
tælle dem noget Mærkeligt og hvad der var forefaldet i
gamle Dage. Han foregav at vide meget; „thi I kan ikke,"
sagde han, „spørge om noget, uden jeg veed Beskeed der=
om." Dette fortalte de nu Kongen, og sagde: „Herre,
denne Mand kan fortælle mange mærkelige Ting," hvor=
paa de bragde ham til Kongen, der spurgte hvad han da
kunde fortælle. „Herre!" svarede han, „dette Land, som
vi nu sejle ved, blev fordum beboet af nogle Riser; men

det traf sig, at disse Riser fik en brad Bane, og de døde, saa der blev ikke flere tilbage end to Kvinder. Siden skete det, Herre, at Mænd, som vare af menneskelig Oprindelse og havde hjemme i den østlige Deel af Verden, gave sig til at beboe dette Land; og hine store Kvinder, Herre, de voldte Menneskene meget Bryderi, og plagede dem paa mange Maader; og da besluttede Menneskene at anraabe dette røde Skjæg om Hjælp; og jeg greb da ogsaa paa Øieblikket Hammer og Pantsersærk, og slog dem ihjel.” Da han havde sagt dette sprang han bort fra Forstavnen og hen over Bagstavnen i alles Paasyn. Kongen selv saae ogsaa denne Tildragelse, hvorledes han styrtede sig i Søen, og forsvandt for deres Øine. Da sagde Kong Olaf: „See nu engang, hvor dristig Djævelen er, at han saaledes lod sig tilsyne for os.”

Fortælling om Trolde.

56. Der fortælles, at Kong Olaf opholdt sig i Nummedalen, og at to af Kongens Hirdmænd fik Lyst til at vide, om det var sandt at der spøgede mange Trolde der i Herrederne. En Nat droge de hemmelig bort fra Kongens Skib, vandrede længe frem i Nattens Mørke, og saae derpaa en Ild brænde foran sig, til hvilken de da skyndte sig. Og da de nærmede sig Ilden, saae de, at den brændte i en Hule, og der sade mange Trolde, og talte sammen. En af dem, den, som de meente maatte være deres Formand, tog da til Orde: „Veed J,” sagde han, at Kong Olaf er kommen hertil, og det for, som han tænker, at drive os bort fra vore Ejendomme.” De andre svarede, at de vidste det: „tvi vorde ham; meget Ondt har vi maattet lide af ham.” Da sagde deres Høv=

ding: „Saa fortæl nu, hvad J har haft med hinanden at gjøre.” Da tog een af dem til Orde: „Jeg havde min Bolig i Gauldalen kort fra Lade, og Hakon-Jarl var min gode Ven; han gav mig skjønne Foræringer; men da han mod Ret og Skjel blev berøvet sit Rige, kom denne i hans Sted; det hændte sig en Dag,” fortalte han, „at Kongens Hirdmænd gik og legede i Nærheden af Gaarden, da kunde jeg ikke længer udholde deres Skrigen og Tummel, og jeg var ret led og kjed af det altsammen; da gav jeg mig ind i Legen med dem, dog usynlig; jeg tog fat paa een af dem, og skiltes saaledes fra ham, at jeg brød Armen paa ham; og den næste Dag brød jeg Foden paa en anden; den tredie Dag kom Kongen til Legen, og jeg vilde da atter lemlæste een eller anden af dem; jeg stod da imellem dem, og tog efter een af dem; men han greb fat paa mig og det haardt, og klemte sine Hænder ind i mine Sider, og værre kunde de ikke have været, om de havde været af gloende Jern; han gav sig til saaledes at plage mig, saa jeg næppe kunde staae paa mine Been; kun med Nød og næppe slap jeg ud af Hænderne paa ham, flygtede ganske forbrændt bort derfra, og kom imod min Villie til dette Sted.” Da sagde et andet Trold: „Om mig er at fortælle, at jeg paatog mig Skikkelse af en smuk Kvinde, havde et Horn fuldt af Mjød i Haanden, hvori jeg havde blandet mange slemme Ting, og havde i Sinde at skjænke for Kongen om Aftenen der hvor han var til Gjæstebud; og da Mændene vare blevne meget drukne, stod jeg ved Bordet smukt pyntet; da rakte Kongen sin Haand ud imod mig, jeg gik hen til ham, og gav ham Hornet, men han løftede det op, og kastede det i Hovedet paa mig, lige i Panden, og saaledes skiltes vi

ab." Da tog det tredie Trold til Orde: „Jeg paatog en
smuk Kvindes Lignelse, og kom til Kongens Herberge silde
om Aftenen; Kongen sad barfodet, og havde knyttet
Linbrog om Benet; Biskoppen sad paa hans høire Side;
da gav jeg mig til at opvække Klø paa Foden af ham,
nemlig Kongen, og han saae hvor jeg stod, og kaldte paa
mig, og bad mig kløe hans Fod; jeg satte mig paa Skam-
melen ved hans Fødder, baade før Nadveren og efter; der-
paa gik Kongen at sove, og jeg med ham, og jeg kløede
da igjen hans Fod; da faldt Biskoppen i Søvn, og saa
Kongen, hvorpaa jeg forsøgte at forgjøre Kongen ved djæ-
velske Kunster. Men derpaa vaagnede Kongen, og kastede
en Bog i Hovedet paa mig, saa at Hjerneskallen fik Skade;
derpaa flygtede jeg bort derfra, og siden den Tid er jeg
skjævhovedet. Da vakte Kongen Biskoppen, og bad ham
see efter, om der fejlede ham noget eller ikke af det denne
Djævel havde været hos ham, som saa synlig havde viist
sig i deres Herberge. Biskoppen gjorde som Kongen for-
langte, og fandt paa hans Fod en fæl Plet, fuld af
Edder, og denne lod Biskoppen skjære bort af Kjødet, hvor-
paa det ganske blev lægt." Da Kongens Mænd havde
seet og hørt dette, vendte de ganske stille tilbage, og kom
ombord medens alle sov. Men næste Morgen fortalte de
Kongen dette, og han sagde, at det var sandt, hvilket han
selv kunde forsikre: „men dog," sagde han, „vil jeg ikke
have, at I tiere skal gaae saaledes ud om Natten, thi det
kan blive farligt for eder, at I gaae saaledes allene hvor
I intet have at gjøre." Derefter reiste Kongen og Bi-
skoppen igjennem alle disse Bygder, og bare Vievand, og
frelste Folket fra Djævelens Kunster, hvoraf mange før
havde maattet lide megen Nød.

Om Kong Olaf.

57. Der fortælles, at Kong Olaf og Dronning Thyre havde en herlig smuk Søn, som i Daaben fik Navnet Harald, og blev opkaldt efter hendes Fader; han var meget afholdt af Kongen og Dronningen, og man havde gode Forhaabninger om at han vilde regiere vel efter sin Faber, og Folket fattede megen Kjærlighed til ham; men han levede næppe et Aar, og blev da taget bort fra denne Verden til den evige Herlighed.

Om Kong Svend og Dronning Sigrid.

58. Om Kong Olafs femte Regjeringsaar er at fortælle hvad der forefaldt i Danmark, at Kong Svend nemlig da havde ægtet Sigrid den Storraade, og engang, fortælles der, holdt de en Samtale, i hvilken Dronningen i mange af deres Venners Nærværelse sagde: „Hvorlænge, Herre, vil du taale den Foragt, der er tilføjet dig?" Kongen svarede: „Hvad er det for en Foragt, Frue, som jeg taaler, uden at hævne den?" Dronningen vedblev: „Foragt og megen Skam blev der tilføjet dig, da man ikke holdt dig for værd eller agtede dig saa meget, at man raadspurgte dig, da din Søster Thyre giftede sig med den norske Konge Olaf, hvilket du ikke siden har paatalt; hun giftede sig selv med sin Fosterfaders Samtykke, uden at indhente din Tilladelse, og han foranstaltede hendes Bryllup." Da sagde Kong Svend: „Hvilken Foragt er derved tilføjet mig? Er ikke Olaf Tryggvesøn berømmeligere end alle andre Konger, og kunde jeg finde noget bedre Giftermaal for min Søster end med denne Konge, om jeg end selv raadte derfor; og om end mit Rige stod i den bedste Flor, saa er hun hæderlig nok gift." Dronning Sigrid svarede: „Det nægter jeg ikke, at Kong Olaf er berømmeligere end andre Konger, og din Søster er vist vel nok gift; men da du er Konge, saa skulde du betænke, hvor megen Foragt de tilføjede dig, i det han fæstede sig din Søster, thi lidet agtede han da dig og din Værdighed." Kongen sagde: „Denne Meen og Foragt, tænker jeg, er nu kommen saa vidt, at jeg vil finde mig i det, som det nu er; dette vil ogsaa være det bedste jeg kan gjøre, thi Kong Olaf er mægtig og jeg kan ikke staae mig mod ham eller hævne denne Foragt." Sigrid svarede: „En ringe Konge vil du blive længe, fordi du vil saa være; men vilde du være en saadan Konge, som dine Frænder have været, saa taalte du ikke denne Skam og Foragt; og det kan jeg forsikre dig, at hvis du vil være en saadan Kryster, at du ikke tør hævne sligt, saa vil jeg lade mig skille fra dig, og vil aldrig blive her." Kong Svend sagde: „Siden Kong Olaf har saa stor Magt og Styrke, hvorledes skal jeg da hævne sligt?" Sigrid svarede: „Med List skal du overvinde ham, og du vil faae Bugt med ham omsider." Kongen sagde: „Saa lær du mig da, hvorledes det skal gaae til, at han bliver overvunden." Sigrid sagde: „Først skal du sende nogle Mænd til Vindland til Sigvalde Jarl, som du har gjort landflygtig fra det danske Rige; byd ham til dig, at I kunne slutte Forlig, og tilbyd ham de Besiddelser og den Magt, hans Forældre have haft. Derpaa skal du paalægge ham, at drage i dit Ærende til Norge, forat han saaledes kan gjøre godt igjen hvad han har fejlet imod dig, og gjør alt dette med Venlighed!" Sendebudene droge nu til Sigvalde med Kongens Budskab, og forkyndte ham det;

og Jarlen gjorde sig strax færdig og drog til Kongen, hvorpaa de raadsloge med hinanden. Og Kongen sagde til Sigvalde: „Hvis du vil have dine Besiddelser tilbage, saa skal du drage i mit Ærende til Sverrig og Norge med sikre Kjendemærker til Kong Olaf den Svenske og siden til Kong Olaf Tryggvesøn, at vi alle skulle mødes i Brennøerne næste Sommer; den svenske Konge kan lade, som om han der havde et nødvendigt Ærende." Da sagde Sigrid: „Lad min Søn Kong Olaf sende det Budskab til sin Navne i Norge, at han skal hjælpe med at fremme Guds Ærende, at Kristendommen kan have Fremgang i hans Rige; og det veed jeg, at naar det kommer an derpaa, saa vil han sætte alt til Side for at rejse hen at forkynde Guds Navn, og det vil da ikke falde os vanskeligt at lede ham hen i et eller andet Baghold. Men hvis Olaf Tryggvesøn sejler fra Norge, og du lader ham gaae igjennem Øresund og fare hvilken Vej han vil, saa vil han ingen Mistanke fatte om, at du mener ham det ikke oprigtig. Men da vil du især vise, hvor spagfærdig du er, Kong Svend, hvis du da lader ham sejle tilbage i Fred og Frelse." Sigvalde overtog nu disse Kongens og Dronningens Ærender, lovede at rejse, gjorde sig færdig, og drog til Sverrig. Da var Hakon Jarls Søn Erik og hans Broder Svend kommen til Sverrig, og de fik Underretning om Sigvaldes Rejse. Der herskede meget Uvenskab imellem dem siden Slaget i Hjørungevaag. De erfarede nu Sigvaldes Rejse, og sendte Bud at han skulde komme til dem. Og Sigvalde saae, at det vilde være det bedste, at tage til dem; han rejste strax, kom til Brødrene, og hilste paa dem. De spurgte, hvor han agtede sig hen. Han svarede: „Det skal nu beroe paa eder,

hvorhen jeg skal rejse;” og han fortalte dem hele Sam=
menhængen med hans Rejse. Erik svarede: „Hvis det
er sandt hvad du fortæller, saa skal du og hele dit Følge
fare i Fred.” Sigvalde Jarl rejste nu til han kom til
den svenske Konge Olaf, og forkyndte ham Kong Svends
og Dronning Sigrids Budskab. Den svenske Konge Olaf
tog vel imod Sigvalde, og gav sit Samtykke til alt det,
som Kong Svend og hans Moder havde talt om med
Sigvalde Jarl, hvilket nu ikke behøver at gjentages. Der=
paa drog Sigvalde til Norge, og fandt Kong Olaf Trygg=
vesen i Oplandene, hvor han ankom kort før Juul;
Kong Olaf tog særdeles vel imod ham, og han var hos
Kongen om Julen. Sigvalde Jarl fortalte Kong Olaf
hans Navne den svenske Konges Budskab, og bad ham
meddele sig hans Bestemmelse førend han drog bort. Efter
Julen beredte Sigvalde sig til Bortrejsen; og da sagde
Kong Olaf til ham, at han skulde forkynde den svenske
Konge, at han sikkert, saaledes som de havde sendt Bud
til ham om, vilde komme til Brennøerne, og saa langt
strakte hans Rige sig. Derpaa drog Sigvalde Jarl til=
bage til Danmark, og berettede dem, at Kong Olaf
Tryggvesen paa den fastsatte Dag vilde komme til det
Sted, som de havde bestemt; og de lode nu Sigvalde
Jarl have baade Fred og Fosterland.

Om Kong Olaf.

59. Vi ville nu ogsaa optegne, at i de fem Aar,
Kong Olaf regjerede over Norge, lod den almægtige Gud
en saadan Lykke skinne over Landet med alt Godt, baade
med Jordens Afgrøde og blidt Vejrlig, at de aldrig, hver=
ken før eller siden, erholdt en saadan Lykke. Et Exempel

10 B.   T

derpaa var, at paa den hellig Dag Palmesøndag, da
Kongen gik fra Meßen, saae han en Mand staae ved
Kirken med en stor Byrde paa Ryggen af de Urter man
kalder Hvanner (Angelikaer). Kongen rakte derefter, for
nøjere at undersøge denne Sommervært, der syntes at være
i fuld Blomster og ganske udsprungen. Og Manden, som
bar den, satte Byrden ned, og gav Kongen en Hvan,
hvilken denne bar ind i Drikkestuen, hvor Hirdmændene
vare. Han satte sig i sit Højsæde, og skar en Hvanstilk af,
hvilken han sendte Dronningen. Hun tog imod den, og
sagde: „Det er mig fast i Minde, Herre, at da jeg var et
Barn, og mine Tænder brød frem, da blev der givet mig
Tandgave; men disse Penge skulde min Broder Svend be-
tale med Rente, naar jeg krævede dem; nu beder jeg eder,
Herre, at kræve disse Penge, naar J drager til Danmark;
J kan ogsaa indsee, Herre, hvor store Besiddelser i Vind-
land jeg maa undvære, men hidtil har ingen haft Magt
eller Dristighed til at kræve mit Gods; og det har jeg
mangen Dag grædt over, at jeg saa skjændig har maattet
miste min Ejendom." Dette vakte megen Eftertanke hos
Kongen, og han betænkte nu hvad han skulde gjøre.

Om Kong Olaf.

60. Den næste Sommer samlede Kong Olaf en stor
Hær, og lod Bud udgaae over hele sit Rige; og da Hæ-
ren kom sammen, havde han et hundrede og tyve Skibe,
og mange Høvdinger og Kjæmper vare hos ham. Hans
Svogre, Thorgeir og Hyrning, vare Høvdinger over en
stor Hær. Kongen og Dronningen gjorde sig nu færdige
til at drage fra Landet. Da Flaaden var samlet, sejlede
Kongen sønderpaa langsmed Landet, og lagde til en Ø,

der hedder Moster. Der havde han først landet, da han kom fra England, og der lod han den første Kirke bygge. Nu lagde Kongen til Øen med hele Flaaden. Paa denne Ø var en gammel og blind Mand, som havde sin Bopæl og Besiddelser der; han var meget fremsynet. Da Flaaden laae ved Øen, befalede Kongen nogle Mænd at gaae i Land med ham; de gik hen til den gamle Mands Bolig. Den Gamle spurgte dem, hvem de vare, hvorfra de kom, og hvad de vilde. Anføreren for dem svarede og sagde, at de vare Kjøbmænd fra Landet der i Nærheden, og rejste forat sælge deres Varer. Da sagde Bonden: „Hvad kan J fortælle os om Kongens Flaade og om den Hær han samler?" De svarede ham, at Hæren laae ved Øen. Da sukkede den Gamle dybt, og sagde: „Ak, Ak! Stor Skade er os her forhaanden, at vor Konge vil drage bort; derved ville vi miste fire Ting, som ere meget bedre og dyrebarere her i Landet, end her før har været. Og tungt er det at tænke," sagde han, „om vi skulle miste alle dem for vor Ulykkes Skyld." Men den Mand, der lod som han var den fornemste af Kjøbmændene, svarede den gamle Mand: „Hvad er det for fire Ting, som ere saa meget dyrebarere end andre, at ingen kan sættes ved Siden af dem, hverken nu eller før?" Bonden svarede: „Som den første Ting anfører jeg vor Konge Olaf, der udmærker sig blandt alle Konger, og det er alle de forstandigste Mænds Mening, at ingen af den Slægt har været hans Lige i dette Land fra Harald Haarfager af, thi ingen har forestaaet Riget med saadan Herlighed; og hvis vi tabe ham, da ville vi ikke i vor Levetid faae hans Lige. Som den anden Ting anfører jeg Dronning Thyre, som alle give det Vidnesbyrd, at der aldrig er kommen en saadan Kvinde til Norge med hendes Godhed og Forstand. Den tredie Ting er hans Skib Ormen den lange, hvorom ogsaa alle ere enige, at der aldrig har været bygget Mage til det Skib. Den fjerde Ting er hans Hund Vige, som i sin Natur er bedre og stærkere end andre Hunde. Nu frygter jeg for at det ikke vil lykkes os at faae saa herlige Ting i vort Land, thi det hændes ofte, at de Ting, der ere saa ypperlige, dem mister man ofte snart." Da Kong Olaf hørte dette, sagde han til sine Mænd: „Lad os nu gaae ned til Skibene." Og da de gik ud, sagde den blinde Mand, imedens de bleve staaende ved Døren: „Det gaaer alle saa, naar de ælbes, at ikke allene det legemlige Syn slaaer fejl, men vi maa ogsaa taale og erfare, at Sindet omtaages og formørkes; thi jeg vidste ikke, at det var Kongen selv jeg talte med, og jeg vilde ikke have været saa snaksom, naar jeg havde vidst det." Kongen drog nu ned til Skibene, og sejlede saa østerpaa til det bestemte Sted, hvor Kongerne i gamle Dage plejede at holde Møde. Den svenske Konge var ikke kommen, Kong Olaf biede efter ham i to Uger, men han kom ikke. Men Kong Olaf vidste ikke noget af den Svig og Bedrageri, som man havde oplagt imod ham. Han sejlede da nu videre frem igjennem Øresund, og siden til Vindland; her besøgte han mange af sine Venner, som viste ham megen Hæder; han blev der en stor Deel af Sommeren, og fik Besøg af Astrid, der var Kong Burisleifs Datter, Sigvalde Jarls Kone og Søster til Geira den Vise, som Kong Olaf havde været gift med. Der traf han ogsaa Dirin, som før er omtalt. Men skjøndt mange modtoge Kongen hæderlig i Vindland, saa havde hans Hær dog megen Lyst

til at drage hjem. Kong Olaf besøgte ogsaa i Vindland
Kong Burisleif, og forlangte de Besiddelser af ham,
som Thyre skulde have haft i Brudegave. Heri understøt-
tede Kong Burisleifs Datter Astrid Kongen, og han selv
var ogsaa en stor Ven af Kong Olaf, fra den Tid denne
havde været i Vindland, da han havde hans Datter til
Ægte. Kong Burisleif gav ham nu Erstatning for disse
Besiddelser i Løsøre, som han lod bringe ud paa Kong
Olafs Skibe; og Kong Olaf opholdt sig der længe.

Om Hakon Jarls Sønner.

61. Om Hakon Jarls Sønner, Erik og Svend,
fortælles, at de bare det største Nag og ond Villie til
Kong Olaf formedelst deres Faders Drab, saavel som at
de bleve berøvede deres Fosterland; de vilde skille Kong Olaf
baade ved Rige og Liv. Strar da Sigvalde var draget
bort fra Sverrig til Norge, søgte Erik og Svend hen til
den svenske Kong Olaf, og de oplagde Raad med hinan-
den. De havde ogsaa besøgt den danske Konge Svend.
Da de nu alle spurgte, at Kong Olaf Tryggvesøn var
kommen til Vindland med en stor Hær, saa frygtede de
meget for, at det skulde blive vanskeligt at anfalde ham;
de samlede da en stor Hær, holdt derpaa, Kongerne og
Jarlerne, Møde med hverandre, og besluttede, at Sigvalde
Jarl skulde atter drage til Kong Olaf, og see, om han
kunde lokke ham hen i det Baghold de havde beredt ham,
hvor de vilde kunne overvælde ham. Og det var ved
Øen Svolder. Men Sigvalde skulde lokke Kong Olaf
hen til dem med faa Skibe. Kong Svend havde det især
at klage over Kong Olaf, at han havde taget hans Sø-
ster uden hans Tilladelse, og dernæst at han havde be-

mægtiget sig hans Skatteland Norges Rige, som hans Fa-
der Harald kaldte sin Høgs [1]. Saa siger Sigvalde Jarl:

> I Liv og Død, — Høgøen
> Du høi med Sværdet vogter.

Den svenske Konge Olaf havde det at besvære sig over,
at den norske Konge Olaf havde behandlet hans Moder
med Foragt, havde troløst ophævet det Giftermaal, som
var imellem dem, og slaaet hende med sin Handske: „det
er en stor Forhaanelse jeg har at hævne paa ham,"
sagde han. Sigrid skyndte ogsaa meget til denne Krig.
Hakon Jarls Sønner, Erik og Svend, tyktes at have
Grund nok til Fjendskab mod Kong Olaf. Sigvalde var
den femte Høvding, og han var Danekongens Mand.
Der udbredte sig nu det Rygte i Vindland, at der efter
al Rimelighed var lagt et Baghold for Kong Olaf og
hans Hær, naar han vilde sejle tilbage; en bekræftede
det, men en anden nægtede det, og sagde der var intet
om. Kong Olaf sagde, det var utroligt, og lagde det
ikke paa Hjerte. Sigvalde rejste nu til Vindland, opsøgte
Kong Olaf, og de gave sig i Samtale med hinanden.
Kong Olaf spurgte, hvad sandt der var deri, om der var
lagt noget Baghold for ham, saa han maatte frygte
Ufred. Sigvalde Jarl sagde, at det var lutter Snak og
Løgn, man havde sagt dem, og svor paa at han sagde
sandt. Kong Olaf troede Sigvaldes Ord. Og saaledes
lod den almægtige Gud det skee i deres Dage, at Kong
Olaf blev først sveget forrædersk ved Ondskabens og Løg-
nens Aand, og han mistede saa sit Rige imod sin Villie,
og blev sveget af sine Fjender, saa at han ikke længer

---

[1] Skatteland.

foreftod det jordiffe Rige, at han fnart efter ffulde fynes
fnarere en Himlens end en Jordens Borger. Følgende
er ffrevet om Sigvalde Jarl:

> Nec nominabo
> Pene monstrabo
> Curvus est deorsum
> Nasus in apostata,
> Qui Sveion regem
> De terra seduxit
> Et filium Tryggva
> Traxit in dolo.

Det vil fige:

> Ham vil jeg ej nævne,
> Men nær betegne,
> Nedbøjet er Næfen
> Nidingens lig; —
> Hans, fom Svend Konning
> Sveg fra Landet
> Og Tryggves Søn
> J Snarer førte.

Om Kong Olaf, hvorledes han gav fine Mænd Hjemlov.

62. Der fortælles, at Kong Olaf maatte høre me=
gen Klage og Knurren af fine Mænd, fordi de blive lig=
gende længer i Vindland, end dem tyktes om. Da lod
han ftævne et talrigt Thing, og talede faaledes: „Jeg
veed," fagde han, „at der er en ftor Mængde Mænd i
min Hær, fom i Sommer droge hjemmefra fra deres
Ejendomme, Koner og Børn, Frænder og Fofterland, og

forlade alt dette for at følge mig; og det er undskyldeligt,
at det tykkes eder tungt at dvæle her saa længe; desaar=
sag vil vi give dem, som ønske det, Lov til at vende til=
bage til deres Fædreland;   men langt større Tak vil jeg
yde dem, som ville blive hos mig, hvilket jeg ogsaa med
Tiden skal gjengjælde dem." Da Kongen havde sagt
dette, takkede Folket ham meget derfor. Da stod en gam=
mel Mand op paa Thinget, og sagde: „En Konge have
vi, ypperligere end andre og i sin Natur fortrinligere, og
der findes ikke hans Lige; og eftersom han er borte fra
sit Rige, kan han maaskee blive udsat for nogen Fare;
skjøndt han nu af Godhed giver sine Mænd Hjemlov, saa
sømmer det sig dog ikke for os at forlade en saa dyrebar
Høvding, men snarere at stride for ham og vise ham tro=
fast Bistand og Tjeneste, saalænge vi formaae, at ikke
det skal skee, at vi forsømme Pligten imød vor Herre, og
han derfor berøves os, saa at vi aldrig have godt af ham
siden." Paa disse Ord svarede kun faa ham. Og da
næste Dag kom, saae Kongen og hans Hirdmænd, da de
vaagnede, at Ledingen var brudt, og Folkene i Færd med
at nedbryde næsten alle Teltene, og at Sejlene vare oppe;
der blev da ikke mere end elleve Skibe tilbage. Kong
Olaf var dog endnu ikke færdig til at sejle, og opholdt
sig endnu en Tid. Der fortælles, at Kongerne havde nu
længe ligget med deres samlede Hær, og Folket var mis=
fornøjet og meente, de fik længe at vente, saa at mange
opgave Haabet om at Kong Olaf vilde komme til denne
store Hær; det var desuden meget tvivlsomt, hvorledes
det vilde løbe af, naar de kom sammen; Folkene vare nu
kjede af at ligge længer. Og nu saae de en Dag den
norske Flaade komme sejlende med megen Snarhed, og

bleve meget glade. Men Kong Olaf gav sig gode Stun=
der til at blive færdig, og Astrid gav ham mange ven=
diske Snekker, og hun fulgte Kongen østenfra, thi hun
formodede at der vilde hændes Kong Olaf noget Forræ=
deri, hvis han drog igjennem det danske Rige. Sigvalde
var da sejlet til Skaane. Kong Olaf havde, da han for=
lod Jomsborg, et og halvfjerdsindstyve Skibe. Saa siger
Haldor den Ukristne:

> Med et og syvti Skibe
>
> Drog Konningen fra Sønden,
>
> Saa i et Søslag Klingen
>
> Af herlig Drot blev rødnet;
>
> Da Jarlen Flaaden fordret
>
> Til Fægtning haarde, endtes
>
> Blandt Folket Fred, og Kampen
>
> De Skaaninger begyndte.

Høvdingerne laae i Havnen, da Kong Olafs Skibe sej=
lede ude paa Søen; de opholdt sig paa Holmen, og saae
hvorledes Flaaden sejlede forbi.

Om Kong Olafs Sejlads.

63. Denne Dag var det smukt Solskins Vejr, og
Høvdingerne med deres Tropper gik op paa Holmen, og
saae Smaaskibene sejle forbi. Da mange Skibe vare sej=
lede forbi, saae de et stort og smukt Skib, og sagde, at
det maatte være Ormen den lange; „og lad os nu gaae
ombord!" sagde de. Men Erik Jarl sagde: „Lad os
endnu bie noget, de have flere store Skibe end Ormen den
lange." Skibet tilhørte Styrkar fra Gimse, og det var
et stort Skib. Erik sagde: „Større og herligere vil J
finde Ormen den lange." Da saae de nok et stort Skib,

vel udrustet og med Hoved paa; da sagde Kong Svend:
„Det maa være Ormen den lange, som sejler der; lad
os nu skynde os!" Erik Jarl svarede: „Det er ikke Or-
men den lange, thi endnu ere kun faa af deres store Skibe
sejlede forbi, og de have mange." Dette Skib tilhørte en
mægtig og anseet Frænde af Kongen. Noget efter saae
de igjen et stort Skib sejle; da sagde Kong Svend: „Der
kommer Ormen den lange." Erik Jarl svarede: „Det
er et stort og smukt Skib, men større og anseeligere vil
I finde Ormen den lange, som Kong Olaf selv styrer."
Strax efter kom et andet stort og smukt Skib; disse Skibe
tilhørte Brødrene Hyrning og Thorgeir. Nu varede det
noget, førend der kom et stort og smukt Skib med blaa-
stribede Sejl, og det var meget større end de forrige; det
var en Skeid og havde intet Hoved paa. Da stod Kong
Svend op, og sagde smilende: „Ræd er Kong Olaf, han
tør ikke sejle med Hoved paa Ormen den lange; lad os
nu skynde os og lægge imod ham!" Da sagde Erik Jarl:
„Kong Olaf er ikke her paa dette Skib; det kjender jeg,
thi det har jeg ofte seet; det tilhører Erling Skjalgsøn
fra Jæderen, og det er bedre at dreje af for dette Skib i
et Slag, saadanne Kjæmper har det inden Borde, og det
skulle vi selv finde, hvis vi træffe Kong Olaf Tryggve-
søn, at vi heller maa vove os i hans Flaade, end møde
denne Skeid." Da sagde den svenske Konge Olaf: „Vi
skulle ikke være altfor bange for at lægge til Slag mod
Kong Olaf, om han end har store Skibe, thi det er en
Skam og Spot, som vil spørges i alle Lande, hvis vi
ligge her med en uovervindelig Hær, og lader ham sejle
forbi ad den alfare Vej." Da svarede Erik Jarl: „Lad
dette Skib sejle, Herre; jeg kan forsikre dig, at Kong

Olaf Tryggvesøn er ikke sejlet forbi, og du kan endnu i
Dag faae Lejlighed til at stride med ham." „Her ere nu
mange Høvdinger," vedblev Erik, „der uden Tvivl ville
gjøre et saadant Anfald, at vi skulle have Vanskelighed
nok med at overvinde dem." Nu saae de et stort Skib
sejle, og mange sagde: „Det er et overordentlig stort
Skib, der nu sejler; det maa være Ormen den lange;
nu vil Erik Jarl ikke stride og hævne sin Fader." Ved
disse Ord stod Erik Jarl forbistret op, og befalede dem
at gaae til Skibene, og sagde, at de Danske næppe skulle
vise større Lyst til Kamp, end han og hans Mænd. Og
nu varede det atter en god Stund, førend de saae tre
Skibe sejle, alle store, dog var et af dem langt større end
de andre, og havde et forgyldt Dragehoved. Og nu sagde
alle, at Jarlen havde sagt sandt; „her," udbrøde de,
„kommer Ormen den lange." Erik Jarl svarede og sagde,
at det var ikke Ormen den lange, men bad dem dog lægge
til, om de havde Lyst, forat forsøge det. Da tog Sig-
valde Jarl en Skeid, og drog ud til Skibene, og lod hidse
et hvidt Skjold op, hvilket var et Fredstegn; hvorpaa
hine toge Sejlene ind, og biede; dette store Skib hed
Tranen, og styredes af Kongens Frænde Thorkel Nefja.
De spurgte da Sigvalde, om han havde noget at forkynde
dem. Han svarede, at han kunde underrette dem om, at
der var oplagt Svig imod Kong Olaf. Nu lode Thorkel
og hans Mænd Skibet blive liggende og bie, thi nu vilde
de ikke sejle bort. Kongerne derimod saae nu, at der kom
fire Skibe sejlende, det ene langt større end de andre og
med forgyldte Dragehoveder; og nu sagde mange: „Et
forfærdelig stort Skib er Ormen den lange, dets Mage
findes ikke i Norden i Skjønhed og Størrelse, og en stolt

Ting er det at lade et saadant Skib bygge." Da sagde Kong Svend: „Højt skal Ormen den lange bære mig i Aften, og jeg skal styre det, førend Sol gaaer ned;" hvorpaa han befalede Folkene at gjøre sig færdige. Da sagde Erik Jarl, dog saa, at kun faa hørte det: „Om Kong Olaf endnu ikke havde flere Skibe, end I nu see, saa vilde Kong Svend ved Hjælp af den danske Hær allene dog aldrig komme til at styre dette Skib." Sig= valde sagde, at de skulde rebe Sejlene og lægge ind un= der Holmen; de vilde da bedre, sagde han, kunne benytte Vinden, naar de sejlede ind under Land, da de havde store Skibe og liden Bør; de gjorde saa, og samledes un= der Holmen. Hint store Skib hed Ormen den korte. Næppe en halv Times Tid efter saae Kongerne og hele Hæren tre meget store Skibe, og bagved dem øster i Ha= vet saae man et ligesom det pure Guld; og da det nær= mede sig, saa at man bedre kunde see det, da havde det herlige.Dragehoveder, som skinnede med megen Glands, og det varede længe førend den anden Stavn kom frem, og Skibet var overalt prydet med Guld og Sølv. Alle stirrede nu paa dette store Skib, som sejlede frem, og un= drede sig højlig, at det varede saa længe førend de saae Bagstavnen. Da sagde Erik Jarl: „Staaer nu op, thi nu behøver man ikke at tvistes om, hvor Ormen den lange sejler, her kunne I finde Kong Olaf Tryggvesøn." Nu bleve mange tavse, og der paakom dem en stor Frygt ved Synet af dette store Skib; og mangen en rædbedes her for sin Død. Erik Jarl vedblev: „Det er et Skib, der paßer sig for Kong Olaf; saa meget som han overgaaer andre Konger, saa meget overgaaer ogsaa dette Skib alle andre Skibe." Da Kong Olaf saae, at hans Folk havde lagt sig under Holmen, fandt han det rimeligt, at de maatte have spurgt noget Nyt. Han drejede da ogsaa med disse Skibe ind under Holmen, og formindskede Sejlene. Sigvalde Jarl styrede med sin Skeid ind imod Holmen Kongen imøde. Men alle de andre Høvdinger bleve særdeles glade, da de saae, at Kong Olaf var løben ind i det Baghold, de havde opstillet for ham. De kastede nu Lod om, hvo der først skulde lægge mod Kong Olaf med sin Hær, thi alle havde de Lyst til hans Rige. Lodden traf Kong Svend, som derpaa lod tresindstyve Skibe berede sig til Slag, ordnede sine Folk, og lod Banneret bære foran sig.

Om Kong Olaf.

64. Kong Olaf spurgte sine Folk, hvorfor de ikke sejlede. De sagde ham Grunden, og bade ham tage Flugten. Han svarede dem: „Sikkerlig vil jeg ikke flye, men lyster heller at stride, thi det er ingen sand Konge, som flyer for sine Fjender af Frygt.” Kong Olaf og hans Mænd saae, at de vare svegne, og hele Havet i Nærheden af dem var bedækket med Krigsskibe, men Kongen havde kun saa Folk til at indlade sig i et Slag. Saa sagde Halfred, da Folkene vare sejlede fra ham:

> Vist troer jeg vor Hærfører
> I Slaget alt for mange
> Throndhjemske Helte savned,
> Ved Flugt de Redning søgte;
> Der kjek han ene kjæmped
> Mod tvende Konger snilde.
> Og Jarlen, deres Lige
> Den tredie, — sligt bør mindes.

Nu deeltes Kongens Flaade; den danske Hær lagde sig paa eet Sted, den svenske paa et andet, og Erik Jarl indtog et tredie med sin Hær. Da sagde en forstandig Mand, Thorkel Dydril, til Kong Olaf: „Herre!" sagde han, „her er en stor Hær og megen Overmagt; lad os sætte Sejl til, og sejle ud paa Havet efter vore Folk; det er ikke Feighed af nogen Mand, at han betænker sine og sine Mænds Kræfter." Da sagde Kong Olaf: „Lægger Skibene sammen, lader Folkene ruste sig, og drager Sværdene; paa Flugt skal der ikke tænkes." Derom vidner Halfred saaledes:

De Ord bør vist erindres,
Som daadrig Helt berettes
Af Mænd, til eget Følge,
I Kampen sagt at have:
Han bad den Hær at tænke
Paa Troskabspligt, men ikke
Paa Flugt; den kjekke Tale
Blandt Folk skal stedse leve.

Kong Olaf ordnede nu sine Folk, lod sine Skibe befæste til Kampen, og befalede, at Tranen og Ormen den korte skulde lægge sig hver paa sin Side af Ormen den lange, hvorpaa de alle skulle fæstes sammen. Da sagde Kongens Stavngjemmer, nogle kalde ham Vikar, andre Ulf den Røde: han spurgte Kongen, om Ormen skulde rage saa meget længer frem i Befæstningen, end de andre Skibe, som den var længere bygget. Kong Olaf svarede: „Derfor blev den bygget længere end andre Skibe, at den skulde lægge længer frem." Stavngjemmeren sagde: „Der vil da skee et stærkt Anfald paa Forstavnen, og der vil Hovedslaget staae." Kongen svarede: „Jeg vidste

ikke, at jeg havde en Stavngjemmer, der baade er rød og
ræd; jeg har ladet det bygge større end andre Skibe,
fordi jeg vilde have, det skulde være kjendeligt i Slag,
som det er prægtigst under Sejl." Da sagde Stavngjem-
meren med Vrede til Kongen: "Sørg saa for eders Vær-
dighed, Herre, at I ikke vender mere Ryg ved Forsvaret
af Lyftingen, end jeg ved Forstavnen." Da blev Kon-
gen meget vred, og vilde kaste et Spyd efter ham; men
Stavngjemmeren sagde: "Kast det hellere did, Herre,
hvor det gjøres mere behov; I har ikke for mange Krigs-
mænd." Nogle sige, at Kong Olaf havde tre Stavn-
gjemmere, alle stærke, den ene var Ulf den Røde, den
anden Vikar, den tredie Hyrning; og de fleste ere af den
Mening, at det var Ulf, der holdt denne Samtale med
Kongen. Just paa denne Tid saae man et Skib komme
stærkt sejlende imod Lyftingen paa Ormen den lange, det
kom søndenfra; det var et Skib paa sexten Rum, og en
Mand gik fra Stavnen, og talte med Kong Olaf i et
ubekjendt Tungemaal; og Kongen svarede ham i det
samme Sprog, saa at Nordmændene ikke forstode det.
Da de havde talt en Stund sammen, sejlede de igjen
tilbage til Landet, og opholdt sig der hele Dagen, ime-
dens Slaget stod, og lode deres Skibe ligge for Anker.
Da de vare borte, spurgte Kongens Mænd, hvad det
var for nogle Mænd der havde talt med ham. Han sva-
rede, det var Fremmede, og de vare komne fra Vindland.
De fire Høvdinger, begge Kongerne og begge Jarlerne,
lagde til Slag imod Kong Olaf; om Sigvalde tales der
derimod lidet ved Slaget; dog siger Skule Thorsteensøn
i den Flok, han digtede om Slaget, at han var med:

De Frisers Uven fordum
Og Sigvald med jeg fulgte
J Landsklang; som Yngling
Jeg vandt et herligt Rygte;
Da rødnet Sværd vi bare
J Strid, ved Svolders Munding
Mod ypperst Helt; — nu føle
Folk at jeg gammel bliver.

Hvorledes Kong Svend lagde til Slag mod Kong Olaf.

65. Nu saae Kong Olaf en Fylking komme sig imøde, færdig til Slag, og han spurgte, hvad det var for en Konge, foran hvem Banneret blev baaret. Man sagde ham, det var Kong Svend, foran hvem Banneret blev baaret. Da sagde Kong Olaf: „Skovgederne skal ikke overmande os, thi de Danske have Gedemod, og for de Folk skulle vi ikke frygte, thi aldrig have de Danske endnu vundet Sejer, naar de strede til Søes." Da Dronning Thyre hørte dette, blev hun forskrækket, og da Kongen erfarede dette, fulgte han hende ned under Dækket, og lod hende beskjerme ved en Skjoldborg og stærke Dækningsmidler; han sagde til hende: „Nu er det ikke Tid at græde, thi i Dag skal jeg hente din Tandgave, som du har tilgode hos din Broder." Kongen var iført en rød Silkekjortel, saa fager som en Rose, udenpaa den tog han sin Brynje, og han stod i Lyftingen. Derpaa løde Lurene gjennem hele Hæren. Den danske Konge begyndte nu at angribe Kong Olafs Skibe, men udrettede kun saa meget, at han fik de yderste Skibe ryddede. Og fra Kongens store Skibe skortede det ikke paa Anfald af Skud=

vaaben, saa den danske Konges Mænd bleve meget saa=
rede og nogle dræbte. Men skjøndt det hed sig, at Kong
Svend lagde først imod Fjenden, saa blev der dog ogsaa
skudt fra den svenske Konges Skibe, og ligeledes fra
Jarlens Skibe; thi de laae saa nær, at Skudvaaben
kunde naae. De strede nu længe, og det faldt tungt for
de Danske; og da de havde stredet længe, og de Danske
opgave Haabet om Sejeren, og vare meget trætte, saa
brejede de fra, og havde mistet mange Folk; og de
brejede nu fra med liden Berømmelse, som Kong Olaf
havde sagt.

Nu lægger den svenske Konge til Slag.

66. Da nu de brejede fra, lagde den svenske Konge
imod Fjenden med tresindstyve Skibe, og hans Mandskab
var meget udvalgt, de stærkeste Mænd og fortrinlig udru=
stede. Kong Olaf Tryggvesøn spurgte, foran hvem nu
Banneret blev baaret. Man sagde ham, at det var den
svenske Konge Olafs Banner, og at han vilde stride med
ham. Kongen sagde: „Det vil være lettere og behage=
ligere for de Svenske, at slikke deres Offerkopper, end at
stige op paa Ormen den lange under vore Vaaben, og at
rydde Skibene under os; og disse Hestekjødsspisere tænker
jeg ikke vi behøve at frygte." Nu lagde de stærkt til;
og den norske Konge lod endnu en Gang Ormen den
korte og Tranen fæste paa hvert sit Bord af Ormen den
lange. Der fortælles, at da de Danske brejede fra, gik
den norske Konge Olafs Mænd fra de mindre Skibe over
paa de større, hvis Besætning med Tak tog imod dem.
Nu begyndte et hæftigt Slag imellem de to Navner; de
Svenske lagde haardt frem omkring Stavnen, men den

norske Konge Olafs Mænd gjorde et hæftigt Anfald med Skudvaaben. Og da de havde stredet længe, vare atten af den svenske Konges Skibe ødelagte. Og nu flyede atter den norske Konges Folk fra de smaae Skibe over paa Ormen, for der at finde Hjælp og at frelse Livet, thi Ormen var meget længere og havde højere Bord end de andre Skibe, saa at det var et godt Forsvarsværk, næsten som et Kastel. Derved vorte Besætningen paa Ormen den lange saa meget, at de Mænd, som vare vaabenføre, næppe kunde komme til at svinge deres Vaaben formedelst Trængselen. Og da de Svenskes Konge saae mange af sine Mænd dræbte og en stor Mængde saaret, saa fandt han det bedst at lægge fra, thi hans Folk vare meget trætte. Erik Jarl og hans Folk laae bestandig og skjøde paa den norske Konges Skibe, skjøndt hine mest omtales; og den hele Hob af anfaldende Fjender, baade den danske og svenske Konges Folk laae bestandig i Skudvidders Afstand. Nu havde ogsaa den norske Konge Olaf lidt et stort Tab, thi han maatte hente Undsætning langt borte. Derefter droge Kongerne og Erik Jarl og den hele Hær til Landet, og der blev stævnet Thing, og holdt stor Raadslagning om hvad man skulde gjøre.

Mændene paa Ormen den lange nævnes.

67. Nu formodede den norske Konge Olaf, at der vilde blive nogen Ro og Standsning i Slaget; han befalede da Thorkel Dydril, at han skulde tage Tranen, som var ryddet, og besætte den med de Saarede og til Strid Udygtige, og drage bort fra Slaget. Saa siger Halfred:

Tranen og tvende Orme
Saae Ulves Mæbster ligge
Der æde; glad ved Fægtning
Da Helten Spydet farved,
Før snart den snilde Thorkel,
Heel bjærv i Kampen ellers,
I denne tunge Træfning
Sig nu fra Slaget skyndte.

I Følge denne Kongens Befaling kom Thorkel bort fra Slaget. Da stode endnu paa Ormen den lange tre Fylkinger af stærke Mænd; følgende nævnes at have været paa Ormen i det sidste Angreb: Hyrning og hans Broder Thorgeir, Bjørn fra Studla, Thorgrim Thjodolfsøn, Asbjørn fra Moster, Thord fra Njardarløg, Einar Styrkarsøn Thambeskjælver fra Gimse, Kolbjørn fra Romerige, Thorsteen Orefod, Thorsteen den Hvide fra Oprostad; Thorkel Dydril var forhen taget bort; Ulf den Røde fra Heinmark, Vikar fra Tiundeland, Broder til Arnljot Gelline, Vak den Ærmske, Verse den Stærke, An Skytte fra Jæmteland, Thrand hiin Ramme fra Thelemark og hans Broder Styrmer; Helgelænderne Thrond Skjalge og Øgmund Sande, Løbver den Lange fra Saltvig og Harek den Hvasse; Indthrønderne Ketil den Høje og Thorfinn Eisle, Havard og hans Brødre fra Orkedal, Arnor den Mørske, Halsteen og Børk fra Fjordene, Eivind Snøg, Bergthor Bestil og Halkel fra Fjaler, Olaf Dreng og Arnvind fra Sogn, Sigurd Bild og Einar den Horbske, Finn og Ketil den Rygske, Grjotgard den Raske og Thorolf, Ivar Smætta og Halsteen Hlifsøn, Orm Skovnef, og mange andre, som vi ikke kunne nævne. Kong Olaf beredte sig nu til at fortsætte

Striden efter Evne, og haabede nu at gjøre Ende paa denne Kamp.

Om Høvdingernes Raadslagning.

68. Paa det Thing, som Høvdingerne holdt med hverandre, indgik de den Forening, at naar de gave Erik Jarl tilstrækkeligt Mandskab til at stride mod Kong Olaf Tryggvesøn, skulde han have de Dele af Landet, som kunde tilfalde Kongerne, i sin Magt, og indsættes til Landværnsmand for Norges Rige, men betale dem Skat hvert Aar af disse Dele. Erik Jarl skulde erholde Kong Olafs Skib og alt det Bytte, som blev gjort i Slaget; men hver af dem en Trediedeel af Norges Rige; dette stadfæstede de indbyrdes. Derpaa gjorde Erik Jarl sig færdig med sine Folk; han havde det Skib, som kaldtes Jernbarden, hvilket var et meget stort og stærkbygget Skib, hvis Stavne vare beslagne med meget Jern og oddhvasse Brodde; han havde nitten Skibe, besatte med dygtige Krigere. De roede nu med Hæftighed mod Kongens Skib, saa at der, efter nogle Mænds Sagn, gik meget itu paa Ormen i det de lagde mod hinanden. Da Kong Olaf saae Jarlen roe imod sig med en saadan Hæftighed, spurgte han sine Mænd, hvem det var der lagde saa stærkt til. De svarede: „Vi tænke, Herre, at det maa være Erik Hakonsøn Jarl med Jernbarden, som er et overordentlig stort Skib.‟ Da sagde Kong Olaf: „Mange fornemme Mænd have de sat i denne Hær imod os; og af denne Flaade maa vi vente et haardt Slag; de ere Nordmænd som vi, og have ofte seet blodige Sværd og mangt et Vaabenskifte; de troe sikkert ogsaa at have god Grund til at anfalde os, som de ogsaa virkelig have;

han roer heller ikke seendrægtig imod os, og tænker nok nu
at hævne sin Fader." Den ene af Erik Jarls Stavngjem-
mere hed Skule Thorsteensøn, den anden Vigfus Vigaglumsøn,
den tredie Torfe Valbrandsøn; desuden var der endnu Finn
Eysindsøn fra Herlandene, en Nordmand, der var en for-
træffelig Bueskytte; han havde gjort Einar Thambeskjælvers
Bue. Hvorledes Ormen den lange var besat, kan man
mærke deraf, at Einar havde taget Plads i Krapperum-
met, og skjød derfra den hele Dag med guldomviklede Pile,
og traf hvor han sigtede. Og nu begyndte et skarpt Slag,
Jarlen gjorde et alvorligt Anfald imod Ormen, og vilde
gjerne bemægtige sig Skibet, hvis han kunde. Men Kong
Olaf og hans Mænd forsvarede sig drabelig med ubeskri-
velig Tapperhed. Kongen stod i Lyftingen, og skjød med
begge Hænder, greb i Luften hvert Skudvaaben, som fløj
til ham, og sendte det tilbage, og dræbte mangen Mand
den Dag. Ligesaa gjorde hans Stavngjemmere, Hyrning
og Vikar, i det de strede mandelig og værgede sig drabe-
lig, hvor haard end Striden faldt; en Mængde faldt og-
saa for Jarlen. Einar skjød mangen Mand ihjel paa
Stedet, og saarede en Mængde. Paa Ormen bleve mange
saarede af Pile og Spyd eller Steen, men saa vare da
endnu døde, alle derimod trætte og møbige. Og da de
havde strebet en lang Tid, saae Erik Jarl, at mange af
hans Mænd vare faldne, dog de fleste saarede; han lagde
da til Land, og havde liidt et stort Tab; han befalede
da, at man skulde føre de Døde og Saarede bort fra
Skibene, og sætte i deres Sted ligesaa mange udhvilte
og usaarede Mænd.

Om Kong Olaf Tryggvesøn.

69. Da Jarlen lagde til Land, bade Kong Olafs Mænd ham at flye, og skildrede ham, i hvilken Fare de vare stædte. Han svarede, at man ikke skulde flye; thi sand Konge bør ej flygte. Det Skib, som vi før omtalte, med serten Rum løb nu hen til Kongens Skib bag imod Lyftingen, og de bade Kongen om Tilladelse til at gaae op paa Ormen; de vilde gjerne døe med ham, sagde de, om det var Skjæbnens Villie. Kongen afslog det; „thi det nytter mig ikke," sagde han, „at I gaae her op, men det kan vel hænde sig, at I kunne blive mig meget til Gavn, naar I ligge paa samme Sted hvor I vare før, og yde mig megen Bistand." Da de hørte det, lagde de til Land. Erik Jarl sammenkaldte nu baade den danske og svenske Hær, og bad dem hjælpe ham til at hævne sin Fader. „Det vil blive os til evindelig Vanære," sagde han, „baade for den danske og den svenske Konge, hver Gang Kong Olaf Tryggvesen nævnes, hvis vi ikke faae ham overvunden; og aldrig saae jeg Mage til en saadan Skam, da han kun har eet Skib og vi en utallig Hær." Derefter begyndte Hæren at ruste sig paa ny til Slag, toge Mod til sig, og lovede ham alle deres Hjælp. Og førend dette Stævnemøde blev sluttet, lovede Erik Jarl at modtage den hellige Daab, hvis han vandt Sejer over denne berømte Konge. Forhen havde han haft Thors Billede paa Stavnen af sit Skib, men nu lod han i det Sted sætte det hellige Kors, brød Thor itu i smaae Styk- ker, men Korset satte han i Stavnen paa Jernbarden. Og derefter faldt det Jarlen ind, at lade en forstandig Mand kalde til sig, Sigvalde Jarls Broder, Thorkel den

Høje; han sagde til ham: „Ofte har jeg været i Slag,"
sagde Erik Jarl, „men aldrig fundet en taprere og i
Kampen kjækkere Mand, end Kong Olaf og hans Mænd,
ikke heller har jeg seet et Skib der var saa vanskeligt at
angribe, som Ormen den lange; find nu paa et eller an-
det Raad, Thorkel, hvis du er saa forstandig en Mand,
som Ordet gaaer, til at erobre Ormen." Thorkel undslog
sig længe, og sagde, at han kunde ikke finde paa noget
Anslag. Men da Jarlen bad længe derom, saavel som
mange andre, lod han sig tilsidst overtale, thi der blev
budet ham meget Guld og Sølv; han angav da et snildt
og forstandigt Middel; han bad dem først bygge et stort
Kastel af store Bjælker paa samme Maade som et Krigs-
taarn, og derpaa at bære store Bjælker hen paa Kastellet,
og lade dem falde ned paa Ormen; „og da haaber jeg,"
sagde han, „den maa give efter." Man siger, at Ormen
aldrig vilde være bleven indtaget, hvis man ikke havde
fundet paa dette Raad. Siden lagde Jarlen til Strid,
og gjorde et alvorligt Anfald, og lagde Jernbarden paa
Siden af Ormen. Kong Olaf sagde, da han saae Jar-
len roe frem: „Nu er Thor kommen bort af Stavnen, og
det hellige Kors rejst isteden; og hellere vil vor Herre
Jesus Kristus have to til sig end een." Saa siger Haldor
den Ukristne, da han kvad om Erik Jarl:

> Flur i en farlig Snævring
> Der stædtes Orm hin lange
> Thi Skjolde skares sønder,
> Og svungne Glavind mødtes;
> Men tæt ved Snøgens Side
> Hin høje Barde lagde

Kampstyreren; ved Øen
Den Jarl vandt herligst Sejer.

Og fremdeles:

Tit skarpe Sværde svunges
Hvor gyldne Landser klunge
Paa lange Orm, og længe
Med Lyst de Kæmper fægted;
Der sønder paa, man siger,
At svenske Mænd og danske
I hin saa haarde Træfning
Gav Jarlen kraftig Bistand.

Og end kvad han:

Ej troer jeg at med Skaansel
Den Kamp udførtes; Hæren
Besejred fjendtlig Fyrste,
Og Jarlen fik sit Rige, —
Da Barden Sejl tilsætte
I bød, og flux angribe
Den lange Snóg heel lystig
Med den sig har omtumlet.

Dette Slag blev nu saa haardt, at man maatte forfær=
des derover, først over Angrebet, men især over Forsvaret.
Og omsider lagde Skibene sig paa alle Sider af Ormen;
men den værgede sig saa drabelig, at de ikke agtede paa
sig selv, men løb ud fra Bordene med deres Vaaben, som
om de havde stredet paa fast Land. Saa siger Halfred:

De Kæmper sig ej skaante
I farligst Slag, til matte
Og saarede de sanke
Fra Snogens Dæk i Havet; —

Om end den Orm skal styres
Af ypperst Konning, længe
Den, hvor den Folk saa fører,
Vil slige Helte savne.

Da Kong Olaf saae, at Skibenes Mandskab formindske‐
des paa Bordene, og Mændene faldt meget midt paa
Skibet, saa opmuntrede han hæftig sine Mænd at stride,
og spurgte, om Sværdene ikke kunde bide, og hvorfor de
uddeelte saa sløve Hug; „jeg seer at I selv faae mange
Saar, men nogle falde døde ned paa Dækket, men de,
som stride imod eder, blive staaende, og de maae dog
fægte op over deres Hoveder.”   Da svarede Kolbjørn
Staller: „Det er ikke underligt, Herre, om Sværdene ere
sløve, thi de have maattet udholde mangt et Hug i Dag,
og det forekommer mig at mange ere brudte, saa de slet
ikke due.”   Da løb Kong Olaf fra Løftingen hen i For‐
rummet, og tog mange Sværd op af Højsædeskisten i
Forrummet, hvilke vare baade rene og skarpe; han bad
da sine Mænd tage dem og stride dermed.   Da saae hans
Mænd, at der løb Blod ned under Armskinnerne paa
Kongens Haand, men de vidste ikke hvor han var saaret.
Derefter gik han op i Løftingen tilligemed Kolbjørn, og
begge havde deres guldbelagte Skjold og Hjelm paa Ho‐
vedet og Silketrøje over Brynjen; begge skjulte ogsaa de‐
res Ansigt saaledes at man ikke nøje kunde kjende dem
fra hinanden; thi saa eens vare deres Vaaben, og begge
store drabelige Mænd.   Man siger, at efter at alle Kong
Olafs Skibe vare ryddede, og alle de andre vare huggede
løse fra Ormen den lange, da kunde hele Hæren see,
hvor Kongen stod i Løftingen.   Men der var en saadan
Vaabenbyrd, og Steen fløj saaledes i Løftingen, at alle

deres Skjolde og Trøjer, de vare ligesom bebræmmede af
Skudene. Saa sagde og Kong Sverre, at aldrig havde
han hørt Mage dertil, at en Konge ene havde stillet sig
i Lyftingen under et saadant Anfald, og gjort sig saa let
kjendelig, at alle kunde see ham under Slaget; men alle
kunne indsee, at han gjorde det for sin Berømmelses Skyld.
Nu lod Erik Jarl hine store Bjælker falde ned paa Ormen
fra hiint høje Taarn, som var bygget af stort Tømmer;
derved heldte Ormen meget, og nu blev Slaget meget
skarpt; mange faldt paa begge Sider. Skjøndt Erik Jarl
nu mest omtales ved Striden, saa var dog næsten hele
Hæren med i Anfaldet, som allerede før er sagt. Og de
forhen nævnte berømmelige Mænd, Hyrning og Thorgeir
og Vikar, strede nu drabelig med deres Mænd, og forsva-
rede Stavnen. Men omsider faldt de med herlig Berøm-
melse for deres Fjenders Vaaben, og det var vanskeligt
at værge den Aabning der hvor disse havde staaet. Og
i dette Øjeblik skjød Einar Thambeskjælver to Pile mod
Erik Jarl. Da sagde Jarlen: „Jeg har ikke Lyst til at
oppebie den tredie." Og da talte han til Finn fra Her-
landene, som var en fortrinlig Skytte og som før blev
nævnt, og bad ham skyde Einar Thambeskjælver. „Jeg
vil ikke skyde ham," svarede han, „men fordærve Buen
for ham, hvis jeg kan." Og nu vilde Einar afskyde den
tredie Piil, og spændte Buen. Finn skjød da til Einars
Bue med en bred Piil, og traf Buestrengen, saa at
Einars Bue brast itu. Kong Olaf sagde, da han hørte
Smeldet: „Hvad var det der brast?" Einar svarede:
„Norge af din Haand, Konge!" sagde Einar. Kong
Olaf blev da vred, og svarede: „Det maa Gud raade for,
og ikke din Bue." Nu gjordes et heftigt Anfald, og der

faldt mange Kjæmper paa Ormen, næsten alle de, som
før ere nævnte. Der blev nu aabent paa Bordene. Da
gik Erik Jarls Mænd op paa Ormen, og fore som
glubende Ulve frem og tilbage paa Ormen, og fældte
Mænd heelt midt paa Skibet. Men i Forstavnen og For-
rummet gjorde man længst Modstand. Erik Jarl søgte
nu tilbage imod Lyftingen, ligesaa hans Mænd; og fra
alle Sider søgte man hen mod Lyftingen. Saa siger
Haldor:

> Til Angreb tappert Følge
> Opfordred Drotten; Fjender
> Med Olaf brat tilbage
> Paa Dækket vige maatte;
> Da høit Hærfanen vajed
> Om Hallands Fyrste; Venders
> Udrydder rundt belagde
> Med Snekker sin Modstander.

Da Erik Jarl og hans Mænd vare komne hen i For-
rummet paa Ormen, blev der en haard Modstand og
skarpt Vaabenskifte, thi alt som Folkene faldt for Kong
Olaf og formindskedes ved Bordene, samlede de sig bagtil
i Lyftingen, og der opbyngedes en stor Hob Faldne. Men
de, som endnu holdt Stand paa Ormen, vare saare mo-
dige. Og da Kong Olaf saae, hvor Jarlen Erik var
kommen med mange Folk, saa skjød Kong Olaf med begge
Hænder tre kortskæftede Spyd imod Jarlen, men de tog
ikke Flugten som ellers, thi ingen af dem traf Jarlen;
det ene fløj over hans Hoved, det andet forbi hans høire,
og det tredie forbi hans venstre Side, saa at ingen af
disse Skudvaaben gjorde nogen Nytte. Da Kong Olaf
saae det, undrede han sig meget, og sagde: „Stor er

Jarlens Lykke, Gud vil nu at han skal have Riget og erholde Landet." Og da han havde sagt dette, da saae alle de, som vare der, baade hans Fjender, som vare med Jarlen, og ligeledes Kongens Mænd, som endnu vare i Live, et himmelsk Lys komme hen over Lyftingen og Kongen. Og Erik Jarls Mænd hug i Lyset, og agtede at dræbe den, som Gud forherligede ved Lyset. Og da Lyset forsvandt, saae de ingenstebs Kongen, og de søgte efter ham overalt paa Skibet og rundt omkring ved Skibet, om han var i Søen, men de fandt ham ikke. I dette Øjeblik sprang ogsaa de otte Mænd, som endnu holdt Stand paa Ormen, overbord; iblandt dem vare: Einar Thambeskjælver, Kolbjørn den Oplandske, Thorsteen Oresod, Bjørn fra Stubla, Asbjørn fra Moster, Thrond hin Skjalge, Øgmund fra Sand; de bleve alle dragne op af Søen i Skibene. Det ville nogle sige, at Kong Olaf skal have sprunget overbord, være saaledes undkommet, og skal have været seet i fremmede Lande; men andre sige, at han skal være falden i dette Slag; men hvor han end har endt sit Liv, da er det rimeligt, at Gud har taget hans Sjæl til sig, al den Stund han saaledes lagde Vind paa at beforbre Kristendommen og alt hvad der kunde tjene til Guds Ære. Erik Jarl bemægtigede sig nu Ormen den lange og Kong Olafs andre Skibe, og mangen Mands Vaaben, som drabelig havde brugt dem Dagen før. Dette Slag har været det berømteste i de nordiske Lande først formedelst den tapre Modstand, med hvilken Ormen blev forsvaret, dernæst formedelst Angrebet og Sejeren, da det Skib blev ryddet, som ingen troede kunde indtages saalænge det fled paa Vandet, men dog især for Høvdingens Skyld, som det tilhørte, nemlig

Kong Olaf, der var den berømteste Mand saavidt som det danske Tungemaal taltes; og saa meget var Kong Olafs Berømmelse i Folkemunde, at man vilde ikke høre noget om at han skulde være falden, hvortil ogsaa Haldor sigter i den Flok han digtede.

Om Kong Olaf.

70. Man siger, at Kong Olaf og Kolbjørn Staller sprang overbord hver til sin Side. Men Kongerne og Erik Jarl havde lagt smaae Skuder udenom de store Skibe, forat de skulde drage dem op af Havet, som sprang overbord, og bringe dem til Høvdingerne. Og da Kongen selv var sprungen i Havet, vilde de, som vare paa Smaaskuderne, tage ham til Fange, og bringe ham til Jarlen. Men Kong Olaf skjød sit Skjold over sig, og dukkede ned i Dybet. Kolbjørn derimod skjød sit Skjold under sig, og faldt i Søvn saaledes at Skjoldet blev under ham, derfor kunde han ikke komme til at dykke under; han blev fangen og dragen op i en Skude, og de tænkte det var Kong Olaf; han blev da ført frem for Erik Jarl. Og da han fik at vide, at det var Kolbeen, men ikke Kongen, gav han ham Fred. Men i samme Stund roede den vendiske Snekke bort, og det er manges Sagn, at Kong Olaf havde afført sig sin Brynje i Dybet og derpaa svømmet hen til den vendiske Snekke. Og denne Fortælling har siden udbredt sig vide om, som man kan lære af de Mænds Kvæder, der have bekræftet det; saa siger Halfred:

> Ej veed jeg om hin djærve
> Drot jeg, som hedengangen,
> Hvad heller gavmild Helt, som
> End levende, skal prise.

Og fremdeles kvad han:

Det blev mig sagt, at Kongen
Paa Havets anden Side
Blev Land og Folk berøvet,
Tung Sorg det mig skal volde;
Hvis vi nu vidste, Kongen
I Live var, skjøndt Fjenden
Med List ham lokket haver,
Da lindret blev vor Kummer.

Her siges, at man strax havde to forskjellige Sagn, om han enten var falden eller undkommen. Og herpaa gives der endnu mange andre Beviser. — Og om Gud vil skal jeg sige det Paalideligste jeg veed, hvad de Mænd berettede, som vare med der i Slaget, om hvor de sidst saae noget til Kong Olaf. Skule Thorsteensøn fortalte, at da han gik over paa Kongeskibet, da laae de Døde saa tykt foran Fødderne paa ham, at han næppe kunde komme frem; og da saae han Kongen i Løftingen, og derpaa saae han bort, og væltede de døde Legemer fra Fødderne af Jarlen og sig selv, og da han anden Gang saae op, saae han ikke Kongen mere. Saa fortalte Einar Thambeskjælver, at han saae Blodet dryppe draabeviis ned fra Hjelmen, som Kongen havde paa Hovedet, paa Kongens Kind; men da han vilde see nøje efter hvad han gjorde, fik Einar et stærkt Slag af en Steen i Hovedet, saa at han faldt om og vidste næppe til sig selv. Kort efter sprang han op, tænkte da paa Kongen, men da saae han ham ikke mere. Kolbjørn fortalte, at Kongen skjød om Dagen, saa Blodet randt ned under hans Brynje; men da han fik Øje paa Jarlens Trop, der sprang op paa Skibet, paakom der ham nogen Frygt, og han løb hen til det Sted, hvor Kongen havde staaet, men da han ikke saae ham, sprang han fra Skibet ud i Søen; og da han kom ud i Søen, mærkede han et Skjold under sig, det samme, som tilhørte Kong Olaf, et særdeles smukt og guldbelagt Skjold; han stod i den Formening, at Kong Olaf selv svømmede under det, men siden kom Kolbjørn fra Skjoldet, hans Fjender saae, at han havde en Hjelm lig Kongens, imedens han svømmede imellem Skibene, de meente det var Kong Olaf, bleve glade derved, og toge ham op af Vandet; men da de fandt, at det ikke var Kong Olaf, saa gave de ham Fred. Nu søgte, som vi før have sagt, Kongens Fjender omhyggelig efter ham, men de fandt ham ikke. Da fortalte nogle af Jarlens Folk, at der kom en Mand til den vendiske Snekke, og svømmede til Skibet, og havde en rød Klædning paa, og da han var kommen op i Skibet, var det strax borte; og alle de vendiske Skibe, som havde været der om Dagen, bleve da ogsaa strax borte, og styrede sønderpaa forbi Landet.

Om Erik Jarl.

71. Efter dette berømte Slag havde nu Erik Jarl vundet en herlig Sejer, og erholdt megen Roes af alt Folket; de i dette Slag Faldnes Ihukommelse blev bestemt til den tredie eller fjerde idus Septembris. Dronning Thyre var meget elendig tilmode over disse Tildragelser; hun græd bitterlig, thi hun følte saa stor Harm i sit Hjerte, at hun hverken kunde spise eller drikke. Da Erik Jarl hørte dette, gik han til hende, og tiltalte hende saaledes: „Vi have begaaet en stor Synd," sagde han, „ved at berøve denne gode og berømmelige Konge Rige

og Værdighed; det er ikke allene eders Højhed og Vær=
dighed vi have tilføjet Skade ved at fælde ham, men det
er et stort Tab for hele Landet, især for hans Under=
saatter; men efterdi vi ikke kunne raade Bod paa denne
store Skade eller føre den dyrebare Konge tilbage til eder,
som nu er kaldet fra Riget, da vil jeg gjerne yde eder
al Trøst i eders Sorg; og i ingen Henseende skal du
nyde mindre Hæder og Anseelse, og eders Højhed skal ikke
være ringere saalænge vi leve, skjøndt denne Mand nu
er borte, end du havde, da Kong Olaf levede; nu bede
vi eder, Frue, at I vil behage at tage Spise og Drikke
til eder og saaledes sørge for eders Legeme." Da sagde
Dronningen: „Dette siger du af din Godhed og sædvan=
lige Velvillie; men om jeg end foretrækker heller at leve
end at døe med Kong Olaf, saa er dog mit Hjerte saa=
ledes betaget af Sorg og saa beklemt og afmægtigt,
at ingen Gnist af Liv kan opholde eller oplive mig."
Saa skete det ogsaa, thi Dronning Thyre levede kun kort
Tid efter, og hun forlod denne Verden med megen Hjerte=
sorg og efter lang Fasten; og der fortælles, at det var
en ærværdig Præst, som gav hende det Raad, hvorledes
hun kunde være uden Brøde og Synd, at hun nemlig
skulde opholde sit Liv med et Æble, og det gjorde hun
med kraftig Afholdenhed og dog Lydighed, og saaledes levede
hun i ni Dage, og døde derpaa saalunde. Men Erik
Jarl fik nu megen Hæder og Berømmelse, da han vandt
en saadan Sejer; han tog nu Ormen den lange, satte
sig til Roret derpaa, og fordeelte sine Mænd paa tre
Skibe. Men dette herlige Skib laae siden bestandig paa
den ene Side, og vilde ikke lade sig styre, men bevægede
sig med megen Vanskelighed og Tyngde. Omsider kom

dog Erik Jarl med dette Skib, skjøndt efter megen Be-
kostning, Arbejde og Besværlighed, østenfra til Vigen.
Men da han saae, at dette Skib ikke vilde lyde ham og
ikke yde ham nogen god Tjeneste, men tværtimod viste sig
tungt og besværligt, saa lod Jarlen det ophugge og
brænde. Da Nordmændene hørte, at Kong Olaf var fal-
den, bleve de alle sorrigfulde, og fortrøde, at de saaledes
havde higet efter at sejle bort fra slig en Herre og Høv-
ding i saa stor en Fare; de indsaae nu, at de længe
vilde komme til at fortryde det.

Om Vige.

72. Nu er at fortælle om Hunden Vige; den blev
plejet paa en af Kongens Gaarde, og der blev sørget
godt for den af en dertil bestemt Mand, og Vige laae
hver Dag foran Kongens Sæde. Da Hundens Bevogter
havde faaet tilforladelig Efterretning om Kongens Fald,
gik han hen til det Huus hvor Hunden var, tog Plads
med megen Sorg, og sagde: „Hør nu, Vige,” sagde han,
„nu have vi ingen Herre mere.” Da Hunden hørte dette,
sprang den op fra Kongens Sæde, gav et højt Skrig, og
gik ud, og havde ingen Ro førend den kom til en Høj,
hvor den lagde sig ned, og nød hverken Spise eller Drikke,
og det gik saaledes i mange Dage, at den sultede og nød
ingen Føde; og endskjøndt den ikke vilde æde hvad der
blev baaret til den, saa hindrede den dog andre Hunde og
Fugle og Dyr fra at tage det; men Taarerne randt den
fra Øjnene ned over Snuden, saa at alle kunde skjønne,
at den græd hæftig over sin Herre; og aldrig forlod den
det Sted hvor den havde lagt sig, men blev der lige til
den døde. Og nu var det gaaet i Opfyldelse, som Bonden

havde sagt paa Øen Moster, at Nordmændene havde nu mistet fire store Kostbarheder.

Om Kong Olaf.

73. Nu ville vi skrive om den Sag, som nogle have fundet noget tvivlsom, at Kong Olaf nemlig tog sin Brynje af i selve Havets Dyb, og blev ved at svømme frem i Dybet indtil han kom til det Skib, der, som før er fortalt, var kommet fra Vindland, og paa dette Skib var Astrid og den forhen nævnte Dixin, og de havde ligget der om Dagen. Men strax efter Slaget sejlede de bort, hvilket de havde overlagt med hverandre. De sejlede nu til Vindland, og med dem var Kong Olaf, der havde mange Saar, dog ingen store. Og Astrid lægede ham med megen Omhyggelighed, indtil han kom sig. Og da han var kommen sig, blev han kjendt af mange; mange mægtige Mænd i Vindland tilbøde ham deres Understøttelse, hvis han endnu tragtede efter sit Rige, og lovede at forsyne ham med Folk nok; men han afslog det, og sagde, at eftersom Herren ikke vilde yde ham sin Bistand i Slaget, saa maatte hans Tjeneste have mishaget ham, og han burde ikke hjemsøge Folket med saa stor Besvær ved oftere at føre en stor Hær i Slag. Disse Ord skal Astrid have sagt at han brugte. Siden levede Kong Olaf ubekjendt for Menneskene, men bekjendt for Gud og Helgene. Der fortælles ogsaa, at der blev sendt en fornem Mand fra Kong Olaf til Erling Skjalgsøn, som bragde ham og hans Kone sande Efterretninger om Kong Olaf, og sagde, at han levede og tjente Gud trofast i et vist Kloster; han viste dem en Kniv og en Guldring, for at bekræfte sine Forsikringer og til Beviis derfor, hvilke

Kong Olafs Søster Astrid gjenkjendte som sin Broders
Ejendom, og dette bekræftede hun. Men der ere mange,
som have Mistanke herom, og fæste ingen Lid til disse
Ting, og mange tvivle endnu derom; men dog troer jeg
vißelig at det er sandt, at han har levet efter Slaget og
indviet sig til Gud efter den hellig Aands Indskydelse, og
han levede i et Kloster i Grækenland eller Syrien, og gjorde
saa med Anger Bod for sine Synder, som han havde be=
gaaet i sin Ungdom. Nu beder jeg alle og enhver, som
læser Sagaen, at bede Herren, at han maa blive værdig
til at arve Himmeriges Rige hos Kongernes Konge vor
Herre Jesu Kristo, isteden for det timelige Rige, som han
har mistet ved Erik Hakonsøn Jarl. Her ender nu Sagaen
om Kong Olaf Tryggvesøn, der med Rette kan kaldes
Nordmændenes Apostel, og saa skrev Odd Munk paa
Thingøre, som var viet Præst, til den almægtige Guds
Ære, og dem til Erindring, som efter leve, skjøndt det
ikke er udført med Veltalenhed.

Om de Engellænders Konge.

74. Kong Olaf var en stor Ven af Engellændernes
Konge, og bar megen Agtelse for ham. Og den Gang
Kong Harald Sigurdsøn regjerede over Norge, da var
Edvard Konge i England, og var en i mange Henseender
ypperlig Konge; han kom det Venskab ihu, som havde
herskt imellem Kong Olaf Tryggvesøn og hans Fader
Adelraad; begyndte nu at forherlige Kong Olaf Trygg=
vesøn, og plejede derfor hvert Aar ved Paasketid at for=
tælle sine Ribbere om Kong Olaf og hans mange herlige
Gjerninger, som han havde øvet. Og et Aar paa selve
Paaskedag, da han havde fortalt omstændelig om Slaget,

og hvorledes Kong Olaf kom bort fra det, da tilføjede
han, at han havde nylig erfaret af nogle Mænd, som
kom fra Syrien med mærkelige Efterretninger, at der gik
den vigtige Tidende, at man sagde Kong Olaf var død,
og han gik med megen Ære fra denne Verden over til
den evige Salighed; „og vide skulle J," sagde Kongen,
at han er meget ypperligere end andre Konger, og derfor
skal jeg paa denne ypperste Højtid fortælle om hiin be-
rømteste Konge Olaf Tryggvesøn, saasom han udmærker
sig fremfor andre Konger, som denne Højtid fremfor an-
dre Højtider, thi han overgik andre Konger i Tapperhed
og Styrke og berømmelig Daad; denne Højtid er langt
fornemmere end andre, derfor kan man heller ikke faae
eller finde nogen mere passende Dag til at forkynde hans
Berømmelse end denne."

Om Harald Gudinesøn.

75. Efter Kong Edvard tiltraadte Harald Gudine-
søn, som nogle holde for hellig, med alle Indbyggernes
Samtykke Regjeringen; han blev viet til Konge og salvet
med den hellige Olie. Han stred med Kong Harald Si-
gurdsøn, og fældte ham. Kort efter kom Vilhelm Ba-
stard Jarl i Rouen, der havde et Rige i Nordmandi;
han stred med Kong Harald Gudinesøn, og fældte ham;
og Vilhelm bemægtigede sig Riget. Men Natten efter
Slaget kom en ringe Bonde til Valpladsen, og vilde plyn-
dre de Døde; dette saae en Mand, der laae iblandt de
Faldne, og satte ham i Rette for denne hans slette og
skjændige Gjerning. Bonden løb da hjem, og fortalte
det til sin Kone; men hun skyndte sig, fik sig en Vogn,
og spændte en Hest for, og bad ham kjøre med sig til

Valplabsen; og da de kom der, spurgte hun, om der var nogen der iblandt de Faldne, der kunde svare hende. Da sagde Manden: „Ja, her er en Mand iblandt de Faldne, som kan svare dig." Hun gik da hen til ham, og vælt= tede med sin Mands Hjælp de Døde bort for deres Føb= ber. Og da hun fik Øje paa Manden, lagde de ham op i Slæden. De spurgte ham efter hans Navn og Slægt, men han vilde ingen af Delene sige; men de sluttede dog, at det maatte være en fornem Mand baade af hans Klæbebragt og Udseende. Denne Mand var Ha= rald Gubinesøn, der var falbet formedelst Møbighed og Blodtab, og han havde mange Saar, men ingen meget store; men det var ham til stor Plage og Besvær, at de døde Legemer laae saa tykt paa ham, at han ikke kunde røre sig for dem. De bragde ham derpaa hjem i Vognen, og lægede ham. Men Dagen efter Slaget kom hans Fjender, og vilde tage Liget bort, men fandt det ikke, og undrede sig meget. Og efterat han var bleven helbredet, betænkte han sin Sag, og tænkte paa Kong Olaf Trygg= vesøns Exempel, og han besluttede da, at han ikke mere vilde tragte efter sit Rige, men han blev indblæst af den hellig Aand, og higede med hele sit Hjerte efter Himme= riges Glæde; han valgte sig en Klippe til Bolig, og levede der længe. Kong Vilhelm lod hans Lig føre til London og hæderlig begrave ved de andre Konger.

Om Biskop Jon.

76. Der fortælles ogsaa, at Hr. Biskop Jon, der med et andet Navn hed Sigurd, levede i Sverrig efter Kong Olaf Tryggvesøns Fald. Da hørte han mange Mænd forsikre, at Kong Olaf maatte enten være falden

i Slaget eller druknet i Havet. Da tog Biskoppen saaledes til Orde: "Hvis J mene, at Kong Olaf er druknet i Havet, saa siger mig da, hvorfor man har seet hans Brynje, den han havde paa i Slaget, hænge udenfor Kirkedøren i Jorsal for saa Aar siden; og mange have seet hans Spyd, hans Hjelm blev ogsaa seet i Antiokien, og hvem skulde da vel have bragt disse Ting til saa fjerne Lande?" De svarede: "Hvis du veed med Sandhed, at han er kommen levende bort fra Slaget, saa viis os det ved nogen rimelig Fortælling, saa at vi kunne indsee det." Og da de talte saa, tav Biskoppen en Stund, ikke fordi han jo havde Indsigt nok til at oplyse det, som de spurgte om; og derpaa vedblev Biskoppen: "En kostelig Perle [1]," sagde han, "som da skjultes i Klosteret, og ikke vilde vise sig for uforstandige og syndige Mennesker, der kunne lignes med de ureneste Dyr, efter vor Herres Jesu Kristi Bud, at ikke saa skal skee, at det Kostbare skal blive foragtet og traadt under Fødder, med mindre det var højst nødvendigt at fremvise det aabenbare for alle;" men den, som han vidste hemmeligen tjente Gud, vilde han dog ikke synligen forkynde eller paavise. Denne Saga fortalte mig Abbeden Asgrim Vestlidesøn, Præsten Bjarne Bergthorsen, Geller Thorgilsøn, Herdis Dadedatter, Thorgerd Thorsteensdatter, Ingun Arnorsdatter. De, som her ere nævnte, have saaledes lært mig Fortællingen om Kong Olaf Tryggvesøn. Men jeg viste ogsaa Gissur Halsøn Bogen, og rettede den efter hans Raad, og derved have vi siden ladet det blive.

---

[1]) Oversætteren har her læst einn gimsteinn i Overeensstemmelse med Fortællingen om Sigurd i Formannasögur, 3 D. S. 171.

Om Kong Olaf.

77. Halfred Vanraadeskjald sagde, at følgende Folk havde Kong Olaf Tryggvesøn hjemsøgt med Hærskjold baade i de sydlige og vestlige Lande:

Vist spurgte jeg, den tappre
Afguders Helligdommes
Nedbryder blodig Sejer
Ret mangestebs har vundet;
Saa Fyrsten Jæmters Slægter
I Krigen har nedstyrtet
Og Vender med, heel tidlig
Til sligt han sig har vænnet.

Sig Hørders Fyrste viste
For Gøters Liv heel farlig,
Og Kampen kjek i Skaane,
Som jeg har spurgt, han vakte;
Han drabelig i Danmark
Har Fienders Pandsre kløvet,
Hærskibe selv mod Sønden
Fra Hedeby han førte.

Tit Tryggves Søn i Kampen
De Saxers stygge Kroppe
Lod hugge for den løbske
Troldkvinde-Hest [1] til Bytte;
Den vennesælle Konning
Ret vidt omkring de Frisers
Blod da gav Aftensværmens
Blakkede Føl [2] at drikke.

---

[1] Ulven, som fortærer de Faldnes Lig paa Valpladsen. [2] Ulsvenunger.

I Enekamp den Konning
Lod stærke Hjelme springe,
Om end det ej fortaltes
Her, østerpaa i Garde [1];
Han, som tit Strid har stillet,
Dog Fjender kjek ombragde,
Og Flandrers Lig paa Marken
Gav Ravnene til Bytte.

Ung Konning Anglers Lande
I Krig har svarlig hærget,
Den Vaabenregns Opvækker
Nordymbrers Fald har voldet;
Han brat de Bretske [2] Landes
Beboere har slaget;
De Kumbrers [3] Folk i Felten
Han selv har overvundet.

Paa Man har Guldets Giver
I Klingers Leg sig øvet,
Og vidt omkring de Skotter
Har frygtelig udryddet;
Saa, lysten efter Ære,
Øboer Død han bragde,
Paa Irland; Pilestormen
Han styred rask og frygtet.

---

[1] Garderige eller Rusland. [2] Brittiske. [3] Kymrers eller
Cumberlands Indbyggeres.

Kort Omrids af de norske Kongers Sagaer.

. . . . . . Han blev da kaldet Harald Lufa, thi Manden var da ikke . . . lig; men siden omskiftedes hans Navn, og han blev kaldet Harald Haarfager, thi han var den fejreste Mand og havde særdeles dejligt Haar. Men her er det passende at oplyse det Spørgsmaal, som Kristne gjøre, hvad Hedninge kunde vide om Julen, eftersom vor Juul er fremkommen af vor Herres Fødsel. Hedningene holdt ogsaa hellige Sammenkomster til Ære for Odin; men Odin havde mange Navne; han hedder Vidrer, og han hedder Haur og Thribie og Jolner, og efter Jolner blev Juul kaldt. Men med Halfdans Dødsmaade forholdt det sig saaledes: han var til Gjæstebud paa Habeland, men da han rejste derfra i Slæde, druknede han i Rykinvig i Rand, hvor der var en Vaage, og blev siden ført til Steen i Ringerige, og der højlagt.

2. Harald arvede efter Halfdan det Rige hans Fader havde haft, og erhværvede sig endnu større Herredømme derved, at han, som en Mand der tidlig var stærk og en Kjæmpe af Vært, holdt Slag med de nærmeste

Konger, og overvandt dem alle, og han var den første
Konge, som ene underlagde sig hele Norge i en Alder af
tyve Aar, og det sidste Slag holdt han med en Konge,
der hed Skeidarbrand, i Hafersvaag ved Jæderen; og
Brand flygtede til Danmark, og faldt i et Slag i Vind-
land, som det hedder i Kvædet Obbmjor, der er digtet om
Kongerækken, med disse Ord:

> Med Skjold uddrev den Skjoldung
> Hiin Skeidar-Brand af Landet,
> Og siden snild, som Konning,
> For hele Norge raadte.

Det var ti Aar han kjæmpede forat vinde Landet, inden
han blev Enevoldskonge over Norge; han sørgede for
gode Sæder og Fred i sit Land, og havde tyve Sønner,
med mange Koner; kun to af dem naaede Kongenavn,
nemlig Erik Blodøre og Hakon den Gode; Erik Blodøre
hørte til det ældste Kuld af hans Sønner, men Hakon,
som Englands Konge Adelsteen antog i Søns Sted, til
det yngste Kuld. Den tredie var Olaf Digerbeen, den
fjerde Bjørn Kjøbmand, som nogle kalde Buna, den femte
Godorm, den sjette Halfdan Svarte, den syvende Dag,
den ottende Ring, den niende Godrød Skirja, den tiende
Rognvald, den ellevte Sigtryg, den tolvte Frode, den
trettende Rørek, den fjortende Tryggve, den femtende
Gunrød, den sextende Disten, den syttende Sigurd Rise,
den attende Gudrød Ljome, den nittende Halfdan Hvid-
been, som nogle kaldte Højfod; den tyvende Rognvald
Rykil, som nogle kalde Ragnar, og som var en Søn af
en Finnekvinde, der hed Snefrid, en Datter af Finne-
kongen Svase; han slægtede sin Moder paa, og blev

kaldet Seidmand, det er Spaamand, og tog sin Bolig i
Hadeland, øvede der Seid, og blev kaldet Skratte.

3. Juleaften da Harald sad og spiste, da kom
Svase til Døren, og sendte Kongen Bud, at han skulde
gaae ud til ham, men Kongen blev vred over det Sen=
debud, og den samme bar Kongens Vrede ud, som havde
baaret Budskabet ind; men den anden bad ham ikke des=
mindre anden Gang, og gav ham et Bæverskind derfor,
og sagde, at han var den Finn, som han havde givet
Lov til at sætte sin Gamme paa den anden Side af
Bakken paa Thopte, hvor Kongen den Gang var. Men
Kongen gik ud, og samtykkede i at gaae over til hans
Gamme efter nogle af hans Mænds Tilskyndelse, skjøndt
andre raabte fra. Der stod Svases Datter Snefrid op,
en særdeles skjøn Kvinde, og rakte Kongen et Kar fuldt
af Mjød, og han tog paa een Gang det og hendes
Haand, og strax foer der ligesom en brændende Hede i
hans Legeme, og han vilde strax have hende den samme
Nat; men Svase sagde, at det kunde ikke skee, med min=
dre han vilde tvinge ham, hvis ikke Kongen fæstede hende
og ægtede hende paa lovlig Viis; og han fæstede hende,
og ægtede hende, og elskede hende med et saadant Raseri,
at sit Rige og sin kongelige Værdighed satte han til Side,
og sad hos hende næsten Nat og Dag, saalænge de begge
levede, og tre Aar efter at hun var død, sørgede han end=
nu over den Døde, men alt Landsfolket sørgede over hans
Forvildelse.

4. Men til at stille denne Forvildelse kom Thorleif
den Spake med sin Lægedom, i det han med Forstand og
Overtalelse stillede denne Forvildelse saaledes: „Det er
ikke underligt, Konge!” sagde han, „at du mindes saa

smuk og højbyrdig en Kvinde, og hædrer hende paa Duun og paa Silke, som hun bad dig; men baade din og hendes Hæder er dog mindre end det sømmer sig, i det hun ligger for længe i de samme Klæder, det er meget bedre hun bliver rørt af Stedet;" men strax da hun blev rørt, da stod der en afskyelig Lugt og Stank og alskens slem Os ud af Legemet; der blev da i en Hast gjort et Baal, og man brændte hende; men forinden var dog hele Legemet blevet blaat, og der vælbede Orme og Øgler, Frøer og Padder og alskens Kryb ud af det; sank hun saa i Aske, men Kongen steg til sin Forstand, og lod sin Daarskab fare, styrede og styrkede siden sit Rige, og han glæbtes ved sine Undersaatter, og Undersaatterne ved ham, men Riget ved dem begge, og han sad i Norge som Enevoldskonge i tresindstyve Aar, efterat han inden ti Aar havde underlagt sig hele Norge. Han døbe siden i Rogeland, og blev højlagt paa Hauge op fra Haslesund.

5. Men efter Harald kom Erik Blodøre til Regieringen; hans Broder Hakon var derimod i England hos Kong Adelsteen, hvem hans Fader i levende Live havde sendt ham til Opfostring. Erik Blodøre var en smuk Mand, stor og meget anseelig; han var gift med Gunhild, en Datter af Øsur Lafskeg; deres Sønner vare: Gamle og Godborm, Harald Graafeld, Erling og Sigurd Sleva, og endnu nævnes: Godrøb Ljome og Ragnfred, Halfdan og Eivind og Gorm; og han regjerede i alt over Norge i fem Aar, de to Aar medregnede, da han blev hilset som Konge i Landet, medens Harald levede, og tre derefter. Hans Kone Gunhild var en meget smuk Kvinde, liden af Udseende men stor i sine Planer; hun blev saa ildraabende og han saa tilbøjelig til Grusomhed og al

Slags Haardhed imod Folket, at det var tungt at bære.
Han raabte sin Broder Olaf Digerbeen og Bjørn og flere
af sine Brødre Bane; han blev kaldt Blodøre, fordi han
var en saa voldsom og grum Mand, fornemmelig efter
hendes Raad. Da kaldte forstandige Mænd Hakon til-
bage til Landet i Løn, to Aar efter Harald Haarfagers
Død, og han kom fra England med to Skibe, og sad om
Vinteren uden at have Kongenavn. Hakon var en meget
smuk Mand, stor og behændig, og saa stærk, at hans
Lige ikke fandtes; han var sit hele Hoved højere end an-
dre Mænd, og Haaret paa hans Hoved guult som Silke;
i al Slags Ridderskab og Belevenhed overgik han andre.
Han var næsten tyve Aar gammel da han kom til Lan-
det, og fik snart saa mange Tilhængere, at Erik ikke
kunde gjøre ham Modstand; han og hans Kone flygtede
da, først til Danmark. Hakon sad nu som Enekonge
over Norge, og det havde det saa godt under hans Re-
gjering, at det kunde aldrig have det bedre, paa det nær,
at det ikke var kristnet. Han derimod var en Kristen, og
havde en hedensk Kone, og for hendes Skyld og af Ef-
tergivenhed imod Folket, der var imod Kristendommen, veg
han meget af fra denne; men helligholdt dog Søndagen
og fastede om Fredagen. Hakon sejlede til Danmark med
to Skibe, og stred der, og ryddede ti Skibe med to Skibe.
Paa dette Tog underlagde han sig Sjælland og Skaane
og Vestergøtland, og sejlede saa tilbage til Norge. I
hans Dage antoge mange Kristendommen formedelst hans
Vennesælhed, men nogle ophørte med de hedenske Ofringer,
skjøndt de ikke lode sig kristne; han rejste nogle Kirker i
Norge, og indsatte Præster derved. Men de opbrændte
Kirkerne og dræbte Præsterne for ham, saa at han ikke

kunde vedblive dermed formedelst deres Voldsomheder; og
derefter gjorde Thrønderne et Anfald imod ham paa Møre,
og bøde ham at ofre som de andre Konger i Norge;
„ellers,‟ sagde de, „forjage vi dig fra Riget, hvis du ikke
gjør noget overeensstemmende med os.‟ Men eftersom
han saae deres Hæftighed imod ham efter Høvdingernes
Raad, saa gav han for saa vidt efter, at han undslog
sig ikke for nogen ydre Handling for at holde Venskab
med dem. Der siges, at han bed paa Hestelever, dog
saa at han slog et Klæde om og bed ikke paa den bar,
og han ofrede ikke paa anden Maade. Men der siges,
at siden den Tid gik alt ham tungere end før. Han satte
efter Thorleif den Spakes Raad Gulethingslov, der havde
været forbum. Men da han i femten Aar havde styret
Norge med Vennesælhed og Fred, da gjorde Erik Blodøxes
Sønner et Anfald paa Norge, Gamle Gunhildssøn, som
var den ældste og i alle Henseender den raskeste af Brø-
brene, og Godorm og Harald Graafeld, og alle de Brø-
bre, og de holdt et Slag med Hakon ved Øgvaldsnæs
paa Kørmt; der faldt Gudorm, Halfdan, Eivind, men
de andre undkom ved Flugten; et andet Slag holdt de
kort efter igjen med Hakon paa Fræde, hvor Hakon
atter sejrede. Men alle Brødrene flygtede bort fra Lan-
det undtagen Gamle, han flygtede til Landet og ind over
Surnedal til Throndhjem, men Hakons Mænd satte med
Folkets Bistand efter ham, og fældte ham i Gauldalen
paa det Sted, som efter hans Navn kaldes Gamlesleer.

6. Men siden efter, ni Aar efter at disse Brødre
havde hjemsøgt Norge med Krig, sejlede de tilbageblevne
Brødre, Harald Graafeld, som efter Gamles Fald var
den vigtigste, tilligemed sin Moder tilbage til Landet; og

holdt et Slag med Hakon ved Biskopssteen paa Fitje i
Stord, der vare fire mod een imod Hakon. Der i Hæ-
ren med dem var en Mand, der hed Eivind Skreja; han
var en stor Kjæmpe, større end andre Mænd, og Jern
bed næppe paa ham; han gik saaledes frem om Dagen,
at ingen Ting kunde staae sig imod ham, thi ingen kunde
udrette noget imod ham; han foer saaledes hylende og
tudende frem, og ryddede saaledes for sig at han hug til
begge Sider, og spurgte, hvor er han nu henne, Nord-
mændenes Konge? „Hvorfor skjuler han sig nu!" sagde
han. „Hold du kun saaledes vel frem, hvis du vil finde
ham!" kvad Kongen; men derved blev den anden endnu
mere rasende, og hug til begge Sider med en stor bred
Øre, saa at den gik ned i Jorden. Da sagde Thoralf
den Stærke, en Islænder, som den Gang var hos Kongen,
nitten Aar gammel, og som holdtes for ligesaa stærk som
Kongen; „vil du, Herre!" sagde han, „at jeg skal gaae
imod ham?" „Nej," svarede denne, „mig vil han træffe,
mig skal han derfor ogsaa finde;" hvorpaa han afkastede
den Dølghætte, som Skjaldespilder havde sat paa den for-
gyldte Hjelm, Kongen havde paa Hovedet, forat skjule
ham, at han skulde være vanskeligere at kjende end før,
thi han var ellers let at kjende formedelst sin Højde og
Udseende. Derpaa gik Kongen frem under Bannerne imod
hiin Kjæmpe, i Silkeskjorte, med Hjelm paa Hovedet,
Skjold for sig og med Sværdet, som hed Kværnbider, i
Haanden; og saaledes rustet syntes han alle en drabelig
Mand. Da styrtede Kjæmpen frem imod ham, med Hjelm
og Brynje, og løftede Øren med begge Hænder, og hug
til Kongen; men Kongen veg lidt tilbage, saa Kjæmpen
forfejlede ham, og hug ned i Jorden, og ludede han

nogenlunde frem derved; men Kongen hug ham med Svær-
det isønder i Midten paa Brynjen, saa at hver Deel faldt
sin Vej. Men efterat Kjæmpen var falden, gik Slaget
Brødrene imod, og der faldt da Gorm og Erling og en
Mængde Mænd, men alle de andre Brødre flygtede til
Skibene, og saa bort fra Landet, hver som kunde. Men
Kong Hakon forfulgte de Flygtende med sine Folk. Da
fløj en Piil mod Kongen, uden at nogen vidste hvem der
skjød den, og den gik ind under Armskinnen i Musen paa
Overarmen. Men der siges, at ved Gunhilds hemmelige
Kunster vendte en Madsvend om med en Piil, og ud-
brød: „Giver Plads for Kongens Bane!" og lod Pilen
fare hen i Flokken, der foer ham imøde, og saarede Kon-
gen, som før er sagt. Men da Kongen mærkede, at det
var et Banesaar, siden han ikke kunde standse Blodet, saa
bad han, at man skulde bringe ham til Alrekstad; paa
Vejen kom de til den Helle, der nu kaldes Hakonshelle;
der var han bleven født af Trælkvinden Thora Morstang,
der havde sin Slægt og var født paa Moster, hvoraf hun
kaldtes saa. Men da Kongen saae, at hans Ende nær-
mede sig, da angrede han meget hvad han havde gjort
imod Gud. Hans Venner tilbøde ham at føre hans Lig
over til England og jorde det i en Kirke. „Det fortjener
jeg ikke," svarede han, „i mange Ting levede jeg som
Hedningene, derfor skal man ogsaa jorde mig som Hed-
ningene, og jeg haaber da større Miskundhed af Gud
end jeg fortjener." Han døde i Hakonshellen, men blev
højlagt paa Sæheim i Nordhordeland; baade hans Ven-
ner og Fjender sørgede over hans Død; der blev ikke lagt
mere Gods i Høj med ham end hans Sværd Kværnbider
og hans Rustning; han blev lagt i et Steentrug i Højen.

7. Men med Erik Blodøres Foretagender gik det saaledes, da han flygtede fra Landet, at han sejlede med sin Flaade over til England, og drev der Sørøveri og Viking, og forlangte Understøttelse af Englands Konge, som Kong Adelsteen havde lovet ham. Han fik af Kongen et Jarldømme i Northumberland; blev da endnu efter sin Kone Gunhilds Raad saa grum og ond mod sine Folk, at man næppe troede at kunne taale ham. Derefter gav han sig paa Hærtog og Viking vide om i Vesterlandene, og faldt paa et Tog i Spanien. Men Gunhild vendte tilbage til Danmark til Kong Harald, som da var Konge i Danmark, og var der med sine Sønner indtil de vare fuldvorne.

8. Efter Hakons Død toge Nordmændene efter Kong Hakons Raad Harald Graafeld til Konge i Norge; og Harald Graafeld kom tilbage til Landet, og erholdt Riget med sine Brødre Sigurd Sleva, Gudrød Ljome og Ragnfred. Harald var den fremmerste, smukkeste og dygtigste af Brødrene; derfor blev dette kvædet:

> Over Ild immer mine
> Øjne til Graafeld vendes,

eftersom Manden var smuk af Udseende. Harald var Konge i femten Aar, han fulgte sin Moders Raad, og gjorde haard Ret for Landets Indbyggere, ligesom alle de Brødre; paa deres Tid herskede der i Norge Sult og Nød og alskens Plage; de vare alle Voldsmænd og Slagsmænd; næsten alle bleve ogsaa dræbte, fordi man ikke kunde udholde deres Undertrykkelse og Lovløshed. Der fortælles, at Vorserne gjorde et Anfald paa Kong Harald og hans Brødre paa et Thing, og vilde tage dem af Dage, men de undkom; men siden dræbte de Sigurd

Sleva paa Alrekstad, og Anfører for dem var Vemund Valebryder; Sigurd blev dræbt af en Mand, der hed Thorkel Klyp, hvis Kone Sigurd havde voldtaget; han gjennemborede Sigurd med et Sværd, men han blev strax hævnet af sin Hirdmand Erling den Gamle.

9. Harald Graafeld . . . . Paa den Tid bød den danske Konge Harald Harald Graafeld til sig med Svig; han kom til Limfjorden med tre Skibe, men der kom Guldharald, Knuds Søn, Brodersøn til Harald Blaatand, imod ham med ni Skibe, efter Raadslagning imellem denne og Hakon Jarl, som da var Jarl i Norge over sin Fædrenearv, efterat hine Brødre havde raadet hans Fader Bane paa Hauklo i Trondhjem. Men da Kong Harald Graafeld saae, at han var overvældet ved Svig og Overmagt, sagde han til Guldharald: „Det glæder mig," sagde han, „at jeg seer du vil have en kort Sejer, thi vor Frænde Hakon Jarl kommer hid med Folk, og dræber eder for vore Fædder inden kort Tid, og hævner saaledes os." Kong Harald Graafeld faldt der ved Hals i Limfjorden med alle hans Folk; men Hakon Jarl dræbte strax Guldharald, og vandt saaledes Norge under sig med Skatskyldighed til Danmark.

10. Efter Haralds Død kom Hakon Jarl til Regjeringen, og havde saaledes omtrent hele Norge, under Jarls Navn, som hans Forfædre havde haft. Hans Æt stammede fra Helgelænderne og fra Mørerne, og der var Jarleæt i begge Slægtgrene, derfor vilde han ikke hædre sig med Kongenavn. Hans Fader hed Sigurd Hyrnajarl, men hans Moder Bergljot, en Datter af Thorer den Tavse, Jarl af Møre. Han var gift med Olof, en Datter af Harald Haarfager, hun var Moder

til Bergljot.   Han sandt strax efter at han havde faaet
Riget i Førstningen Modstand af Gunhild Kongemoder,
og de lagde alle Slags Snarer for hinanden, thi derpaa
skortede det ingen af dem.   Hakon Jarl var en meget
smuk Mand af Udseende, ikke høj, gik noget kroget,
men var ellers en anseelig Mand; han besad megen
Kløgt og Forstand, og var derfor mere forslagen end
Gunhild i sine Raadslagninger.   Han holdt endnu Ven-
skab med Kong Harald, som da regjerede over Danmark,
og ansporede ham til at oplægge Svig imod Gunhild, og
faae hende ud af Landet, ved at sende hende sin Skri-
velse og Sendebud forat bejle til hende; han sendte hende
ogsaa en Skrivelse, og ytrede, at det sømmede sig, at
hun som gammel giftede sig med en gammel Konge, og
hun laante hans Forslag Øre, og hendes Rejse blev
prægtig foranstaltet men kun til hendes Undergang, thi
strax da hun kom til Danmark, blev hun tagen og ned-
sænkt i en Mose, og saaledes endte hun sit Liv, efter
hvad mange sige.

11. Hakon Jarl regjerede i tyve Aar efterat Ha-
rald Graafeld var falden ved Hals i Limfjorden, og
han regjerede med stor Vælde og imod Slutningen med
megen og mangfoldig Uvenneskælhed, især een, som blev
Aarsag til hans Død, i det han ansaae alle Kvinder,
som han fik Lyst til, lige meget for sin Ejendom, uden
at han gjorde nogen Forskjel eller brød sig noget om,
hvis Kone eller Søster eller Datter det var.   Han fik
engang Lyst til en Kvinde, der hed Gudrun Lundesol,
der boede paa Lunde i Gauldalen, og han sendte sine
Trælle fra Medalhuus, forat tage hende og føre hende
til ham til Vanære.   Men imedens Trællene spiste, havde

hun samlet saa mange Folk, at der var ingen Mulighed i at føre hende bort, og hun sendte da Bud til Hakon Jarl, at hun vilde ikke komme til ham, uden han sendte den Kvinde, han havde hos sig, der hed Thora paa Re= mol. Efter dette Budskab drog han op til Gauldalen med alle sine Folk. Men Halvor paa Skerdingstad ud= sendte Budstikke overalt i Dalen, og allevegne fra søgte en Flok imod ham. Da Jarlen saae den samlede Mængde, og mærkede han var svegen, saa lod han alle sine Folk adsprede sig. Men han og hans Træl Karke rede til nogle Vaager, nedsænkede der hans Heste, og lod hans Kappe og Sværd blive tilbage paa Isen, men selv be= gave de sig til en Hule i Gauldalen, der endnu hedder Jarlshulen; der faldt Trællen i Søvn, og lod ilde i Søvne, og sagde da han vaagnede, at en sort og styg Mand gik ved Hulen, og han var bange for han vilde gaae ind, og han sagde til ham, at Ulle var dræbt; men Jarlen svarede, at da maatte hans Søn være dræbt, og saa forholdt det sig ogsaa. Trællen sov anden Gang ind, og lod ikke bedre end før; og sagde derpaa, at den samme Mand var igjen kommen ned, og bad ham sige Jarlen, at nu vare alle Sunde lukte. Deraf skjønnede Jarlen, at hans Dødsdag var kommen, og begav sig til Remol til Kvinden Thora, som var hans Frille, og hun skjulte ham og Trællen i sin Svinesti. Derpaa kom der en Flok og ransagede; og eftersom han ikke fandtes, saa agtede Flokken at stikke Ild paa Gaarden paa alle Kan= ter. Men da Jarlen hørte det, vilde han ikke oppebie sine Fjenders Mishandlinger, og lod Trællen skjære sig i Struben, og mistede denne Mand, der havde ført et saa ureent Liv, i et ureent Huus sit Liv og Rige. Hovedet

blev bragt til Kjøbſtaden; og da Folkene droge ned over
Steenbjerg, var hele Fjorden fuld af Skibe, da hele Al=
muen i Følge Budſtikken havde ſamlet ſig forat tage ham
af Dage.   Hovedet blev da bragt ud paa Holmen, og hver
Mand kaſtede Steen derpaa.   Trællen Karke havde bragt
Hovedet for Dagen, og haabede derfor at beholde Livet,
men han blev dog hængt.   Det var om Foraaret at
Hakon døde.   Juſt paa ſamme Tid kom Olaf Tryggve=
ſøn fra England til Norge; men Erik Hakonſøn flygtede
bort fra Landet, og gik Olaf den Svenſke i Sverrig til=
haande, ligeſaa hans Broder Svend.

12.   Hakon Jarl raadte ikke derfor ene for Norge,
at han havde Arveret efter dem, ſom næſt før ham
havde været Konger, men formedelſt ſin Kraft og Styrke,
og forbi han var en klog Mand, ſkjøndt han brugte ſin
Forſtand til det Onde; dernæſt ogſaa forbi al Gunhild=
ſønnernes Æt var da borte og næſten udſlukt; og om
end nogen var tilbage deraf, ſaa var den dog forhadt
af alle, og man ventede ſig noget bedre, men det Haab
ſlog fejl.   Men han kunde dog regne ſin Slægt tilbage
til en Konge, der hed Herſer og var Konge i Numme=
dalen; hans Kone hed Vigda, efter hvem endnu en Ag i
Nummedalen hedder Vigda; Herſer miſtede hende, og
vilde af Sorg over hende tage ſig ſelv af Dage, hvis
der fandtes Exempel paa, at nogen Konge før havde
gjort det; men der fandtes kun Exempel paa, at en Jarl
havde gjort det, ikke nogen Konge; han gik da op paa
en Høj, og væltede ſig ned, og ſagde, at nu havde
han væltet ſig fra Kongenavnet, hvorpaa han hængte
ſig ſelv med Jarlsnavn; og ſiden vilde hans Afkom al=
drig antage Kongenavnet. Bekræftelſen herpaa kan man

finde i Haalejetal, som Eivind, kaldet Skjaldespilder,
digtede.

13. Til Regjeringen efter Hakon Jarl steg Olaf
Tryggvesøn, og han hæbrede sig med Kongenavnet i
Norge, da han nedstammede fra Harald Haarfager; thi
Olaf hed Haralds Søn, Fader til Tryggve, som i Gun-
hilds Sønners Dage havde Konge-Navn og Magt i Ro-
merige [1]; og han blev der tagen af Dage paa Sotenæs,
og er der højlagt, hvilket Sted man kalder Tryggvesrør.
Men hans Endeligt fortælle ikke alle paa samme Maade;
somme tillægge Bønderne det, at de nemlig fandt hans
Herredømme for haardt og dræbte ham paa Thinge; an-
dre sige, at han skulde slutte Forlig med sin Farbrøders
Sønner, og at de dræbte ham ved Gunhild Kongemoders
Svig og onde Raad, og det troe de fleste.

14. Men efter hans Død flyede Estrid, som Tryggve
havde faaet paa Oplandene, over til Ørkenøerne med sin
og Tryggves tre Aar gamle Søn Olaf, forat undgaae
Gunhilds og hendes Sønners og Hakon Jarls Efter-
stræbelser, hvilke den Gang endnu alle stredes om Norge;
thi da vare endnu ikke Gunhilds Sønner tagne af Dage;
og hun kom til Ørkenøerne med tre Skibsmandskaber. Men
eftersom hendes Rejse ikke kunde skjules, og megen Svig
kunde skee, saa sendte hun Barnet bort med en Mand,
som nogle kalde Thorolf Lusestjæg, og han bragde Bar-
net hemmelig til Norge, og med stor Fare til Sverrig,
og fra Sverrig vilde han drage til Holmgaard, thi der
var en Deel af hans Slægt; men da overfaldt Ester
det Skib han var paa, og noget af Mandskabet blev

---

[1] Rettere: Ranrige.

dræbt, andet fanget; hans Fosterfader blev dræbt, men han selv fangen udenfor den Ø der hedder Øsyssel, og derpaa solgt som Træl.

15. Men Gud, der havde udseet dette Barn til store Ting, magede det saa, at han blev udløst paa den Maade, at der kom en Mand til Estland, et Sendebud fra Kongen af Holmgaard, som var sendt hen forat tage Skat af Landet, og han var en Frænde til Barnet, løskjøbte sin Frænde, og tog ham med til Holmgaard; og der var han en Tid uden at mange havde Kundskab om hans Æt. Men da han var tolv Aar gammel, hændte det sig en Dag paa Torvet, at han saae en Mand med en Øre i Haanden, som han kjendte for den Thorolf havde haft; han forhørte sig nu, hvorledes han var kommen til den Øre, og blev af den andens Svar overtydet om, at det baade var hans Fosterfaders Øre og tillige hans Banemand; han tog da Øren fra ham, og dræbte den der havde bragt den med, og hævnede saaledes sin Fosterfader. Men der var stor Mandhelge og haard Straf for Drab, og han besluttede sig til at tye hen til Dronningens Beskyttelse, og ved hendes Bøn, og fordi det tyktes at være en drabelig Gjerning af en Mand paa tolv Aar, og saasom Hævnen syntes billig, saa blev han benaadet af Kongen; og derpaa begyndte hans Berømmelse og Anseelse at tage til og hele hans Stilling. Og da det led endnu længer frem i Tiden, fik han Folk og Flaade, og drog baade til eet og til flere Lande og hærgede, og hans Flok blev snart forøget med Nordmænd og Gøter og Danske, og han øvede Storværk, og erhvervede sig derved Berømmelse og god Omtale.

16. Han gjorde Hærtoge vide om baade i Vind-
land og Flæmingeland, i England og Skotland, i Ir-
land og mange andre Lande, og havde sit bestandige
Vintersæde i Vindland i Borgen Jomsborg. Men hvor
længe han nu end drev sligt Værk, saa hændte det sig
omsider, at han landede ved et Sted i England, hvor
der var en stor Guds Ven, en Eneboer, berømt af sine
gode og mangfoldige Kundskaber. Olaf fik Lyst til at
prøve ham, og han sendte een af sine Tjenestemænd i
Kongens Klæder for under Kongens Navn at spørge ham
til Raads, og han fik det Svar: „Du er ikke Kongen,
men det er mit Raad, at du er din Konge tro.” Da
Olaf havde hørt et saadant Svar, fik han endnu mere
Lyst til at træffe ham, thi nu tvivlede han ikke mere om,
at det jo var en sand Prophet. Men under Samtalen
og denne gode Mands Formaninger, tiltalte han Kongen
med disse Ord af hellig Viisdom og himmelsk Fremsyn:
„Du vil blive,” sagde han, „en berømmelig Konge og
øve berømmelig Daad; du skal bringe mange Folk til at
antage Troen og Daaben, hvorved du vil gavne baade
dig selv og mange andre; og forat du ikke skal tvivle
om dette mit Svar, maa dette være dig til Tegn: ved
dine Skibe vil du møde Svig og Oprør, det vil komme
til Kamp, og du vil miste nogle Folk, og selv faae
Saar, og af det Saar vil du blive nær Døden og baa-
ren ombord paa Skjold; men af dette Saar vil du
komme dig inden syv Dage, og strax efter vil du mod-
tage Daaben.” Alt gik som Manden sagde, og Olaf
antog saa Troen, kom dernæst til Norge, og havde Bi-
skop Sigurd, som var indviet til at forkynde Folkene
Guds Navn, med sig, samt endnu nogle Gejstlige, Præ-

sten Thangbrand og Thormod og nogle Degne.   Til
Kristendommens Forkyndelse holdt han det første Thing
paa Moster i Hordeland, og det gik let med at forkynde
den, baade fordi Gud hjalp, og Menneskene vare kjede
af Hakon den Ondes Voldsomhed; og det tog Folket
mod Troen, men Olaf mod Riget.   Han var syv og
tyve Aar gammel, da han kom til Norge, og i de fem
Aar, han bar Kongenavn i Norge, kristnede han fem
Lande, Norge, Island, Hjaltland, Ørkenøerne og Fær-
øerne; han byggede først Kirker paa sine egne Hovedbol,
afskaffede hedenske Offere og Offergilder, og indsatte i
deres Sted, forat føje Folket, Højtidsdrikkelag, Juul og
Paaske, St. Hansdagsøl og Høstøl ved Mikkelsdag.
Olaf var en stor Mand, høj og anseelig, med ganske
lyst Haar, rethaaret, en meget rask Mand og vel be-
vandret i al Slags Belevenhed.

17.   Strax derefter giftede Olaf sig, og tog den
danske Konge Svend Tveskjægs Søster, ved Navn Thyre,
som en Hertug i Vindland havde fæstet imod hendes Vil-
lie, hvorfor det Fæstemaal gik overstyr.   Men efterat de
vare komne sammen, forholdt Kong Svend de Ting, der
vare lovede og bestemte som hans Søsters-Medgift, hvil-
ket Kong Olaf tyktes var ham en Forhaanelse.   Forat
hævne dette, samlede han en Hær imod Danmark, og
biede efter sine Folk paa Landsgrændsen, men da det va-
rede noget længe inden de kom, saa sejlede han over til
Vindland med elleve Skibe, og haabede at hans Folk
skulde komme efter ham.   Men da dette Haab blev skuffet,
eftersom Folkene strax vendte tilbage, saasnart han havde
forladt Landet, saa tænkte han at faae Understøttelse i
Vindland hos sine sande Venner, som paa hans Toge

havde været hans hulde Venner og troe Kamerader.
Men det lykkedes ham ikke, thi Kong Svend havde for-
bundet sig med den svenske Konge Olaf og Hakon den Ou-
des Søn Erik, og de kom imod ham ved Sjælland med to
og firsindstyve Skibe; Svend havde tredive, Olaf tre-
dive, og Erik to og tyve Skibe. Først lagde Svend
imod ham med tredive Skibe, og led et stort Tab, og
vendte tilbage med Skamme. Derpaa lagde Olaf den
Svenske frem med ligesaa mange Folk, som Svend, og
maatte med ligesaa stor Skam gaae tilbage. Derefter
lagde Erik til, og fik Overhaand. Men om Olafs Fald
var intet bekjendt, kun saae man, at han, da Striden
dalede, endnu stod levende i Lyftingen paa Ormen den
lange, der havde to og tredive Rum. Og da Erik
skulde gaae op i Stavnen for at lede efter ham, da viste
der sig pludselig et Lys for ham, som et Lyn, men Kon-
gen selv var forsvunden, da Lyset var borte. Nogle for-
mode, at han er kommen bort paa en Baad, og sige,
at han siden har været seet i et Kloster i Jorsaleland;
men andre formode, at han er falden overbord; men
hvorledes han end har endt sit Liv, saa er det rimeligt,
at Gud har hans Sjæl.

18. Eftersom Svend tyktes at have vundet Norge
ved Olafs Drab, saa gav han Hakons Sønner, Erik og
Svend, Norge, og Erik beholdt Landet allene, efterat
den danske Konge Svend var død. Og da Erik havde
styret Norge i alt i tolv Aar med Jarls Navn, overgav
han Landet til sin Søn Hakon, og sejlede selv over til
England, hvor han forenede sig med sin Maag Knud,
da denne erobrede England, og døde der af en Forblød-
ning, da Drøvelen blev skaaren paa ham.

19. Men saa megen Flid og Omsorg, som Olaf Tryggveson havde anvendt paa at fremme Kristendommen, hvorved der ikke sparedes noget, som kunde være Gud til Ære og Kristendommen til Styrke, saa meget lagde Erik og hans Søn Svend paa at undertrykke Kristendommen; og det vilde have lykkets, hvis ikke Gud da havde viist sin Naade ved Olaf Grenskes Komme, der paa den Tid, som snart skal høres, havde vendt sin Hu til verdslige Seire, men siden vendte sin Tro til Kristendommen, og ved Troens Stadfæstelse vandt evig Salighed og Hellighed. Men forat man kan vide hvad Arveret han havde til Riget, saa høre man følgende.

20. Olaf den Helliges Fader Harald var en Søn af Gudrød, men Gudrød en Søn af Bjørn, og Bjørn en Søn af Harald Haarfager, der var den første Enevoldskonge over Norge. Om Olafs vidtløftige Reiser er meget fortalt. Men hvor vide han end foer, saa søgte han strax tilbage, da Gud vilde aabne Riget for ham, og han kom sejlende fra England med to Knarrer, landede ved Sæla, og sejlede siden ind i Saudungesund; og som Gud da skikkede det, saa saae man Hakon sejle, som den Gang efter sin Fader Erik styrede Landet, femten Aar gammel, en meget smuk Mand, og han stævnede ind i Saudungesund, som paa den Tid var den almindelige Vej, uden at vide, at Olaf Digre allerede laae der; og Hakon havde ikke større Flaade end et Langskib og en Skude. Da Kongen bemærkede hans Sejlads, lagde han sine Skibe hvert paa sin Side af Sundet; og da Hakon roede imod dem, dreves hans Skibe snart sammen, og han blev taget til Fange, men Kongen skjenkede ham og hans Folk Livet, hvorimod han tilfvor Olaf Landet Norge til evig Tid. Da havde Erik og hans Søn Hakon, samt Svend Hakonsen regieret over Landet i fjorten Aar med Jarls Navn. Olaf den Hellige gav Hakon Syderøerne, efter hvad nogle sige, og understøttede ham saaledes, at han satte sig fast der, og der var han Konge saalænge han levede.

21. Da modtog Olaf den Hellige Norges Rige, og styrkede det med Kristendommen og alle gode Sæder, skjøndt med megen Vanskelighed, thi mange angrebe ham baade inden- og udenlands, især for Kristendommens Skyld, som han paabød. Den første Vinter var han den meste Tid hos sin Maag Sigurd i Oplandene, men Foraaret efter hjemsøgte Svend Jarl hans Land med Krig, og de holdt Palmedag et Slag udenfor Nesje ved Grenmar, i hvilket Olaf vandt Sejer; der faldt en stor Deel af Svends Folk, men Svend selv flygtede. Einar Thambeskelmer kastede et Anker i Svends Skib, og sejlede imod hans Villie med ham til Danmark. Derpaa drog Svend øster til Garderige, og kom aldrig mere tilbage.

22. Derefter bejlede Olaf til Olaf den Svenskes Datter Astrid, Søster til Ingerid, som før var lovet ham, men hendes Fader brød dette Løfte i Vrede, og giftede hende med Jaritlav, Konge i Østerveg. Olaf Digre avlede Børn med hende, men vi kjende ikke deres Navne og Skjæbne, undtagen deres Datter Gunhilds, som Hertug Otto i Sarland ægtede. Olaf var smuk og tækkelig, han havde bruunt Haar og rødere Skjæg, var velvoxen, af Middelvært, ikke høj; han var tyve Aar gammel, da han kom til Norge, og forstandige Mænd i Norge fandt, at han udmærkede sig ved sin Forstand og Dygtighed for enhver anden.

23. Paa denne Tid raadte Knud for England, som han havde vundet ved Olaf den Helliges Hjælp og Bistand, men han lønnede ikke Olaf bedre derfor, end at han bestak de Høvdinger, som vare i Norge, hvilket siden kom for Dagen, forat de ved Svig skulde berøve ham Landet. I dette Forræderi deeltoge Erling paa Sole, Kalf paa Eggje, Thorer Hund og mange andre. Men da den hellige Olaf drog efterpaa forat møde Kong Knud, da traf han Erling, og ventede at han var kommen ham til Hjælp imod ham. Men han anfaldt da Kongen, og holdt et Slag med ham, i hvilket den hellige Olaf vandt Sejer, og Erling blev stædt i en saadan Nød, at der ikke var andet for ham at gjøre, end at tye til Kongens Naade, og han tog ham ogsaa i Forsvar, da de andre satte ind paa ham. Aslak Fitjeskalle hed en Mand, der var Kongens Stavngjemmer; han gik tilbage i Skibet, og havde en Haanbøre hemmelig under sine Klæder, og ingen blev det vaer, førend han havde hugget ham et Banesaar i Hovedet, med de Ord: „Saa skal Nidingen mærkes.‟ Men Kongen svarede: „Nu har du hugget Norge ud af min Haand.‟ Men da erfarede han af de Mænd, han der fangede, at alle de anseeligste Mænd i Landet havde stiftet Forræderi imod ham. Han begav sig da nordpaa til den Fjord der hedder Slaygsarfjord ind fra Borgung, gik der fra Skibene, og op i den Dal, der hedder Valdal, og drog derpaa fra Landet i fjortende Aar efterat han var kommen til Landet, og dernæst til Østerleden, og havde sin Søn Magnus den Gode med sig.

24. Knud satte da til Regjeringen først sin Søstersøn Hakon, og sikrede sig Landet ved at tage de ansee=

ligste Mænds Sønner til Gisler, og lagde svære Paalæg og Skat paa Folket, men Hakon drog om Foraaret efter til Englandshav. Men da Knud erfarede det, satte han sin Søn Svend og hans Moder Alfiva til Regieringen. Da var i Førstningen de Danskes Anseelse saa stor, at et Vidnesbyrd af een af dem skulde fælde ti Nordmænds. Ingen skulde have Lov til at drage fra Landet uden med Kongens Tilladelse, og hvis nogen gjorde det, forfaldt hans Ejendom til Kongen. Hvem der begik Drab, skulde derved forbryde Land og Løsøre. Var en Mand i Landflygtighed, og der tilfaldt ham en Arv, da tog Kongen den. I Julen skulde hver Bonde give Kongen af hver Arne en Mæle Malt og et Laar af en treaars Oxe, det kaldtes Vennegave, og et Spand Smør, og enhver Hussrue en Rokketot, det var saa meget uspundet Hør, som man kunde spænde om med den største og længste Finger. Bønderne vare ogsaa forpligtede til at bygge alle de Huse, Kongen vilde have paa sine Gaarde. Syv Mænd skulde stille een vaabenfør Mand, og det for hver fem Aar gammel, og derefter skulde Skibsfolk udredes. Hver Mand, som roede ud paa Havet, skulde betale Kongen Landvarde, det er fem Fiske, hvorfra han end roede. Hvert Skib, der sejlede bort fra Landet, skulde lade et Rum tværs over Skibet for Kongen. Hver Mand, der sejlede til Island, skulde betale Landøre, hvad enten han var her fra Landet eller udenlandsk. Og al denne Skat vedvarede indtil Kong Sigurd Jorsalefarer eftergav de fleste af disse svære Paalæg. Men skjønt denne Nød og Plage trykkede Landet, trøstede man sig dog ikke til at gjøre Opstand for Sønnernes Skyld, som vare Gisler.

25. Derefter søgte den hellige Olaf tilbage til Landet igjennem Sverrig, kom fra Jæmteland til Throndhjem, og kom ned i Værdalen; da gjorde Eggje-Kalf Oprejsning imod ham, og søgte af al Magt at bringe det til et Slag, baade af Hæftighed og Ondskab; han fik mange Tilhængere, allerhelst forat hans Forkyndelse af Kristendommen ikke skulde have Fremgang i Landet, hvilken man vidste at han paa ny af alle Kræfter vilde paabyde og fremme, ligesom han før havde gjort; men som Paaskud brugte han, at gode Mænds Sønner ikke skulde være Gisler, og han holdt et Slag med Kong Olaf paa Stiklestad. Høvdinger for Thrøndernes Hær vare tilligemed Kalf Thorer Hund, Erlend fra Gerde og Aslak fra Finøerne. Men med Olaf vare hans Broder Harald, femten Aar gammel, en meget smuk Mand og høj af Væxt, Rognvald Brusesøn og Bjørn hin Digre. I dette Slag var Erlend fra Gerde den første der faldt af Thrøndernes Hær. Det var ogsaa i Begyndelsen af Slaget at Kong Olaf faldt; han havde Sværd i Haanden, men hverken Hjelm eller Brynje; han blev saaret i Knæet af Kalfs Huuskarl, bøjede sig, og bad for sig og skjød Sværdet ned. Thorer Hund og Thorsteen Knarresmed fik Ord for at have dræbt Kong Olaf. Og saa steg den hellige Olaf fra dette Slag bort fra dette Rige til Himmerige. Bjørn den Digre faldt ved Kongens Hoved, men Thorsteen Knarresmed blev strax dræbt for Kongens Fødder. I dette Slag faldt Aslak fra Finøerne og en stor Mængde af Thrøndernes Hær.

26. Efter Kongens Fald maatte Folket tilfulde føle Elendigheden, som Svend og Alfiva bragde over dem, og sørgeligt var det at boe under deres Regjering baade formedelst Undertrykkelse og Uaar, da Folket levede mere af Kvægføde end Menneskespise, thi aldrig vare der gode Aar i deres Dage, som man kan høre i den Vise, Sighvat kvad:

> Den unge Kriger længe
> Alfivas Tid vil mindes,
> Da Folk af Bark, som Bukke,
> Og Studeføde nærtes;
> Alt var det anderledes,
> Da Olaf Riget styred,
> Enhver, af Bønder, ejed
> Da fuld af Korn sin Lade.

27. Den hellige Olaf bar i denne Verden Kongenavnet i Norge i femten Aar, indtil han faldt; da var han fem og tredive Aar gammel. Og da han faldt vare ledne fra vor Herres Fødsel et tusende og ni og tyve Aar. I det Slag, hvori den hellige Olaf faldt, blev hans Broder Harald saaret; han flyede efter hans Fald bort fra Landet og til Østerveg, og saa til Miklegaard, og nogle sige, at han tog Kongenavn i Norge, men andre nægte det.

28. Men da Gud begyndte at aabenbare Jertegn over den hellige Olaf, gjorde de bedste Mænd sig færdige til at drage fra Landet forat opsøge Magnus, den hellige Olafs Søn, thi man indsaae sin Misgjerning, og angrede, og vilde gjøre det godt paa hans Søn, hvad man havde forbrudt mod ham selv; de søgte over i Østerveg til Kong Jaritlaf, og bragde alle de bedste Mænds Budskab og Bøn, at han skulde vende tilbage til Riget. Høvdingerne i denne Færd vare Rognwald Jarl, Einar Thambeskelmer, Svend Bryggefod og Kalf Arnesøn.

Men deres Bøn blev ikke før hørt eller opfyldt, førend
de tilsvore ham Land og Troskab, thi Dronning Ingigerd
modsatte sig.

29.   Derefter kom han til Landet fire Aar efter sin
Faders Kong Olafs Fald; og eftersom Svend og Alfiva
kjendte Folkets Hengivenhed mod ham og deres egen
Uvennesælhed, saa flyede de til Danmark; men Kong
Magnus tog mod Riget med Almuens Yndest omsider, thi
fra først af var det med mangens Uvillie, da han be-
gyndte sin Regiering med Haardhed formedelst sin Ungdom
og Raadgivernes Begjerlighed; han var næsten elleve
Aar gammel, da han kom til Landet.   Han holdt Thing
i Nideros, og gav med Haardhed alle Thrønderne Sag,
og de stak alle deres Næser i Skindkapperne, og tav alle
uden at svare.   Da stod en Mand, ved Navn Atle,
op, og sagde kun de Ord: „Min Sko trykker mig paa
Foden, saa at jeg ikke kan komme af Stedet.” Men
Sighvat kvad der strax denne Vise:

> Den Trusel vist er farlig;
> De Gamle, som jeg hører,
> Mod Kongeu selv vil drage,
> Slig Fare maa afvendes.
> Alt er det øjensynligt,
> At Folket taust er blevet;
> Med Hoved Thingmænd helde,
> Og skjulte Raad oplægge.

Thinget opløstes saaledes, at Kongen bad alle Mænd at
indfinde sig igjen om Morgenen, og da mærkedes det
paa hans Ord, at Gud havde omskiftet hans Sind;
hans Haardhed forvandledes sig til Naade, han lovede alle
Mænd Godt, og gjorde som han lovede eller endnu bedre;

herved erhvervede han sig megen Venneskælhed og det
Navn, at han blev kaldet Magnus den Gode.

30.   Men da han havde styret Landet i nogle Aar,
sørget for Love og alle gode Sæder, og styrket Kristen-
dommen, da erindrede han sig den Uret, der var begaaet
imod hans Fader, og styrede med en Hær til Danmark,
hvortil alle vare meget villige forat tage Hævn. Men
da var Svend død i Danmark, saavel som hans Fader
Knud i England; og over Danmark regjerede den Gang
Svends Broder, Horde-Knud, der styrede med en Hær
imod Magnus, og de mødtes ved Brennuerne; forstan-
dige Mænd underhandlede imellem dem, og mæglede Forlig,
hvilket de sluttede saaledes, at efterdi Knud tyktes at
have ret Tiltale til Norge, som hans Fader havde ind-
taget, og hvor hans Broder havde haft Sæde, Magnus
derimod tyktes ilde om de Forurettelser, der af Knud
vare tilføjede hans Fader, Svig, Landflygtighed og
voldsom Død, saa bilagde de den Sag ved det Forlig,
at den Længstlevende skulde erholde begge Lande, men
hver raade for sit Rige saalænge de begge levede, og de
stillede hinanden Gisler. Knud døde først, og Magnus
fik da Danmark uden Modsigelse, thi de bedste Mænds
Sønner vare stillede til Gisler.

31.   Men da Svend, en Søn af Ulf og Knud den
Mægtiges Søster Astrid, spurgte dette i England, saa
samlede han sig en Hær allevegne fra, hvor han kunde,
men Magnus drog imod ham, og de mødtes til Søes
ved det Næs, som hedder Helgenæs, og holdt et Slag;
Svend flyede til Vindland, og samlede sig derfra en Hær
anden Gang, hvor han kunde faae den fra, og styrede
med den til Danmark, saa at Magnus kun kort før

havde faaet Nys derom; han havde derfor kun liden Ud-
rustning, og frygtede formedelst Mangel paa Folk, men
beredte sig dog saa godt han kunde til Modstand.

32. Men om Natten som han skulde stride næste
Morgen, og han frygtede meget for hvorledes det vilde
gaae, da aabenbarede hans Fader sig for ham i Drømme,
og sagde, at han skulde vinde Sejer, hvilket ogsaa skete.
De mødtes nu om Morgenen paa den Hede, som hedder
Hyrskovshede og ligger ved Skotborgaa, og Magnus stil-
lede sin Hær i Fylkinger, saaledes som den hellige Olaf
forud havde lært ham i Drømme; ligeledes begyndte han
Slaget paa den Tid, som han havde sagt ham forud
om Natten, nemlig da Solen stod i Sydost. Sin mid-
terste Fylking stillede han imod Svends Fløjfylking, der
aldeles maatte vige, og Svend led et stort Tab ved det,
som han havde tænkt skulde bringe ham Sejer; thi han
havde stillet Ørne i Spidsen af sin Hær, og bundet dem
Spyd paa Ryggen og Fjælle for Øjnene, men Rovene
vendte først om, saa at Svend blev indeklemt imellem Rov-
flokken og Magnuses Flok; heraf led Svend et stort
Tab, men freiste sig ved Flugten, og Magnus tillige-
med en anden Mand forfulgte længe Svend og hans
Flok. Man har bevaret den Ytring af Svend og hans
Mænd, at dersom de alle havde stredet saaledes som den
unge smukke Mand i Silkeskjorten, da vilde ingen Sjæl
være undkommen; men det var Kongen selv, der siden
vendte tilbage til sin Hær, hvor alle modtoge ham med
Glæde; forhen havde de derimod frygtet for hans Fald,
da han opholdt sig saa længe med at forfølge de Flyg-
tende med een Mands Hjælp. Svend søgte sig nu et Fred-
land. Kong Magnus sad nu i Danmark i god Fred og Ro.

33. Men da nu Tiden led frem, da drog den hellige Olafs Broder Harald hjem fra Garderige over Østerveg paa et Handelsskib, velforsynet med Gods og Kostbarheder, og landede i Danmark uden at Kong Magnus vidste noget hverken om ham eller hans Skib; og magede det saa, at han kom i Nærheden af det Sted hvor Kongen var, og skaffede sig en Sammenkomst med Kongens Raadgiver, Ulf Staller, og talte med ham om Haralds Sag, som om han var Haralds Sendebud og ikke Harald selv; han bad derpaa Ulf at spørge Kong Magnus, hvorledes han vilde tage imod sin Farbroder, hvis denne søgte tilbage til Landet; og forestillede, at der var god Grund til at tage vel imod ham; „som saadan,‟ sagde han, „regner jeg deres Slægtskab, og den Bistand, han har viist sin Broder den hellige Olaf, Magnuses Fader;‟ han forestillede ligeledes, at Harald var en forstandig og stærk Mand, og havde udført mange og store Bedrifter udenlands; en Mand, der ogsaa nu var vel forsynet med Gods og Kostbarheder, og formedelst alt dette kunde han yde sin Frænde megen Bistand, men det kunde ogsaa blive meget farligt, hvis hans Modtagelse ikke blev hæderlig. Men Ulf tog med Glæde mod dette Ærende; ligeledes tog Kong Magnus med Glæde derimod, og sagde, at han af alle de brave Mænd, han havde hos sig, ventede sig Understøttelse og gode Raad, men allermest af sin Farbroder. Efter dette Kongens Svar begav Harald sig til sit Skib, og dernæst til sin Frænde, og da mærkede Ulf, at den store og vakre Mand, der havde udgivet sig for Haralds Sendebud, var Harald selv. Der blev nu siden en stor Glæde imellem Frænderne over deres Møde, og Harald fik det

halve Norge baade i Følge den Arveret han havde dertil
og som en god Konges gode Gave; thi Harald var en
Søn af Sigurd Syr, Sigurd en Søn af Halfdan, som
nogle kaldte Heikilnef, andre Hvitbein, og Halfdan var
en Søn af Sigurd Rise, der var Harald Haarfagers Søn.

34. Magnus regjerede siden over Danmark og det
halve Norge i Fred og Ro uden nogen Modsigelse, saalænge han levede; og han regjerede i alt over begge Rigerne i tretten Aar med de sex, i hvilke han havde Danmark; og blev syg i Sjælland, og døde der et Aar efter
at hans Farbroder Harald var kommen til Landet. Da
var han næsten fire og tyve Aar gammel. Hans Lig
blev ført til Throndhjem, og nedsat i Kristkirken, der
hvor hans Fader hviler; begge Lande sørgede meget over
hans Død, thi han efterlod sig ingen Børn, uden en
Datter, der ved hans Død var ganske ung. Paa sin
Sotteseng sendte han sin sammødre Broder Thorer til
Svend Ulfsøn, saaledes, at denne ikke forkyndte ham
hans Død, men snarere, at han havde skjænket ham Riget; men Svend formodede dog nok hans Død, og tog
med Venlighed imod Gaven, modtog Riget, og lod alle
de Indretninger, Magnus havde gjort, staae ved Magt,
saa og hans Gaver baade til hans Broder Thorer og til
alle andre.

35. Men Kong Harald fik nu allene hele Norge,
og styrede det med megen Haardhed, dog med god Fred,
og der var ingen anden Konge, som alle bare en saadan
Frygt for baade for hans Forstand og Dygtighed. Kong
Harald giftede sig snart, da han var kommen til Landet,
og ægtede en Broderdatter af en Mand, ved Navn Finn,
der boede øster paa Ranrige, en Mand af høj Slægt og

rig. Han gav sin Maag Kong Hakon store Lreen, men vilde siden efter tage dem tilbage, hvoraf der opkom Uenighed imellem dem; derpaa søgte han ud af Landet med sine Frænder, søgte til Kong Svend i Danmark med syv Langskibe, og fik af ham Jarls Navn; han viste da dem hjem, som havde fulgt med ham, og vilde ikke at de skulde miste deres Ejendomme samt Koner og Børn. Men Svend og han samlede Folk sammen, og droge med en Hær til Norge; Kong Harald drog imod dem, og bemødtes ved Nitze i Halland i Danmark; Harald laae ved den Ø, som ligger der ved Fastlandet, og Svend tænkte at hindre ham fra at faae Vand, thi det var ikke bekjendt at der var Vand paa Øen. Men Kong Harald lod søge efter, om der fandtes en levende Orm paa Øen; den fandtes, og blev derpaa efter Kongens Raad udmattet ved Ild, at den skulde tørste ret meget; derpaa blev en Traad bunden ved Halen paa den, og den løsladt, hvorpaa den strax tyede hen til Vand forat drikke, og saaledes blev Vand fundet. Men saasnart Harald tyktes at være færdig, saa lagde han til Slag, strax da hans Folk vare komne, som han laae og biede efter; Svend blev overvunden efter at have lidt et stort Tab, og undflyede med faa. Men Finn blev fangen, og fik Fred, og drog hjem med Harald til sine Besiddelser.

36. Da Harald havde regjeret i nitten Aar over hele Norge, efter Magnuses Død, kom der en Mand fra England, ved Navn Toste; han var Jarl og Broder til Harald Gudinesen, der den Gang regjerede over England, og havde samme Fødselsøret til Riget, som Harald, men havde da mistet alt, og forlangte Hjælp af Harald, og lovede ham det halve England, hvis de kunde faae

det erobret. Harald sejlede derover med ham med en Hær, og de indtoge hele Northumberland. Men Englands Konge var da i Nordmandi, og strax da han spurgte det, skyndte han sig tilbage med en Hær, og kom saa uforvarendes paa dem, at deres fleste Folk vare paa Skibene, og de, som vare paa Land, næsten vaabenløse, uden Hugvaaben og Dækvaaben; de stillede sig da alle i een Fylking, og gjorde sig færdige, men Kongen selv var til Hest, og red imedens han fylkede Hæren; Hesten faldt under ham, og kastede ham af, og Kongen sagde, da han stod op: „Sjælden gik det saa, naar Lykken var med,‟ sagde han, og det gik ogsaa som Kongen sagde, at han ikke spaaede galt; thi i det samme Slag om Dagen faldt baade Kong Harald og Toste Jarl, og mange Folk tilligemed dem, men de, som undkom, toge Flugten. Anføreren for disse Folk var Haralds Søn Olaf, en meget smuk Mand, næsten tyve Aar gammel, der kaldtes Bonde formedelst sin Klogskab og Sindighed; han begjerede Fred af Harald, samt sin Faders Legeme, og fik begge Dele; siden drog han med Povel Jarl til Orkenøerne, og om Foraaret efter til Norge, og jordede Kong Haralds Lig i Mariekirken i Nideros, men nu ligger han begravet i Elgesætr, thi man fandt det passende, at han fulgte med den Kirke han havde ladet bygge, som Erkebiskop Eisten flyttede derhen som Munkenes Ejendom, hvormed han forøgede de andre Ejendomme, han selv havde givet dertil.

37. I de tolv Maaneder Harald og hans Søn vare vesterpaa, regjerede imidlertid hans Søn Magnus i Norge, en meget smuk Mand, og han og hans Broder Olaf skiftede nu Riget imellem sig. Men hurtigere end

man tænkte, to Aar efter, døde Magnus, og efterlod sig en Søn Hakon, som blev givet Steig-Thorer til Opfostring; men Olaf regjerede derpaa allene over Norge i fire og tyve Aar; og i ingen Konges Tid efter Harald Haarfager havde Norge nydt en saadan Lykke, som i hans Dage; han eftergav mange af de Ting, som Harald med Haardhed har indført og overholdt. Han var gavmild paa Guld, Sølv, Klenodier og Kostbarheder, men sparsom med Jorder; det voldte hans Klogskab, og det at han saae, at det gavnede Kongedømmet; og der er mange gode Indretninger af ham at omtale. Han byggede en Steenkirke ved Bispestolen i Nyderos over sin Frænde den hellige Olafs Legeme, og fuldendte den. Og hvor stor hans Godhed og Kjærlighed mod Folket har været, det kan man skjønne af de Ord, han sagde en Dag i et stort Gilde; han var munter og i godt Lune, og der vare nogle, som sagde: „Hvilken Glæde det er for os, Konge, at du er saa munter;” men han svarede: „Skulde jeg ikke være munter nu, da jeg paa mit Folk seer Glæde og Frihed, og sidder i det Lag, som er indviet til min hellige Farbroder. I min Faders Dage da var Folket i stor Tvang og Frygt, og de fleste skjulte deres Guld og Kostbarheder; men nu seer jeg det skinne paa enhver som ejer noget, og deres Frihed er min Glæde.” Det var ogsaa saa godt i hans Dage, at han uden Krig fredede for sig og sit Folk udenlands, og hans nærmeste Naboer bare Frygt for ham, skjøndt han var fredelig og mild sindet, som Skjalden siger:

>   Med Trusler og tillige
>   Med fredelige Taler

Saa værner Olaf Riget,
At Drotters Krav forstummed.

38. Da han havde regjeret over Norge i syv og
tyve Aar, det første medregnet, da han var vesterpaa ef‑
ter Haralds Fald, imedens hans Broder Magnus var i
Norge, da blev han syg paa Gaarden Haukbø øster i
Ranrige, hvor han var paa Gjæsteri, og døde der; hans
Lig blev ført til Nideros, og begravet i den Kirke, han
havde ladet bygge.

39. Herefter kom hans Søn Magnus Barfod til
Regjeringen; han var næsten tyve Aar gammel da han
tog Kongenavn efter sin Fader tilligemed hans Frænde
Hakon, hvem Steig‑Thorer, som nys blev sagt, havde
til Opfostring; denne var da omtrent fem og tyve Aar
gammel. De vare een Vinter begge Konger, og tilbragde
den i Nideros, hvor Magnus var i Kongsgaarden, men
Hakon i Skulegaarden ned fra Klemenskirke, og holdt
saaledes Julen. Da afskaffede Hakon Julegaver og alle
Afgifter og Landørepenge hos Thrønderne og alle Oplæn‑
dingerne, som toge imod ham, og forbedrede derimod ved me‑
get andet Undersaatternes Ret. Da begyndte for den Sags
Skyld Magnuses Sind at foruroliges, da han tyktes at
faae mindre af Landet og af Landskatterne, end hans Fa‑
der eller Farbroder eller Forfædre havde haft, og han
meente, at ved denne Gave dem til Ære var hans Lod
ligesaa meget eftergivet, som Hakons, og han ansaae sig
derved tilsidesat og misholden af sin Frænde og hans og
Thorers Raad; de frygtede derfor ogsaa meget for, hvor‑
ledes Magnus vilde synes derom, thi han holdt den hele
Vinter syv Langskibe i aaben Vaag ved Kjøbstaden.
Men om Foraaret henved Kyndelmesse lagde han bort

ved Begyndelsen af Natten med tjeldede Skibe og Lys derunder, og lagde ind til Hefring; blev der om Natten, og tændte store Ilde oppe paa Landet. Da troede Hakon og de Folk, som vare i Byen, at det var gjort til Svig, og han lod Folket blæse ud; alle Kjøbstedsfolkene søgte derhen, og bleve samlede om Natten. Men om Morgenen da det blev lyst og Magnus saae hele Folket paa Øren, saa styrede han ud af Fjorden, og saa sønder paa til Gulethingslag.

40. Men Hakon begyndte sin Rejse øster til Vigen, efterat han først havde holdt et Møde i Kjøbstaden, hvor han sad til Hest, og lovede dem alle sit Venskab, og bad om deres; og sagde, at han forstod ikke ret sin Frændes Villie. Alle lovede ham deres Venskab med god Villie og Bistand, om behøvedes; og hele Folket fulgte ham ud under Steenbjerg. Han begav sig da op til Fjeldet, og foer en Dag efter en Rype, som fløj op for ham da han red; da blev han syg, fik Banesot, og døde der paa Fjeldet. En halv Maaned efter kom Tidenden derom til Kjøbstaden, og man skulde gaae hans Lig imøde; hele Folket gik det imøde, de fleste grædende, thi alle elskede ham højligen. Hans Lig blev udsat i Kristkirken.

41. Efter Hakons Død kunde Thorer ikke bøje sit Sind til Magnus, som da tog mod Riget, men rejste af Ærgjerrighed en Mand imod ham, ved Navn Svend, en Søn af Harald Fletter; de fik Hjælp fra Oplandene, og kom ned i Romsdalen og paa Søndmør, hvor de fik sig Skibe, og sejlede siden til Throndhjem. Men da Sigurd Ulstreng og mange andre af Kongens Venner spurgte denne Steig-Thorers Oprejsning og Fjendskab, saa samlede de med en Krigsbudstikke alle de Folk imod

Thorer, de kunde faae, og stævnede dem til Vigge.
Men Svend og Thorer styrede did med deres Hær, holdt
et Slag med Sigurd, vandt Opgang, fik Overmagten,
og anrettede et stort Nederlag. Men Sigurd flyede
til Kong Magnus, da de begave sig til Kjøbstaden, og
Thorer og de andre streifede om i Fjorden. Men da
Thorer og de andre vare færdige til at forlade Fjorden,
og havde lagt deres Skibe i Hefring, da kom Kong
Magnus udenfra i Fjorden, hvorpaa Thorer og hans
Følge lagde deres Skibe over til Vaguvigestrand, flygtede
op af Skibene, og kom ned i den Dal, som hedder Ther-
dal i Selsehverf; og Thorer blev paa en Baare ført
over Fjeldet. Derpaa samlede de Skibe, og begave sig
til Helgeland, men Kong Magnus satte efter dem, og
den ene Flok saae den anden i den Fjord, som hedder
Harm. Hine lagde siden til Hessjetun. Thorer og hans
Følge troede at de vare komne til Fastlandet, men det
var en Ø, og mange bleve der fangne med Steig-Tho-
rer, men han selv siden hængt paa den Holm, som hed-
der Vambholmen. Thorer sagde da han saae Galgen:
„Ilde lykkes onde Raad,” og han kvad følgende, førend
han blev hængt og Strikken blev lagt ham om Halsen:

> Vi fire Fæller vare,
> Førte dog een til Roret.

Egil Astelsen fra Ørland, en meget rask Mand, blev
ogsaa dræbt der og hængt med Thorer, thi han vilde ikke
forlade sin Kone Ingeborg, Ogmunds Datter, Skoptes
Søster. Kong Magnus sagde, da Egil hang i Galgen:
„Ilde komme hans gode Frænder ham til Hjælp.” Men
Svend flyede ud paa Havet, og saa til Danmark, og
blev der indtil han blev forligt med Magnuses Søn,

Kong Eisten, som tog ham til Naade, gjorde ham til sin Skutelsvend, og viste ham megen Kjærlighed og Fortrolighed. Kong Magnus havde da Riget allene og uden at nogen gjorde ham det stridigt, fredede vel for sit Land, ødelagde alle Vikinger og Røvere, var en krigersk, rask og virksom Mand, og i det hele mere lig sin Farfader Harald i Sind, end sin Fader; alle vare de store og sunkke Mænd.

42. Magnus gjorde mange Krigstoge. Først gjorde han den Paastand paa Gøtland, at han sagde, at Dal, Bear og Værdynjar med Rette skulde høre til Norge, og sagde, at hans Forfædre fordum havde haft dem; han lagde sig derpaa ved Landsgrændsen med en stor Hær, lejrede sig i Telte, og agtede at gjøre Anfald paa Gøtland. Men da Kong Inge erfarede det, samlede han hurtig en Hær sammen, og stævnede imod ham; og da der kom tilforladelig Efterretning om hans Tog til Kong Magnus, saa skyndede Høvdingerne til at man skulde vende tilbage, men det syntes han ikke om, og gik imod Kong Inge førend han tog sig i Agt, ved Nattens Begyndelse, og tilføjede ham et stort Nederlag, men Kong Inge frelste sig ved Flugten. Derpaa kom Sagen til Forlig, og Kong Magnus fik Kong Inges Datter Margrete, og med hende de Landstrækninger, som han før havde gjort Fordring paa.

43. Paa dette Tog vare med Kong Magnus Øgmund Skoptesøn, Sigurd Sigurdsøn, Sigurd Ulstreng og mange andre. Men derefter sejlede Kong Magnus med en Hær til Ørkenserne. Da vare følgende Høvdinger med ham: Dag, Gregoriusses Fader, Vidkun Jonsøn, Ulf Ranesøn, Broder til Sigurd, Nikolausses Fader, og

mange andre store Høvdinger. Paa Orkenserne tog han
derpaa Jarlen Erlend med sig og hans atten Aar gamle
Søn Magnus, som nu er hellig; derpaa begav han
sig paa Hærtog til Skotland og Bretland, og dræbte
der en Jarl, der hed Huge den Digre; han blev skudt i
Øjet, og døde deraf; men den, som havde skudt, kastede,
efter hvad nogle fortælle, Buen til Kongen, og udbrød:
„Til Lykke med Skuddet, Herre!” og gav Kongen Æren
for det Skud.   Han vendte hjem fra dette Hærtog med
Skibene ladede med Guld og Sølv og Kostbarheder.

44. Faa Aar efter sejlede han til Irland med en
Skibsflaade og med en stor Hær, og agtede at indtage
Landet, og vandt ogsaa en Deel i Førstningen; derover
blev han dristigere og blev uforsigtigere, fordi det i Først-
ningen gik ham gunstig, ligesom hans Farfader Harald,
da han faldt i England; den samme Svig paadrog ham
ogsaa Døden, thi Irerne samlede hemmelig om Aftenen
før Bartholomæusmesse en utallig Hær imod Kong Mag-
nus; da de gik fra Skibene op paa Land forat søe Strand-
hug, vidste de ikke af noget, førend Hæren kom imellem
dem og Skibene; men Kongen og hans Mænd vare kun
slet forsynede med Rustning, thi han var gaaet i Land
med Silketrøje, Hjelm paa Hovedet, omgjordet med Svær-
det og med Spyd i Haanden, og med Stighoser, som
han ofte plejede. I dette Slag faldt Kong Magnus med
en stor Deel af hans Folk; det Sted, hvor han faldt,
kaldes Ulabstir, og Eivind Finnsøn faldt der med ham
og mange andre store Høvdinger. Vidkun var stædt næst
ved Kongen, og fik tre Saar; men da Kongen saae sin
visse Død, bad han Vidkun frelse sig ved Flugten, hvor-
paa han og de andre Folk, som undkom, søgte ned til

Skibene, og fom tilbage til deres Fædreland; han ftod fiden i megen Anfeelfe hos Kongens Sønner, forbi han havde holdt fig faa vel der. Den Gang var Myrjartak Gandjalfafon Overkonge paa Irland; med hans Datter var Sigurd Magnusfon gift nogen Tid; hun hed Bjad-mynja. Magnus Barfod var i alt Konge i ti Aar.

45. Efter Magnus kom hans tre Sønner til Regjeringen, Eisten og Sigurd og Olaf; alle gode og vakre Mænd, rolige, ftadige og fredelige, og meget Godt og Herligt er om dem at fige. Olaf prøvede man dog for kort Tid, thi han levede ikke længer end tolv Aar efter fin Faders Død; han døde i Kjøbftaden fytten Aar gammel, blev begravet i Kriftkirken, og alle Mænd forgede over hans Død. Men i Begyndelfen da de tre Brødre, Eisten, Sigurd og Olaf, fade i Riget, da fik Sigurd Lyft til at drage bort fra Landet til Jorfal med fine Brødres og de bedfte Mænds Samtykke i Landet. Men forat erhverve fig Guds Naade og Venneforlhed hos Almuen, afffaffede alle Brødrene de Tynger og Trængfler og onde Paalæg, fom haarde Konger og Jarler havde lagt paa Folket, faaledes fom før er fagt.

46. Brødrene vendte nu faaledes Trældom til Frihed, men derpaa drog Sigurd bort fra Landet til Jorfal med treffndstyve Skibe, fire Aar efter hans Fader Magnufes Død, og havde mange og gode Mænd med fig, dog kun dem, der vilde fare; han blev i England det førfte Aar, men fejlede det andet ud til Jorfal, nød der megen Hæder og fik dyrebare Koftbarheder.

47. Kongen bad om noget af det hellige Kors, men erholdt det dog ikke, førend tolv Mænd og han felv fom den trettende fvore, at han fkulde fremme Kriften-

dommen af al sin Magt, og oprette en Ærkebispestol i Landet, hvis han kunde, og at Korset skulde være der, hvor den hellige Olaf hvilede, og at han skulde fremme Tienden og selv give den. Og noget af dette holdt han, thi Tienden fremmede han, men hiint brød han, hvilket kunde have blevet til stor Ulykke, hvis Gud ikke havde forhindret Ulykken ved Jertegn; han reiste en Kirke ved Enden af Landet, og satte Korset der næsten i Hedningenes Vold, som siden viste sig; han tænkte det skulde der være til Landets Forsvar, men deri tog han feil; did kom Hedningene, brændte Kirken, toge Korset og Præsterne, og førte dem bort; men siden kom der en saaban Hede over Hedningene, at de tyktes næsten at brænde, og bleve forfærdede over denne Tildragelse. Men Præsten sagde dem, at denne Brand kom af Guds Magt og det hellige Korses Kraft, hvorpaa de skjøde en Baad ud, og satte begge, Korset og Præsterne, i Land. Og efterdi Præsten ikke fandt det raadeligt, anden Gang at udsætte Korset for samme Fare, saa flyttede han det hemmelig nordpaa til den hellige Olafs Sæde, som svoret var, og der er det nu siden.

48. Men der skete ogsaa meget andet Godt paa hans Reise; han indtog nogle hedenske Borge, og lovede, forat vinde een af dem, at afskaffe Kjødspisen om Tværbagen i Norge. Han drog til Miklegaard, og nød der ved Keiserens Modtagelse megen Hæder og store Gaver, og efterlod der til Minde om sit Ophold sine Skibe, og tog af et af sine Skibe et stort og kostbart Hoved, som han satte paa Peterskirken. Men hjem til Norge drog han igjennem Ungerland og Sarland over Danmark, tre Aar efter at han var dragen fra Landet, og hele Folket gla-

bede sig over hans Ankomst. Han var tyve Aar gammel, da han kom tilbage til Landet fra denne Rejse, og var bleven meget navnkundig. Eisten var et Aar ældre, men Olaf var da tolv Aar gammel. Endnu ere mange Steder prydede med de Kostbarheder, som Sigurd den Gang førte . . . .

49. . . . . og paalagde Smaaland en Udredsel af femten hundrede Ørne, og de antoge Kristendommen; derpaa vendte Kong Sigurd hjem med mange store Kostbarheder og Bytte, som han havde gjort paa dette Tog, og denne Leding blev kaldet Kalmar-Leding. Denne Leding var Sommeren før det store Mørke. Der herskede da god Tid i hans Dage, baade med frugtbart Aar og mange andre gode Ting, og der var kun det i Vejen, at han næppe kunde styre sit Sind, naar den Uhyggelighed kom over ham i Slutningen af hans Liv; men alle ansaae ham dog for den dyrebareste og mærkeligste af alle Konger, allerhelst formedelst hans Rejse; han var ogsaa den anseeligste Mand og meget høj som hans Fader og Forfædre; han elskede sit Folk og Folket ham, og han tilkjendegav sin Kjærlighed ved følgende Kvædling:

> Boende [1] tyktes mig bedste,
> Bebøet Land og Freden.

Men formedelst den Støtte han tyktes at have i Folkets Kjærlighed lod han i levende Live Landet tilsværge sin Søn Magnus i hele Norge; han var en Frillesøn, og een af de smukkeste Mænd der har været til.

---

[1] Paa den Tid kaldtes alle Husfædre Boende (hvoraf Ordet Bonde) enten de saa hørte til Bønder eller Borgere.

50. Men derefter kom der en Mand fra Irland, som hed Harald Gillekrist, og udgav sig for at være en Søn af Magnus og Broder til Sigurd, og tilbød at bevise det. Dette antog Kongen mere af Egenvillie end efter forstandige Mænds Raad, og Harald traadte da ni gnistrende Plovjern, og blev befunden reen. Han var siden i god Anseelse hos sin Broder, thi Manden var rask og krigersk, høj af Vært og af et meget liveligt Udvortes. Men de Eder, som vare vundne angaaende Magnus, stode ved Magt. Harald aflagde ogsaa Ed, førend han stædtes til Jernbyrd, at han ikke skulde gjøre Fordring paa Riget, saalænge Magnus levede, og ved denne Eds Aflæggelse vilde Kongen stadfæste Folkets Ed og sin Søns Regiering, forebygge Fare og hindre Blodsudgydelse. Renselsen skete paa Sæheim, og man fandt den vel streng, efterdi han bar Jern forat bevise sin Fædreneherkomst, men ikke sin Ret til Riget, som han evelig havde frasagt sig. Kort efter døde Kongen i Oslo. Harald og Magnus vare i Tønsberg; der blev strax sendt Bud ud til Magnus, og han skyndte sig til Oslo, og fik saaledes Klenodierne. Kong Sigurds Lig blev begravet i Halvardskirke, efterat han i alt havde regjeret over Norge i syv og tyve Aar.

51. Nu vilde Magnus ene tiltræde Regjeringen, som hans Faders Anordning og Almuens Ed gav ham Ret til; men Harald brød sig ikke derom, gjorde Fordring paa det halve Rige, og vilde hverken mindes sine Eder eller sin Broders Bestemmelse; i de første syv Dage blev der nu Uenighed imellem dem, Hirden og Høvdingerne og Almuen deelte sig i to Partier, hvorved Harald fik Folk nok, og . . . .

52. . . . . . . deres Fosterfædre; og Kongerne Inge og Sigurd havde begge een Hird, men Kong Eisten sin egen for sig. Og da alle disse Høvdinger døde, som med deres Raad kraftig havde styret Riget med dem efter Landslovene, Omunde, Thjostolf Olesen, Ottar Birting, der var gift med Ingerid, Kong Inges Moder, Ogmund Svipt og Ogmund Dreng, Broder til Erling Skakke og Søn af Kyrpinge-Orm, der baade var langt ypperligere af Anseelse end Erling, medens de begge levede, og ælbre af Aar: saa afskilte strax derefter Brødrene Sigurd og Inge deres Hird. Kong Sigurd var en stor Mand af Vært, krigersk, stærk af Kræfter, lunefuld og veltalende, vanskelig og slem at stille til Rette, modig og glad. Kong Eisten var en høi Mand, stærk, fritalende, snu, underfundig, fast og begjerlig efter Gods, sort og stribhaaret. Kong Inge var hvid og smuk af Ansigt, vanfør, krogrygget, hans ene Fod var vissen, saa at han haltede meget, mild og venlig mod sine Mænd. Sigurd var i alle Dele voldsom og trættekjær strax i sin Opvært; ligesaa hans Broder Eisten, men han tog dog noget mere Billighed i Betragtning, derimod tyktes han den gjerrigste af dem. Kong Inge var elsket af Almuen. Noget efter Kongernes Raadgiveres Død indtraf følgende Begivenhed: En Mand hed Geirsteen, og havde to Sønner, Hjarrande og Hising; hans Datter var Kong Sigurds Frille, og de stode i Yndest hos ham. Geirsteen var en trættekjær og uretfærdig Mand, men stolede paa Kongens Beskyttelse. Kort fra ham boede en fornem Enke, der hed Gyda, en Søster til Ragnhild, der var gift med Dag Eilifsen øster fra Vigen; hun var en meget mandig Kvinde. Geirsteen drog ofte hen til

hende, og bejlede til hendes Kjærlighed, men hun gav
ham Afſlag, og da optændtes han af Vrede imod hende,
og ſagde, at det ſkulde bekomme hende ilde. Hans førſte
Raad og Anſlag var det, at han lob hendes Kvæg drive
hen paa ſine Agre, og gav hende Sag derfor, og der⸗
hos lod han med Vold ſit Kvæg føre paa hendes Agre,
og hende tilføje megen Skade paa mange Maader. Da
hun nu ſaae, at hans Had var ſaa ſtort og at der til⸗
føjedes hende Skade, ſaa talte hun med ſine Venner om,
hvor meget hun ſavnede ſine gjæve Venners og Mænds
Beſkyttelſe, ſiden hun paa ſaa mange Maader ſkulde lide
Overlaſt. Da ſagde en Mand, der hed Gyrd, til hende,
han var opfødt der hos hende, af god Slægt og en raſk
Mand: „Frue!” ſagde han, „det er ſandt hvad du ſiger,
megen Ulempe har du liidt af den Mand; men lader os
ſee til at indrette det ſaa, at du ikke ſkal lide endnu
værre.” Og det hændte ſig en Dag, da hun gik fra ſin
Gaard, at hun ſaae meget Kvæg paa ſine Agre, og en
Deel deraf gjorde megen Skade; da blev hun vred, tog
et Spyd, og løb ud, did hvor Kvæget var. Nu kom
Gyrd hende imøde, tog Spydet, gik imod Kvæget, og
drev det bort, og hen over en Bro, der var over Aaen
imellem Gaardene; men nu kom Geirſteen ham imøde,
løb ſtrax imod ham, og ſagde, at de havde trukket Træl⸗
lene formeget frem, naar ſaadanne ſkulde lignes med
ham, og ſtak efter ham; Gyrd afværgede Stikket, men
hug derimod igjen til ham i den venſtre Side, og gav
ham Baneſaar; derpaa begav han ſig til Gyda, og
ſagde hende hvad der var ſkeet. Hun havde ogſaa da
ladet to Heſte gjøre færdige, den ene belæsſet med Gods,
den anden til at ride . . . .

A a 2

Her begynder Norges Kongerække, forfattet af Sæmund Frode.

1. Skjalde, som rigtig
   Rime ville,
   Pligt opfordrer
   Folk at glæde,
   Allerhelst om,
   De ere nu
   Færre end de
   Før have været.

2. Først bør man fjærnes
   Fra sit Maal,
   Men det naae
   Nær før man slutter;
   Disse Ord
   Ved dette Kvad
   Agtet jeg har
   At efterligne.

3. Først jeg vil,
   Hvis Folk lytte,
   Denne Sang
   Saa begynde:
   Snild i Hu
   Halfdan Svarte
   Tapper Arving
   Efterlod.

4. Kappelysten tog
   Kongenavnet
   Harald snart
   Den Haarfagre,
   Da Halfdan
   Druknet var,
   Falden under
   Jis i Vandet.

5. Og han er
   I Høj nedlagt,
   Paa det stridbare
   Ringerige,
   Men barnung
   Halfdans Søn
   Fik ærgjerrig
   Fædres Arv.

6. Ej han det ene
   Eje vilde
   Hvad af Forfædre
   Faaet han havde;

Saa mægtig var
Sognboers Konning
Og gjerrig mod
De Gavmilde [1].

7.　At hele Landet
Mellem Elven
Og Finmarken
Kongen ejed;
Han opnaade
For Norrige
Først af alle
Ene at raade.

8.　Drotten, som gjæv
Gaver uddeelte,
Havde mange
Vorne Børn;
Derfor enhver
Skjoldungs Slægt
Regnes til Harald
Den Haarfagre [2].

9.　Raskest Fyrste
Raadte Vintre
Tre og halvfjerds
For sit Land,

---

[1]) Eller: de som uddele Rigdom (Fyrster eller Rigmænd).
[2]) Saaledes vise Stamtavlerne endnu at det nærværende danske Kongehuus (og flere) nedstamme fra Harald Haarfager.

Indtil Asa‑Lokes
Eneste Datter [1]
Kom for at rane
Konningens Liv.

10. Da blev en Høj
Efter Harald kastet,
Ret anseelig
Paa Rogaland;
Den Hærførers,
Halfdans Søns,
Navn bestandig
Leve skal.

11. Erik Blodøre
Kongenavnet
Brat modtog
Som Boende [2] vilde;
Erik i alt
En og fire
Vintre hersked
Vaabenbehændig.

12. Indtil vennesæl
Fra Vesten kom
Adalsteins
Eneste Fostre [3],
Og Hakon
Den halve Arv
Heel af sin Broder
Begjerede.

---

[1] Hel, Dødens Gudinde.   [2] Landets bosatte Indbyggere.
[3] Fostersøn.

13. Men Erik
    Maatte flygte,
    Hævnelysten,
    Med hans Sønner;
    Aldrig haardsindet
    Hersers Nedtrykker
    Atter siden
    Kom til Landet.

14. Kappelysten
    Kongedømmet
    Hakon ene
    Havde en Stund;
    Han ærekjær,
    I alt, Landet
    Sex og tyve
    Vintre styred.

15. Konningen holdt
    Slag paa Fitje
    Mod Eriks
    Arvinger [1];
    Han der bleb
    I Haanden skudt
    Ved paa Flugt
    Fienden at jage.

16. Dette lidet
    Saar jeg troer
    Døden bragde
    Braveste Fyrste;

----

[1] Sønner.

Siden der
Hvor han døde
Efter Hakon
Helde [1] kaldes.

17. Men i Høj
Hadelandets
Mænd [2] paa Sæheim
Kongen lagde;
Da forlode
Haralds Arving
Krigere vakkre
Liv berøvet.

18. Da har jeg hørt,
At Harald tog
Uaarsæl [3]
Jord og Rige;
Graafeld raadte,
Gunhilds Søn,
Vintre ni
For Norrige.

19. Indtil Gormssøn
Og Guld-Harald
Lod deres Navne
Til Lig blive;
Kongen blev,
Sønder ved Hals,
Liv berøvet
I Limfjorden.

---

[1] Flad Klippe (Hákonarhella). [2] eller blot Hølder (rige Odels-
bønder eller Adelsmænd). [3] ikke heldig med gode Aar i Landet.

20. Haardsindet tog,
     Efter Haralds Fald,
     Hakon Jarl
     Mod Hars [1] Kone;
     Tre og tredive
     Vintre denne
     Fyrste besad
     Thunds [2] Veninde.

21. Eriks Faders
     Endeligt
     I Guldalen,
     Godt ei blev,
     Da Trællen Kark
     Med Kniv i Haanden
     Hovedet
     Af Hakon skar.

22. De, som ved Love
     Landet styred,
     Den Bedstes Raad
     Neppe savned,
     Da de nordpaa
     I Norrige
     Kristen Mand
     Til Konge toge.

23. Og Olaf
     Tryggves Arving
     Tog hjelperig
     Mod Land og Folk;

----

[1] d. e. Odins; Jorden kaldes hans Hustru.   [2] ligeledes.

I faa Vintre
Han fem Lande
Kristnet har,
Menneskers Ven.

24. Olaf Riget
Har besiddet
Længer ej
End fem Vintre,
Indtil Erik
Med Overmagt
Kongen til
Kamp udfordred.

25. Inden med alle
Ormen blev ryddet
Stod det Slag
Haardt og længe;
Hvor Olaf faldt
Folket haver
Svolders Vaag
Siden kaldet.

26. Erik Jarl
Med Ære raadte
Vintre tolv
For Yggs Kvinde,
Før af Landet
Vest over Havet
Ædlingen drog,
Som Venner begaved.

27. Da blev Eriks
Drøbel skaaren,
Før han til Rom
Reise skulde,
Og Blodløb
Ledte til Døden
Den vise Jarl
Vest paa blandt Engler [1]

28. Da hans Lande
Og Løsøre
Svend og Hakon
Til sig toge;
Kun to Vintre
Taltes, hvori
Eriks Arv
De Jarler havde.

29. Indtil i Land
Med liden Hær
Kongelig Mand
Kom fra Vesten,
Og Olaf
Jarlen mødte
I Saudungs-
Sundets Midte.

30. Hakon da nødtes
Kongen at sværge
Ed paa det,
Som Olaf begjerte,

---

[1] Englændere (Englar, Ænglar).

At Folkets Anfører
Forlade skulde
Odeler egne,
Til hans Alders Slutning.

31. Olaf bød
Øst paa for Næsse
Jarlen Svend
Heftig Træfning;
Med faa Folk
Flygted af Landet
Hakons Søn,
Sejer berøvet.

32. Hæderrig
Rige og Godser
Olaf fik
Ene, hin digre [1];
Harald den Grønskes
Herlige Søn
Styred femten Vintre
Klippe‑Landet.

33. Med stor Iver
Mægtig Knud
Gav lyst Guld
Mange Bønder;
For Lensmænd det
Lidt han spared,
For at egen Drot
Forraade de skulde.

[1] eller Tykke.

34. Da mod Kongen
Krigsfolk samled
Vel ætbaarne
Kalf og Thorer;
Thrøndernes Fyrste
Fældet blev
Hvor Stikleſtad
Stedet nævnes.

35. Da det erfartes,
At Ædlingen
Kriſt, som hellig,
Kjær var bleven;
Midt i Kriſts
Kirke ſtander
Helligt Skrin
Over Haralds Arving.

36. Da herſkede Svend,
Søn af Alfiva,
I ſer Vintre
Over Landet,
Indtil Knuds Søn
Fra Kongedømmet
Venneløs
Nødtes at flygte.

37. Ypperlig kom
Øſten fra Garde
Konning Olafs
Eneſte Søn;

Magnus fik
Megen Vælde
Og sin hele
Odelsjord.

38. Magnus den Gode,
Menneſker nyttig,
Var, uden Tvivl,
Tolv Vintre Konge;
Indtil i Sygdom
Sognboers Herre
Ypperligſt Mand,
Miſtede Livet.

39. Af hver Mand
Højlig ſavnet
Førtes han did
Hvor Faderen hviler;
I Kriſts Kirke
Kongelig Mand
Blev nordpaa
I Norge jordet.

40. Nu har jeg talt
Ti Land-Drotter,
Af dem enhver
Fra Harald nedſtammer;
Saa deres Alder
Anførte jeg
Som den viſe
Sæmund berettet.

41. Dog af den Sag,
Som drøfte jeg agter,
End er meget
Meer tilbage;
Nu skal derfore
Forklares om
Den Kongeæt,
Som end er i Live.

42. Det er mig sagt
At Sigurd Rise
Haralds Søn
Fordum kaldtes;
Halfdan var
Rises Arving,
Men Sigurd Syr
Søn af Halfdan.

43. Da fik en Søn
Sigurd og Asta,
Haralds Navn
Ham blev givet,
Meget viis
Den Drot beherskrd
Det vide Land
Vintre tyve.

44. Indtil Krigstog
Kongen gjorde
Til England,
Med Overmod;

Vestpaa fælded
I Vaabentorden
Engelske Mænd
Olafs Broder.

45. Fredsommelig tog
Mod Faders Arv
Og aarsæl
Olaf Kyrre [1];
Den Konge raabte
For Klippelandet
Fulde syv
Og tyve Vintre.

46. Alt for snart kom,
Udslukkende Livet,
Megen Sygdom paa
Magnus's Fader;
Og den Ædling
Jordet blev
I Krists Kirke
I Kjøbingen [2].

47. Men Olaf
Den stille sig
Rask og gavmild
Søn efterlod;
Magnus raadte
For Yggs Kvinde,
Efter Folks Tal,
I ti Vintre.

---

48. Magnus Barfod,
Som jeg hørte,
Havde mange Børn,
Høit anseete,
Den daadsnare
Fyrstes Sønner
Vare ei færre
End fem Konger.

49. Den maalsnilde [1]
Magnus drog
Til Irland
Ung, at hærge;
Ypperlig
Eysteins Fader
Der i Fægtning
Fældet blev.

50. Det er sagt,
At siden raadte
Folkekonger
Tre for Landet;
Det har jeg hørt
At have næppe
Vakrere Brødre
Været paa Jorden.

51. Olaf maatte
Ung, den gode,
Først, vel berømt,
Livet miste;

---

[1] veltalende.

Maatte den
Magnus's Søn
Kun stakket Tid
Folk beholde.

52. Mest gjorde vist
Hvad gavnligt var
Indenlands
Konning Eystein,
Til Hjerteværk
Den raske Fyrste
Altfor hastig
Døden bragde.

53. Begge ere de
Brødre lagte
Nordpaa i Landet
Paa Nidelvens Bred,
Der staaer høit
I Hovedkirke
Over Altret
Olafs Skriin.

54. Men Sigurd
Siden leved
Allerlængst
Af de Brødre;
Han som af Landet
Ud til Jorsal
Navnkundigst Tog
Har foretaget.

55. Ypperlig
Sigurd raadte
Tyve og syv
Vintre for Riget,
Indtil folkdræbende
Helsot skilte
Ved sit Liv
Mørers Herster.

56. Østerpaa
I Oslo Bye
Lagt er i Kiste
Kongens Lig,
Frisk groer Jorden
Over Fyrstens Been
I Hallvards
Høje Kirke.

57. Efter bedaget
Sigurd leved
Søn og Datter
Sødskende tvende;
Dølernes Konnings
Datter skal
Siden her
Nævnet vorde.

58. Nu det snart
Paa Helding er
Med at erindre
Afdøde Fyrster;

Sigurds Søn
Kaldtes Magnus
Hævnelysten, men
Harald Broder.

59. De meget uroligt
Rige havde,
Nærbeslægtede,
I Norrige;
Alt gik værre
End være skulde,
Mange undgjaldt det
Mellem dem.

60. Indtil Magnus
Mistede baade,
Uden Hæder,
Hilsen og Sejer;
Det veed enhver,
At Harald Gille
Var sex hele
Vintre Konge.

61. Indtil paa hans
Levedage
Uhæderlig
Ende gjordes;
Han er i Krists
Kirke jordet,
I Bergens By,
Broder til Konger.

62.   Som jeg har spurgt
        Sognboers Konnings
        Sønner Landet
        Siden værged;
        Eystein var
        Inges Broder,
        Til Angreb snar,
        Men Sigurd den anden.

63.   Som bekjendt
        Deres Rige
        Ikke længe
        Stod i Fred,
        Thi de Brødre,
        Som brøde Eder,
        Banespyd
        Bar mod hinanden.

64.   Ei sagesløst
        De Sigurd havde,
        Tapper Mand,
        Liv berøvet;
        Ham i Jorden
        Hos sin Fader,
        I Bergens By
        Beredtes Hvile.

65.   Eystein blev
        I Øst af Fjorden [1]
        Af Inges Flok
        Skilt ved Livet,

---

[1] Folden eller Foldefjorden.

Nu er den Ædling
Bedækket af Jord
Og afsjælet
Østpaa ved Fors.

66. Inges Rige
Stod urokket
Atten Vintre
Og andre syv,
Indtil Hakon
Af Hær ledsaget
Østpaa i Vigen
Inge fældte.

67. Den kampbjærve
Konning i Oslo
Tilhylles af Jord
I Hovedkirken,
Men Hakon kun
Maatte raade
For Land og Folk
En liden Stund.

68. Thi den skjæve
Erling havde
En væn Søn
Og velbaaren,
Efter Inges Fald
Folket gav
Kristines Søn
Kongenavnet.

69. Paa Møre, i Nord,
Magnus da
Hæderbegjerlig
Hakon fældte;
Vennesæl Drot
Med viet Muld
I Romsdalen
Blev tildækket.

70. Dristig i Krig
Kristines Søn
Var i sytten
Vintre Konning,
Indtil ypperlig
Østpaa i Sogn
Sverre fælded
Tapper Drot.

71. Nu er kampbjærve
Magnus's Lig
Lagt i Grav,
Under Templet
I Bergen, hvor
Beslaget med Guld
Sunneves Skriin
Sees at glimre.

72. Vel det nu sees,
At Sverre raader,
Udbredende Skræk,
Ene for Riget,

Heelt, som det
Havde ejet,
Halfdans Søns,
Haralds Slægt.

73. Dog skal jeg end
Noget mere
Om Barfods
Børn fortælle, —
Hans, den Ædlings,
Som aldrig for
Ild eller Jern
Frygtet havde.

74. Denne Konges
Datter Thora
Med en ædel
Mand var gift,
Hun især,
Som Jon fødte
Var sønnesæl [1],
Søster til Konger.

75. Kongens Datter
Kom retskaffen
Til det efter Isen
Opkaldte Land,
Ædelsindet
I god Tid,
Allerhelst
For Islands Folk.

---

[1] Lykkelig ved en eller flere ypperlige Sønner.

76. Thi avlet blev
     I Ægteskab
     Eneste Søn
     Af Søster til Konger,
     Ædelhjertet
     Menneskers Ven,
     Som af alle
     Mænd berømmes.

77. Det er og vist,
     At oprigtig
     Jon størst Hæder
     Stedse skal
     Vinde, hvor
     Hædersmænd
     Sager mellem
     Sig afgjøre.

78. Nu med Kongens
     Frænde tør
     Ingen, nok saa kraftig,
     Kæmpe trætte;
     Rig paa Lykke,
     Som rimeligt er,
     Vorder vennesæl
     Skattes Uddeler.

79. For gavmild
     Og uden Svig
     Ansaaes hans Fader
     Af fleste Mænd;

Under Himlen
Lopt ei vidste
Sin Uven
Født at være.

80. Men Sæmund
Sigfussøn
Viisdom bevidst
Var sig stedse,
Faber til Lopt,
Og Folk han tyktes
Ypperst i
Alt at være.

81. Oddeboers
Hele Slægt
Knyttes med Pryd
Til Kongers Stamme
Ved Kong Magnus's
Dattersøn
Som meer end daglig
Ved Daad gavner.

82. Før jeg nævned
Næsten tredive
Højbaarne Mænd
Og af Hæder rige;
Uden al Tvivl
Alle de Konger
Til Jons Slægt
Regnes kunne.

83.   Nu beder jeg Krist,
       At Kongers Ven
       Faaer det alt,
       Han ønsker sig,
       Givet til Held,
       Af Gud selv,
       Al sin Alder
       Og sig fryde!

Navne-Register paa Personer og Folkeslag

i 8de, 9de og 10de Bind.

Aage den Danske, 10, 248. 264-65.

Aane (Peter Steipers Søster-søn), 9, 10. 70.

Aase Blod, Frille, 9, 198.

Abel, Valdemar Sejersæls S., Danekonge, 10, 17. 32-33. 35. 38-40.

Absalon, Prædikebroder, 10, 59.

— Ærkebistop, 8, 194. 203. 206. 209.

Adalbrikt, Hertug af Bruns-vig, 10, 87.

Adam, 8, 2. 166.

Adelraad, K. i Engelland, 10, 323.

Adelsteen, K. i Engelland, 10, 155. 158. 330. 332. 337. 375.

Abils, Ottar Vendelkrages S., 8, 2.

Agne Dagsøn, 8, 2.

Ake, see Aage.

Albanus, 10, 237.

Ale Halvardsøn, 8, 275. 282.

— den Rige, see Olaf Tryg-gvesøn.

Alein Jarl, 9, 274. 276. 278. 10, 102-3. 109.

Alexander Alexandersøn, Skot-tekonge, 10, 28. 79. 118.

— Konge i Garderige, 10, 34. 43.

— Vilhelmsøn, Skottekonge, 10, 4. 26.

Alf Alfarinsøn, see Gandalf.

— Greve, 10, 69. 72.

— fra Leifastad, 9, 296. 314. 318. 329. 332. 335. 354.

— Skules Maag, 9, 285.

— Standeyk, 9, 238.

— Styrsøn, 9, 215. 244. 254.

Heid, Harald Haarfagers Fo-
sterinober, 10, 161-64.

Heklunger, 8, 56. 73. 75.
80. 82. 89. 92. 97. 99.
101. 109-13. 115-17. 122-
25. 128-31. 145. 151.
155-57. 160.

Helge, 8, 224.

— 9, 196.

— Bograngsføn, 9, 195.

— Bring, 8, 196.

— Bygvom, 8, 52-53.

— Flefhun, 9, 193.

— Gørn, Birgerføn, 9, 6.
10. 38. 59. 69.

— ben Hvasse, 9, 130.

— paa Loflo, 10, 93.

— paa Rybaas, 8, 113.

— ben Røde, Præst, 10, 53.

— paa Solbjerg, 9, 173.

— Thorbjørns Broder, 9,155-
56.

— Thorfinnføn, 8, 67. 113.
116.

Helgelænbere, 10, 145. 247.
263. 307. 338.

Helfing, 10, 130.

Helfinger, 8, 45-46.

Henrik, Biffop af Stavan-
ger, 9, 161. 176.

— Biffop af Ørkenøerne, 10,
101. 118.

— Greve af Sverin, 9, 199.

— Kaareføn, Biffop af Hole,

10, 11. 18-19. 32-33. 35.
39. 45. 47. 74.

Henrik, Konge af Engelland,
10, 7. 28. 122.

— Kongen af Kastiliens Bro-
ber, 10, 67.

— Senbemanb, 9, 303.

— Skot, 9, 115. 10, 91.
119.

Herbjørn, Bannerbrager, 9,
191.

Herbis Dabebatter, 10, 326.

Herjolf Dyntel, 9, 197.

Herlaug, Hakon Jarls Søn,
10, 148.

— Konge, 10, 146.

Hermod, Trinams S., 8, 2.

Hermunb Kvaabe, 8, 189.

Herfer, Konge i Nummeba-
len, 10, 341.

Herve, Biffop paa Ørken-
erne, 10, 25.

Hibe, Sigurb Skjalges Bro-
ber, 8, 294. 9, 131-32.

— Unassøn, K. Sverres Halv-
broder, 8, 7. 178. 221.
226-27. 301.

Hifing Geirfteenføn, 10, 370.

Hjalte Skeggeføn, 10, 251-
53.

Hjarranbe Geirfteenføn, 10,
370.

— ben Hvibe, 8, 67. 196.

Holmgeir Folkeføn, 10, 43.

— Knubføn, 10, 25.

søns S., 8, 169-70. 176-78. 181-85.

Jon Kula, 8, 83.

— Kula, 8, 270.

— Kur, 9, 190.

— Kutiza, 8, 85. -87. 113. 158. 170.

— Køtt, 9, 367.

— Langlifføn, 10, 91. 95.

— Lodinføn, 10, 50.

— Loptføn, 8, 206. 10, 393-95.

— den Magre, 8, 228-29.

— Omage, 9, 226.

— Paris, 9, 334.

— Philippusføn, 10, 123-24.

— Prøvsteføn, 9, 303-4. 335-36.

— Præst, 9, 220.

— af Randabjerg, 8, 62-63. 66. 68.

— Rød, 9, 173.

— Sandhavre, 9, 237.

— Silke, 9, 316-18.

— Skutelsvend, 8, 116.

— Smædra, 9, 317.

— Snorre Sturlasøns S., 9, 175.

— Staal, 8, 298-99. 9, 153. 164. 172. 175. 177. 200. 203. 239. 291.

— Sturlasøn, 10, 33. 35.

— fra Suderheim, 9, 339.

— Svarte, 9, 316.

— Sverres Søsterføn, 8, 196.

Jon Sylgja, 9, 317.

— Sørkverføn, Sveakonge, 8, 305.

— fra Thjorn, 8, 94.

— Trin, 8, 238.

— Tviflafinn, 10, 120.

— Tviflipting, 10, 2.

— Usle, 9, 80.

— Vagadrumb, 8, 109.

— Ærkebiffop, 10, 125.

— Ærkebiffop Jacobs Broder, 10, 72.

— fra Østeraat, 9, 115-16. 305.

Jordan Skindpeta, 8, 235-36.

Jorek, 8, 2.

Josteen, Erik Bjodeffalles S., 10, 215-16. 218.

— Thømb, 9, 144-45.

Jupiter, 8, 2.

Jæmter, 8, 45-48. 10, 327.

Jørund, 9, 31.

— Yngves S., 8, 2.

Kaare den Eenhændede, 9, 333.

— Endrideføn, 10, 94.

Kainan, 8, 2.

Kalf (Arneføn) paa Eggie, 10, 349. 351-52. 382.

— fra Hornyn, 9, 8. 65.

— Sendemand, 8, 7.

Kareler, 10, 34.

Kolbeen Arnorsøn, den Unge, 9, 290. 306. 10, 3. 5.
— Berer (Bjeringer), 9,19. 78.
— paa Fyre, 9, 221.
— Gisleson, 8, 83.
— Grøn, 10, 39. 45.
— Hanef den Unges Broder, 9, 280-83.
— Katteryg, 9, 182. 242. 262.
— den Mægtige, 10, 101.
— i Reinedal, 9, 281.
— Ruga, 9, 281.
— den Røde, 9, 59.
— Smørred, 9, 22. 82.
— Strinef, 8, 215. 218. 9, 19.
Kolbjørn den Røde, 9, 6. 200 (jf. Kolbeen).
— Staller, fra Romerige, 10, 307. 313. 316-19.
Koll Jfakson, 8, 109-12.
Kolffeg, Jslænder, 9, 19.
Kolumba den Hellige, 10, 28.
Konrad (den 4de), Kejser Frederiks S. 10, 37.
Kristine, Hakon Hakonsøns Datter, 9, 288. 10, 13. 55. 57. 65-68. 70.
— Nikolaisdatter, 9, 6. 47-50. 52. 60. 63. 67. 94. 111. 116. 127. 131. 152-53. 218. 249. 254. 267.

Kristine, Sigurd Jorsalefarers D., 8, 194. 10, 391-92.
— Sverres D., 9, 2. 6. 32. 39. 41-42. 47. 52. 94. 102-3. 105-6. 108. 110. 113. 120. 127. 129. 131.
Kristoffer Valdemarsøn, Danekonge, 10, 40. 43. 45. 48. 63-64. 69. 72-73.
Kuflunger, 8, 169-71. 175-85. 189.
Kumbrer, 10, 328.
Kyrpinge-Orm, 8, 166. 10, 370.

Lamech, 8, 2.
Lamidon, 8, 2.
Laurentius, Biskop af Skara, 10, 36.
Lavard Sverresøn, see Sigurd Lavard.
Leifsønner, 9, 319.
Ljot Haraldsøn, 8, 160. 213.
Lodin Bonde fra Leykne, 9, 8. 65.
— Gunnesøn, 9, 178. 185-86. 200. 209. 231. 249. 257. 262. 273. 284. 292. 335-37. 10, 11.
— Halsteensøn, 8, 116.
— Korsbrøder, 10, 73. 75-76.
— Lepp, 10, 57. 70. 87.
— fra Mannvig, 8, 158.
— Povelsøn, 8, 202. 285.

Olaf, Alfarins Datter, 10, 167.
— Einar Thambeskjælvers D., 9, 61.
— Ranes Moder, 10, 170.
Omunde, 10, 370.
Oplændinger, 8, 273. 9, 231. 10, 361.
Orknøler, 8, 119. 269.
Orm, Abbed, 9, 200.
— Biskop, 9, 267. 350. 10, 5.
— Jonsøn, 9, 172. 174.
— Kongsbroder, Jvar Sneis's S., 8, 32-33. 45. 54-55. 57-58. 71. 75. 87. 94. 97-98. 110. 115. 141. 145. 151-52. 157-58. 160. 162. 9, 57.
— den Lange (Lave), 9, 6. 13. 21-22. 59. 72. 82.
— Lygra, 10, 276.
— Petersøn, 8, 184.
— Skovnef, 10, 307.
— Skutelsvend, 9, 29. 90.
— see Kyrpinge-Orm.
Oræka Snorresøn, 9, 290. 300. 306. 10, 3-4.
Ospak Duggalsøn, den Sydersiske, 9, 42. 275-78.
Otryg, Bonde, 9, 261.
Ottar Birting, 10, 370.
— Gase, 8, 118. 120.
— Jarl, 10, 208.

Ottar Knerra, 8, 113. 116-17. 176.
— Mester, 10, 44.
— Snækoll (Snækollsøn), 9, 212. 277.
— Vendelkrage, 8, 2.
Otto af Brunsvig, romersk Kejser, 9, 119.
— Hertug i Saxland, 10, 348.
— den Røde, romersk Kejser, 10, 202-4. 206. 213.

Peter, 9, 60.
— Andreas Skjaldarbands S., see Peter Skulesøn.
— Biskop af Bergen, 10, 89.
— Biskop af Hammer, 10, 38. 42. 57. 68. 70-71. 73.
— i Gifte, 9, 242. 292. 308. 313. 324-25. 10, 40. 42. 44. Jf. Peter Povelsøn.
— fra Husestad, Ærkebiskop, 9, 200. 212. 239. 241. 252. 272.
— Jiske, 8, 209.
— Jvars Søstersøn, 9, 362.
— Jon Kuflungs Fader, 8, 183-84.
— Lukasbroder, 8, 271.
— Musa, 9, 347.
— Povelsøn, 9, 177. 200. 320. 324. 328. 346. 10, 11.
— Range, 8, 169.

Roald paa Gods, 10, 245-46.

— i Moldefjord, 10, 278.

Roar Kongsfrænde, 9, 3. 4. 50. 63. 120. 141. 145. 153. 302.

Roe, Biskop paa Færøerne, 8, 6-7. 11. 157.

— Halkelsøn, 9, 272-73.

— paa Kjarrested, 8, 119.

Rognvald, see Røgnvald.

Rolf Killing, 9, 282.

Rolland Jarl af Galvei, 9, 274.

Rollaug, Konge, 10, 146.

Rudre, 10, 99. 109.

Runolf Gode, 10, 252.

— Skutelsvend, 9, 230.

Ruphus, Præst, 10, 264.

Rut, 8, 27.

Ryger, 8, 75. 10, 149.

Rærek, Harald Haarfagers S., 10, 155. 330.

Røgnvald, Hakon den Gamles Søn, 10, 178.

— Halkelsøn, 9, 151. 154. 184.

— Harald Haarfagers S., 10, 330.

— Højere-end-Bjerge, 10, 168.

— Ingesøn, Sveakonge, 9, 57.

— Jarl, Brusesøn, 10, 351-52.

Røgnvald Jarl den Hellige, 8, 158. 9, 280.

— Jonsøn, 8, 131. 133. 158.

— Konge paa Møen (Man), 9, 110. 279.

— Mørejarl, Eistensøn, 10, 148-49. 152.

— Rettilbeen (Rykil), Harald Haarfagers S., 10, 139. 154. 330.

— Urka, 10, 91-92. 94-96. 105-107. 111.

Salgard Serk, 10, 157-59. 161-64.

Samuel, Profet, 8, 19.

Saracener, 10, 87.

Saturnus, 8, 2.

Saul, Konge, 8, 166.

Sare Bladspyd, 9, 246. 263-64. 294.

— fra Hauge, 9, 200. 208.

Saxer, 10, 229. 327.

Seljamænd, 9, 254. 10, 93. 234.

Serk fra Rjode, 8, 53-54.

— Sygnekjuke, 9, 276.

Sesep Magnesøn, 8, 2.

Seth, 8, 2.

Sigar fra Brabant, 9, 163-64.

Sige, Reres Søn, 8, 2.

Sighvat Bødvarsøn, 10, 86. 88. 93.

94. 130-31. 136-38. 153.
171-72. 178.
Ulf Ranesøn, 10, 364.
— den Røde, 10, 302-3. 307.
— Stygner, 9, 239.
— Staller, 10, 356.
— Svarte, 8, 190. 9, 117.
Ulle, 10, 340.
Unas Kåmbare, 8, 6-7.
Urgithjot Jarl, 10, 202.
204. 208.

Vak den Ærmste, 10, 307.
Valdemar Birgersøn, Svea-
konge, 10, 32. 55-56. 79.
86. 122-24.
— Knudsøn, Danekonge, 8,
84. 87. 134. 142. 10, 2.
— Konge i Garderige, 10,
181. 183. 188-89. 198.
— Sejersæl, Danekonge, 8,
305. 9, 5. 57-59. 119.
199. 262. 271. 362. 10,
1-2. 21.
Vanblande Svegdersøn, 8, 2.
Varbelger, 8, 190. 9, 296-
97. 315-21. 324-26. 328-
31. 334-36. 339. 342. 344-
345. 347. 349-62. 364-
67.
Varin, 10, 256.
Varteiginger, 9, 120.
Vegard Veradal, 9, 137-38.
161. 164. 169-70. 172.
185-86. 315.

Veimund Kamban, Konge, 10,
148-49.
— Valebryder, 10, 338.
Vender, 10, 35. 315. 327.
Verdøler, 9, 190.
Vesete paa Hell, 9, 319. 10,
53.
— den Lille (den Unge), 9,
296. 309. 314. 319. 335.
358. 363.
Vidkun Erlingsøn, 8, 126-27.
— Jonsøn, 10, 364-65.
Vidrer, 10, 133. 329.
Vigda, 10, 341.
Vigfus Gunnsteensøn, 10, 86.
— Vigaglumsøn, 10, 309.
Vighard, 10, 159-60. 162-
64.
Vigleik paa Digren, 8, 26.
— Provstesøn (Præstesøn),
10, 34. 96. 102.
— Staller, 10, 125.
Vigverjer, 8, 81. 89. 160-
61. 164. 9, 107. 178.
210. 347.
Vikar, Magnus Erlingsøns
S., 8, 189-90.
— fra Tiunbeland, 10, 302-
3. 307. 309. 314.
Viking Nefje, 8, 295.
Vilhelm Bastard, K. af En-
gelland, 10, 324-25.
— Karbinal, 10, 7-21.
— Mester, 9, 327.
— af Saltnæs, 8, 53.

Rettelser. I 1ste Bind: S. 61. L. 4 læs: 969de; L. 5 l. 32te. I 8de Bind: S. 124. L. 14 Borgen l. Bergen. S. 126. L. 10 Jonsen l. Erlingsen. S. 169. L. 5 f. n. Hektungernes l. Ruftungernes. S. 194. L. 2 f. n. Bindetegnet udslettes. S. 229. L. 16 Bakke l. Rakke. I 9de Bind: S. 46. L. 3 f. n. Throrgrim l. Thorgrim. S. 215. L. 2 f. n. Rubbunger l. Ribbunger. S. 236. L. 16 Baglerne l. Bagterne. S. 238. L. 3 f. n. Olaf Standepk l. Alf Standepk. S. 266. L. 15 Stydskafter l. Spydskafter. S. 280. L. 8 Slagbrell l. Stagbrell. S. 297. L. 8 Muman l. Munan. S. 335. L. 18 Arnfinn l. Arnbjørn. I 10de Bind: S. 5. L. 5 f. n. Erikfen l. Erlingsen. S. 118. L. 3 f. n. Xansler l. Kansler. S. 121. L. 5 Hakon l. Magnus. S. 132. L. 15 Hakon l. Halfdan. S. 133. L. 7 Kong Hakon l. Harald. S. 307. L. 5 f. n. Arnvind l. Arnvid. S. 358. L. 1 Hakon l. Harald.

Efterretning til Bogbinderen.

For Eensformigheds Skyld i den hele Række ere Titelbladene til de tidligst udgivne 1—3die og 11te Bind omtrykte, for at indsættes i disse Bind istedenfor de ældre, i Henseende til Form og Udtryk, uovereensstemmende.

Det ellevte Bind er forhen udgivet; et tolvte, som slutter den første Række, vil følge efter.

9 781023 668033